山釣りの旅案内

そばとふらいふぃっしんぐ

——東北、北関東、信越編

目次

山形県

福島県

栃木県

群馬県

新潟県

長野県

退路のない戦い

——阪東幸成（編者）

まず初めに、本書のメインテーマが「おいしいそば屋はどこにあるのか？」であることを宣言しておきたい。タイトルの順番どおり、釣り場案内はあくまでもサブテーマとして扱っている。多くの釣り場を紹介してはいるが、「ここだけの話」や「とっておきの川」は一切掲載していない。秘密の釣り場というのは、公になった瞬間に壊滅するし、そもそも、いつ誰が行っても釣れる川なんていうのは、夢か幻か、あるいはかつて実在していたとしても、インターネットとＳＮＳの普及と共に消滅したといっていい。従って、爆釣できる釣り場が知りたくて、今まさに書店でこの部分を立ち読みしている人、もしくはアマゾンの立ち読みコーナーでこれを読んでいる人が本書を買うと、がっかりするからやめておいた方がいい。

　これまで釣り場ガイドブックを買って、紹介されていた釣り場に行って、爆釣したなんていう経験があるだろうか？少なくとも日本の山岳渓流においては、前日に人が釣ってしまえば、翌日反応がいいなんてことはまれで、いつでも誰でも釣れる釣り場というのは釣り人の妄想に過ぎない。でも、買わないと当たらない宝くじと同じで、釣りは行かないと釣れない。しかし宝くじと違って、行く場所の選定によって、当たる確率を上げることができるのが釣りの面白さで、本書はその程度の役には立つと思うし、それ以上の役には立たない。実はこの本は、それとは逆に、釣れなかった場合に「あー、この本を買っておいて良かったー！」と思うように作られている。つまり山釣りの逆引き辞典なのである。あるいはあらかじめ、釣れなかった時のことを想定して、この本に出てくる釣り場を選ぶのもありだ。

　私自身の経験、この本のライターである、そばふらい人たちの本音、そして私のまあまあ広い釣友ネットワークで得た情報を総合すると、「釣りに行っても、思ったように釣れないことの方が多い」のが日本の現実なのである。これは以前から私が主張していることだけれども、プロの漁師ではない私たちにとって肝心なのは、「釣りの技法」ではなく、「釣りを楽しむ技法」なのだ。どうしても仲間内で競い合いたいなら、「どれだけ釣ることができたか」、ではなく、「どれだけ釣りを楽しむことができたか」を自慢し合う方が幸福になれる。

ここで問題になるのは、「魚が釣れると楽しいが、釣れないとツマラナイ」という疑いようのない事実である。言葉を換えれば、大半の釣り人は「楽しくなるために釣りをしている」ことになる。一般に流布している「楽しいから釣りをする」という釣り人のイメージとは順序が逆なのだ。人間は動物界ではまれな、努力するのが好きな生き物だから、まあそれもいいかもしれない。日本人は、特に努力を好む傾向が強い。私には多くのアメリカ人の釣友がいるが、カッと熱くはなっても、驚くほど諦めが早い。諦めるという判断に躊躇《ちゅうちょ》しないのは、それが自分のせいではないと思うことができるからで、自分の能力を疑い、責任を感じる傾向の強い日本人には、諦めるという判断が難しく、結果的に、自決したり玉砕するという結末になってしまうのは歴史が語るとおりである。日本のゲームフィッシングの父、開高健はかつて、こう言った。

――退路のない戦いはしてはならない。

では、釣れなかった場合の退路とは何か？「それは誰がどう考えてもそば屋だろう」ということに、少なくとも編者の私を含む「そばふらい人」の意見は一致し、ここに1冊の本が出来上がったわけである。つまり、そば屋は退路である。退路を確保してから、釣りを始めるためのガイドブックが本書なのである。

「でもさ、どうせ降伏するなら、退却途中に温泉があった方が気持ちイイよね」ということで温泉の情報が加わり、「勝利を信じて疑わず、家を守っている家族たちに向かって、帰宅するなり、無条件降伏したとは言い出しにくい」という意見もあり、やや付け足しの感が否めないとしても、土産物を買うための道の駅情報も加えた。という成り行きで、本書は結果的に、そばと釣りに温泉を加えた、文字どおり山釣り三昧の案内書となったわけだが、フライフィッシングに限らず、渓流釣りとそばと温泉は相性がいいように思えてならない。それがなぜだかは分からない。鱒とそばはどちらも山間《やまあい》の食料だし、温泉も山にある、という常識的な帰結は、確かに腑《ふ》には落ちるが、やや理に落ちた感もある。

あと、もう一点気になっていることがあって、それは日本の渓流釣りが（現時点では）主に男性の趣味であることと、そば好きが、どちらかというと男性に多いと思われる共通性である。少なくとも私の周りの女性に「そばとうどん、どっちが好き?」と聞いて、「そばが好き!」と答えた人は一人もいない。

といった、いくつかの疑問はさておき、この本で目指したのは、何はともあれ、おいしいそば屋を明らかにすることだ。おいしくないそば屋は1軒もない。釣り場ガイドと違って、「なんだよ、話が違うじゃねーか!」という結末にはならない、はずだ。はずだ、と言わざるを得ないのは、やはり味覚ばかりは、人それぞれだからで、実際、そばふらい人ライター間でも、意見が分かれる店がある。そばは極度にシンプルな食べ物だけに、好きか嫌いかのフレが大きいのだ。また店構えにしても好みが出る。素朴な外観のそば屋しか興味がない人、古民家風を好む人、おしゃれなルックスの現代的なそば屋に行きたい人、そばさえうまければ外観はどうでもいい人など多様だ。この本のライターも同様なので、4人のそれぞれの傾向を見つけて、読者の好みに合った店を選べば失敗は少ないと思う。

渓流釣り師なら、皆、経験があるだろうが、知らない土地で見知らぬ食堂に入るには、ただでさえちょっとした勇気がいるというのに、山里のそば屋となると、「これってフツーの民家じゃん」という店構えが多い。古民家ではなく、単なる民家だ。写真を見て驚くかもしれないが、そこは4人のそばふらい人を信じて、店ののれんをくぐってほしい。また、そば屋の選定に際しては、おいしさとは別に、釣り場に近い店を優先し、極力町中の店舗は除外するようにした。

*本書ではそばを提供する店を、「そば店」ではなく、あえて親しみを込めて昔ながらの「そば屋」という通称で呼んでいます。また（カッコ）内にある「休止中」などの情報は2022年5月時点のものです。現在、日本はコロナ禍の只中にあり、本書で紹介しているそば屋、宿、温泉、道の駅などへ行かれる際には、事前に営業日と時間の確認をされるようお勧めします。

営業中

KAWATSURA

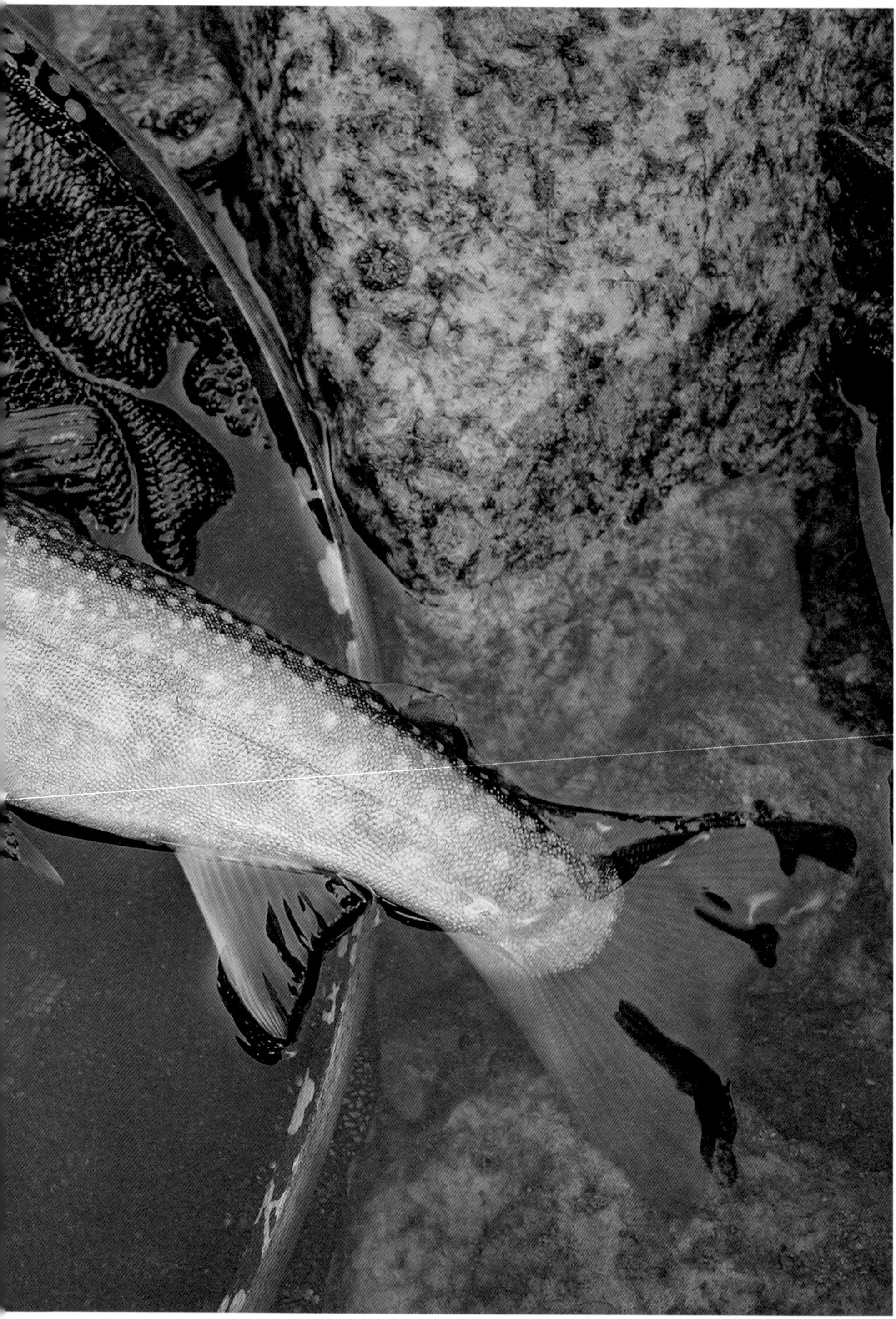

麦処
庵

寒ざらしそば
千寿庵
田舎の
千寿

ゆ

岩手県

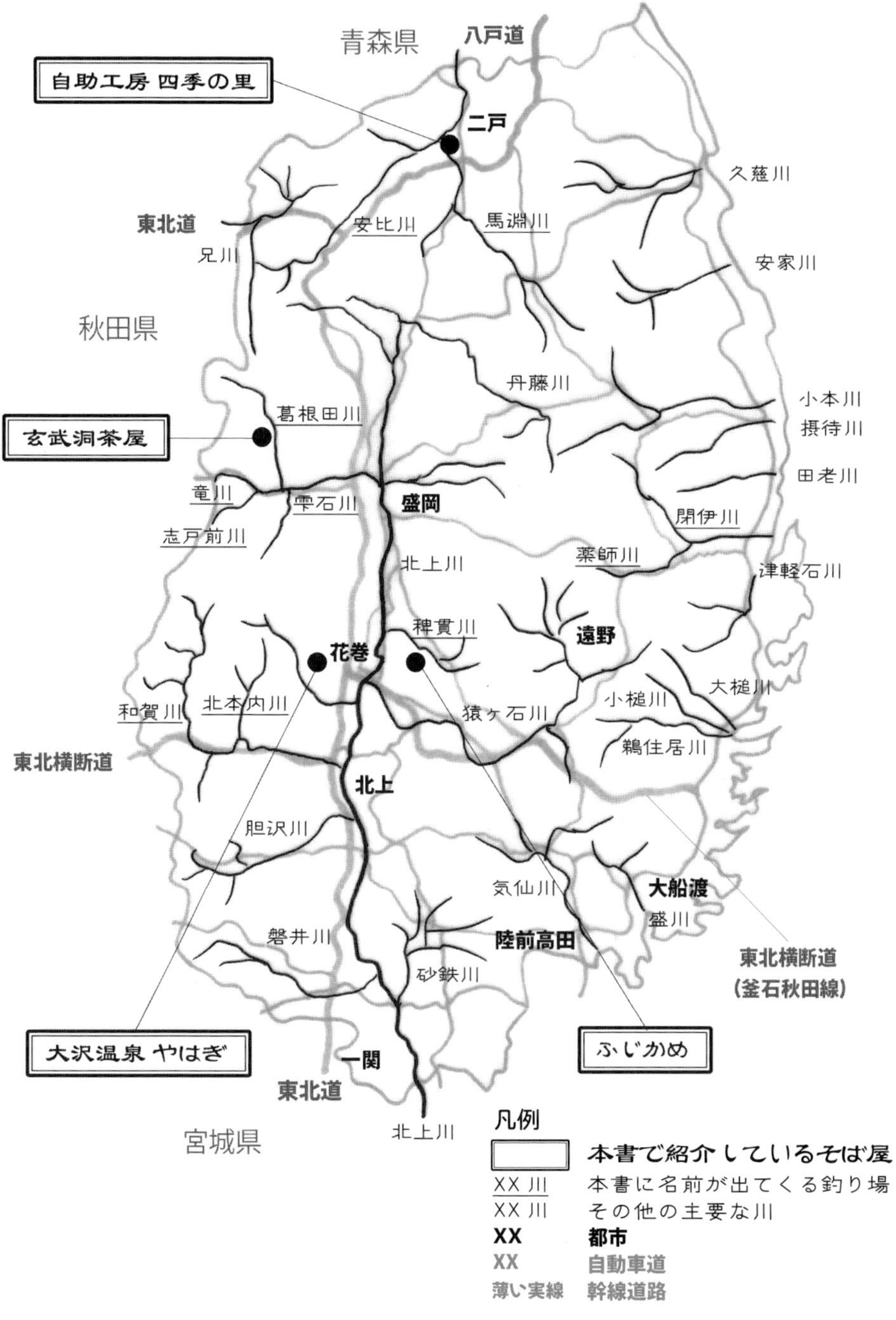

青森県
八戸道
自助工房 四季の里
二戸
久慈川
東北道
安比川
馬淵川
兄川
安家川
秋田県
丹藤川
小本川
摂待川
葛根田川
玄武洞茶屋
田老川
竜川
雫石川
盛岡
閉伊川
志戸前川
北上川
薬師川
津軽石川
稗貫川
遠野
花巻
大槌川
小槌川
和賀川
北本内川
猿ヶ石川
鵜住居川
東北横断道
北上
胆沢川
気仙川
大船渡
盛川
磐井川
陸前高田
東北横断道
(釜石秋田線)
砂鉄川
大沢温泉 やはぎ
ふじかめ
一関
東北道
宮城県
北上川
凡例
本書で紹介しているそば屋
XX 川
本書に名前が出てくる釣り場
XX 川
その他の主要な川
XX
都市
XX
自動車道
薄い実線
幹線道路

大沢温泉 やはぎ

岩手県花巻市湯口
字大沢 181 大沢温泉内
0198-25-2315

営業時間
11:00 〜 13:45
17:00 〜 21:00
定休日 なし

御食事処
やはぎ

和賀川水系と「大沢温泉やはぎ」

――大野敏男

先行者がいるはずだが、その足跡が見当たらない。もっと先から入っているのだろうか。この年は、7月になっても雨の降らない日が続いた。水量の少ない流れに魚の気配はなく、入渓点からしばらく歩いた。近年は梅雨入りしても前半は空梅雨で、後半に帳尻合わせのような豪雨となることが多いように思う。しばらく我慢して歩き続けると、ようやく足下の岩からイワナが走った。それを合図にロッドにラインを通す。雲が多く、日差しは少ないが、渓は暗くない。さほど暑くもないし、まとわり付く虫も少ない。渓流釣りには快適な環境といえる。あとひと月もすれば、釣りが困難になるほどのアブが出てくるだろうが。廃道となった古い橋の下をくぐる時、バスケットボール大のスズメバチの巣が見えた。恐る恐る見上げれば、巣は留守だ。去年のものだろうか。

その先を行くと、落ち込みから続くトロ瀬の明るいヒラキに、いいサイズのイワナを見つけた。フラットな水面下に薄緑色の四角い底石があって、そこだけスポットライトのように日が当たっていた。真上に定位しているイワナは丸見えだ。ただしヒラキの下流には倒木があり、そこから伸びる枯れ枝がキャストの邪魔になる。ロッドは7ft。対岸に立って倒木の枝の隙間を通せば何とかなりそうだ。

イワナに気付かれないように日影のある右岸に渡って、イワナの位置を確認した。フライをイワナの前に落とすことはできそうだが、一発で食ってくれないと、フライのピックアップが難しい。手前の倒木の枝にリーダーが絡まってしまいそうなのだ。たぶん勝負は1回きり、ミスは許されない。フックキーパーからフライを外し、昨日から換えていない、短くなったティペットを付け換える。フライはピーコック・パラシュート14番。焦る必要はないというのに、魚が見えていると、ついつい気が急いてしまう。これも修行だと、自分に言い聞かせて、手元に集中する。

豊かな自然に育まれた渓流の魚たちは、たくましく、美しい。彼らを相手にする深山幽谷での釣りは、フライフィッシャーにとって至福の時間となる

準備が整い、照準を定める。距離は６ｍくらい。ゆったりとバックキャストをして、倒木の枝の隙間を通して1回だけフォルスキャスト、そしてシュート。フライは静かにイワナの30㎝先へ落ちた。フライが流れ下る。早く食べてくれ！　という願いがイワナの背中を押したのか、上流に泳ぎ上がってフライを吸い込んだ。イワナは水量の浅い瀬尻を避けて、深みのある瀬頭へ走り、岩の下に潜り込んだ。やむを得ず、岩を動かして引きずり出した。この日最初のイワナがいきなり尺上だった。記念写真サイズである。ところが、しめしめと、ほくそ笑みながら即席イケスを作っている最中に、ネットの中からイワナが飛び出して逃げてしまった。よくあることだと自分を納得させるが、ちょっとだけ残念だ。

　その先の流れでも、イワナは日なたぼっこするように明るい所に定位していたが、先にこちらの気配を悟られてしまい、たちまち姿を消してしまった。かなり手前で魚影を確認して、遠目からキャストしないとならない。人気釣り場特有のスレ方ではあるが、一級ポイントからは大きいイワナが出てくるし、二級ポイントでは型が小さくなる、正しい釣り場だ。だいぶ上流に歩いた所で、速い流れから良型ヤマメが出て驚かされた。ヤマメが動く時期なのか。

　三つ目の橋を越えた辺りで、急にイワナの姿が見えなくなった。日影が続いているために魚影が見えないせいだと思っていたら、砂に真新しい足跡があった。まあそこそこ釣れたし、引き返すにはいいタイミングかもしれない。

　北本内川での釣りは2回目だったが、フライフィッシャーに人気のある理由が分かった。人家がなく山深いロケーション、透明な流れと木々があやなすコントラスト、川から見上げるブナの森と青空、そんなすべてが一つの釣り場として美しくまとまっている。まさに深山幽谷でのフライフィッシングだ。

　しかし正直なところ、林道走行は気が重い。道は荒れていて、尖った石も多く、前回来た時にはタイヤがバーストした軽トラを見た。そんな記憶があるから、５㎞以上続く悪路の走行にはとても神経を使う。林道脇の夏草は通せんぼをするように林道側に倒れ、車のボディでかき分けるようにゆっくりと走らないとならない。もちろん車の側面は傷だらけになる。そんな林道を大沢温泉と十割そばの花巻温泉郷へ向かって、車を慎重に進ませる。

「やはぎ」の「大沢純そば（辛み大根汁添え）」。豊沢川沿いの大沢地区で栽培されたそばを使用した十割そば。その日の釣りを終え、温泉で汗を流した後のそばは格別にうまい！

古き良き日本がここにある。今も昔も変わらない湯治体験ができる湯治屋の和室。テレビと冷蔵庫は各部屋に完備されている。熱いお湯が必要な場合は、自分で帳場に新しいポットを取りにいく

大沢温泉名物、「大沢の湯」。豊沢川に面していて、自然の中で温泉を満喫できる

大沢湯側からの川の眺め。24時間入浴可能の混浴だが、女性専用の時間帯もある。私は寝起きの朝風呂が大好きだ

花巻の西側を流れる豊沢川沿いには、大沢温泉、志戸平温泉など八つの温泉が点在し、花巻温泉郷と呼ばれている。その一つ、大沢温泉の歴史は古く、平安時代に征夷大将軍の坂上田村麻呂が発見したと伝えられる。江戸時代に南部藩（盛岡藩）主の定宿だったという茅葺《かやぶ》き屋根の「菊水館」は、現在はギャラリーとなっている。大沢温泉には、和風旅館の「山水閣」と、自炊、湯治向きな「湯治屋」の棟があって、私は「湯治屋」をよく利用する。かつて、農閑期には鍋、釜や布団などの生活必需品を持参して、庶民が療養目的に長期滞在をしていた。そんな文化を今なお守り続け、古き良き時代の湯治体験ができる貴重な宿なのである。私の釣り旅は、車中泊を基本にしつつも、岩手では夏油温泉や鉛温泉などの湯治部を利用してきた。そんな中でも大沢温泉は特に居心地がいい。夏油温泉は本格的な長期療養のための湯治の要素が強く、大沢温泉の方が釣り人にはお気軽だ。基本は素泊まり。イブニングで遅くなっても、宿には迷惑が掛からないし、早朝の出発も問題はない。そして何よりもリーズナブルな宿泊料金がいい。

館内には自炊室があり、炊事具や食器も完備されているから、食材だけを持ち込めばいい。ガスコンロの使用は1回10円（7、8分間）。館内には売店もあり、野菜などの生鮮食品や豆腐なども置いている。仲間と来たなら、鍋でも囲めば、なお楽しい。あるいは、酒のつまみやおかずだけを作って、白飯と味噌汁だけを食堂で注文するなんてこともできる。ともかく自在なのである。食堂の名は「やはぎ」。麺類や定食、丼ものが充実しているが、何といっても、大沢温泉オリジナルの「大沢純そば」がイチオシである。地元の大沢地区で収穫されたそばを使用し、玄そばの殻を取り除いた丸抜きを、川向こうの水車で挽《ひ》いている。自家製そば粉で打った十割そばは、風味とコシが強い。薬味として、大根の搾り汁も添えられているところが心憎い。

山深い渓流に入ると、そばが無性に食べたくなる体質の私だから、この付近で釣りをする時は、釣りとそばと温泉をすべて楽しむことができる大沢温泉に泊まる。「やはぎ」は夜9時までやっているから、腹が空いている時は、チェックインしてまずは早めの夕食（定食や丼もの）を軽く済ませて、ゆっくり湯に漬かる。そして時間を空けて、十割そばをするというようなこともできる。ともかくこの宿は、気が利いているというか、自在というか、釣り人向きの宿なのだ。ちなみに日帰り温泉は６００円で、食堂も利用できる。宿泊部屋までは、中庭に面したガラス戸が続く板間の廊下を歩く。ゆっくり歩かないとミシミシと音が響き、同宿の客たちに迷惑が掛かるレベルだから注意が必要だ。築２１０余年の「湯治屋」は、現役の宿として、花巻市最古といわれている。廊下と部屋の仕切りが障子戸だったり、子供の頃に祖父母のいる田舎に行ったことを思い出すような懐かしさがある。弱アルカリ性単純温泉の源泉掛け流しは、24時間好きな時に入ることができる。私は夕食の前後に入って、寝る前にもう一度、そして朝一番に入る。豊沢川際の混浴露天風呂は、瀬音と景色が存分に味わえる。夜、湯に浸り、釣果を振り返ったり、明日の予定をシミュレーションしながら、長風呂を楽しむのに打って付けだ。晩夏や秋は残暑も厳しい。冷房設備はないが、帳場で扇風機（３３０円）を借りることもできる。私は自炊室でうどんなどを作って朝食を済ますことが多いが、面倒な人は前日に予約しておけば、食堂で朝定食を用意してくれる。

ここをベースに連泊して釣りをするのもありだ。和賀川水系はもとより、雫石川水系方面へも峠越えで1時間以内と案外近い。また釜石道が延びてからは遠野も気軽に行けるようになった。花巻出身の宮沢賢治も大沢温泉を愛した一人だ。高村光太郎が東京空襲でアトリエを失った時には、宮沢賢治の弟を頼って花巻に疎開し、大沢温泉へ足を運んだそうだ。光太郎が疎開し、創作活動をしていた建物が、大沢温泉から10分ほどの所に「高村記念館」として保存されている。相田みつをも大沢温泉によく通ったそうで、入口の看板の「ゆ」の文字は相田みつをの書である。

和賀川水系の日釣り券は「つりチケ」で事前購入できる。水量や先行者の有無を確認してから、スマホで現場購入できるところが良心的だ。携帯電話の電波受信圏内で釣るか釣らないかの判断をしよう。（https://www.tsuritickets.com）。

追記：北本内川沿いの林道は、現在（２０２1年秋）土砂崩れのために通行止めとなっている。復旧工事が予定されているらしいが、釣行の際にはあらかじめ確認されることを勧める。また「道の駅 錦秋湖」も移転予定のため、現在閉鎖中。

稗貫川、薬師川と「ふじかめ」

次山嘉一

岩手に、もしも渓流釣り専門のベースキャンプを作るなら、大迫町が筆頭候補になるだろう。大迫はおおさこ、ではなく、おおはざまと読む。大迫町は花巻市の東側にあって、人間でいえば、へその辺りに位置している。この町にはホテルベルンドルフ(旧ステイヒル)という、ちっちゃなホテルがあって、以前から多くのフライフィッシャーのベースとなっている。というのは、そこを起点にすれば、岩手県の川ならどこへでも日帰りが可能だからである。南東側に連なる低い山を越えると遠野、さらにその先には気仙川や三陸海岸に流れ込むたくさんの単独河川、北東に向かって稗貫川沿いの林道をひたすら上っていくと、霊峰早池峰から流れ出す薬師川、さらに奥まで行くと閉伊川、逆に北上川本流を越えて西に行けば、奥羽山地の和賀川水系がある。地元の友人がいうには、近年の温暖化のせいかどうか、岩手県の天候は以前よりもまだら感が増していて、西がゲリラ豪雨に見舞われていても、東では渇水なんてことも、ままあるらしい。だから旅する釣り人にとっては、情報次第でどっちの方角へでも出撃できるベースというのはありがたく、大迫はちょうどそんな絶妙な位置にある。しかもだ、そんな場所においしいそば屋があるなんて、ちょっと出来過ぎで、へそが茶を沸かすといわれそうだが、でも本当なのである。店の名は「ふじかめ」。このそば屋はうまい。

一般的に、そば屋と渓流釣りは相性がいいイメージがあるが、実態は異なる。夜明けの出撃前には店は開いてないし、釣りから帰ってくる頃には閉まっている。夜遅くまでやっているのは都会のそば屋だけで、多くの渓流釣りのフィールドともなれば、7時までやっていれば、深夜営業である。つまりベースキャンプ近くにおいしいそば屋があっても、実はほとんど意味がないという決定的な事実が、ここで明らかになるのである。釣り場の近くに寄り添うようにあって、ランチ時にパッとウェーダーを履いたまま入店できるのが理想だが、世の中、そうそう釣り人都合にできている

ふじかめ

岩手県花巻市
大迫町外川目 29-82
0198-48-3159

営業時間 11:30 ～ 20:00
定休日　月曜日

手打

稗貫川はとても滑りやすい。膝まで生い茂る岸際の勾配では気を引き締めよう。ちょっとでもつまずいて前に倒れると、顔から川へ落下してしまったり、フライロッドで全体重を受け止めかねない

薬師川で最も魚影が濃いのがタイマグラ・キャンプ場周辺だ。上流部の魚はドライフライに浮上はするが2、3秒見つめて「なんだ、フライか」という感じでそっぽを向くイヤな性格をしている

はずもない。釣り人は人がいない所を目指すし、そば屋は人が集まる所にあるものだ。大迫が素晴らしいのは、東が釣れていると聞けば東へ行き、西が釣れていると聞けば西へ行ける、その理想的な立地にありながら、実は、どこへ行かなくても釣れることである。大迫の町を貫くように稗貫川（岳川《だけがわ》）が流れているのだ。あちこち足を延ばさなくても、結局この川が一番釣れたりすることがままあって、渓流釣りとそばを同時に楽しめる場所なのだ。

「ふじかめ」の駐車場は広いが、不必要に広過ぎて、どこが駐車場なのか、実態がつかめない。駐車場の端っこに平屋があって、藍色ののれんが揺れていて、駐車場が主役で、店が脇役のように見える。厨房脇のテーブルに座り、壁に飾られた蒸気機関車の写真にしばし見入る。釜石線は宮沢賢治ゆかりの銀河鉄道で、今でも週末には蒸気機関車が走る。そば畑の中を堂々と走っている様子は主人が撮影したものだろうか、それとも常連客が贈呈したものだろうか。郷土を愛し、そばを愛する店主に想像を巡らせる。

目をお品書きに移すと、そこには「暮坪《くれつぼ》ざるそば」と見慣れない名前がある。聞けばそれは、暮坪かぶと呼ばれるカブのおろしを絡ませて食べるものだという。迷わずそれを注文することにした。

そばが運ばれてくるまでに、カメラの絞りとシャッタースピード、感度、ホワイトバランスなどをさらりと確認する。周囲の空気を読むことが習い性の私としては、他の客に不快な思いをさせたくないし、それ以上に「挽き立て、打ち立て、茹で立て」を一番に考えているだろう料理人のことを思うと、一刻も早く撮影を済ませたい。「分かってます、分かってます。さっさと食べます」という意思表示がしたいのだ。この私の厳格かつ迅速な、そば作法を巡っては、普段、食事の際に同席しているワイフと口論になることが度々で、ベーリング海峡で蟹漁をしている男同士のような、口汚い罵り合いになることもままある。この本のための写真撮影という重大任務を授かった身としては、変な所に使用済みのおしぼりがあったり、ＴシャツのＵＳＡのプリントが大きくて派手過ぎたり、勝手にテーブル上に財布を置いたり、そんなことをしてもらっては困るのだ。

薬師川の上流域でもヤマメが釣れる。昔はイワナだけの釣り場だったが、近年ありがちな放流の影響である。強い水流の中にいるヤマメは引きも強い

タイマグラ・キャンプ場は車のまま入場できて、キャンプサイト脇に車を置けるのが便利だ。山奥にあるのに広々と開放的で、キャンプ場としては例外的に上空が空いていて、夜は星空が美しい

やたらとウインドノットができる人は、そばを食べに行く前に右手を訓練して、まっすぐ箸を持てるようにするべきだ

たっぷりと盛られた暮坪かぶ 。投入のタイミングを調整し、使い切らずに残しておけば、辛味の効いたそば湯を楽しむことができる

右にそばと天ぷら、左に薬味が配されたお膳が運ばれてくると、右利きに育ててくれた、平凡な親への感謝の気持ちがあふれてくる。普段は、制約されたくないとか、伝統には捕らわれないとか、他人と同じことはやりたくないと、標準化に対して人一倍抵抗している私だけど、こんな時は日本人であり、その中の多数派で良かったと感じることを許してほしい。わざわざ左右の皿を置き換えなくてはならない左利きの人は、そばが嫌いになってしまうのではないかと危惧する。あるいは、お膳ごと１８０度回転させるのか？　でも、そうすると箸が遠くに行ってしまうから、それを取ろうとして、シャツの袖がザルに載ったそばに触れてしまうリスクがある。それはマナー以前の問題で、そばに失礼過ぎるではないか。でも私は幸運にも右利きに育ったから、少なくともそばに関する限り、親を恨んだことはない。品書きに「そば粉と小麦粉はすべて岩手県産を使用している」と明言されている。その色調と細さに、歯触りと香りの両方を追求した配合を目指していることが見て取れる。薄いグレーに赤みがかった、細いそばだった。

右手に持った箸で数本を持ち上げてみると、私が興奮しているせいか、息遣いのせいか、華奢《きゃしゃ》な身が小刻みに震えているようだった。それでも、お互いの間には確固たる合意が存在していて、私は次の行動をためらわなかった。ついさっきまで冷水の中で泳いでいた身は引き締まり、しっとりとしている。細い脚は山にまとわり付くことなく、スルッとほどける。私は何も付けずに、そっと口に押し入れた。はっきりと、そばの実の香りがした。歯切れも良く、するりとのどを通過していく。うまい。数本にまとまった束が次から次へと、ざるの上から私の体内へ吸い上げられていった。ほとんど無心でそばの吟味をしていたそんな私は、世界から取り残されてしまったようだった。まるでクッキーの真ん中に空いた穴のように、なぜかその時の記憶がすっぽりと抜け落ちているのだ。

続いて、そばちょこに唇を付け、少量のつゆを含んでみると、鰹の風味の豊かさに驚いた。まろやかで薄口である。このまますべてを飲み干してしまってもいいと思うほどに。なるほど、細く、口当たりの優しいそば、そして準主役である暮坪かぶの存在を織り込んだ上での設計なのだろうと合点がいく。

厨房とテーブルの間をゆっくりと行き来する、やや年老いた女性がいて、日常が笑顔で満たされている人特有のし

三陸沿岸に注ぐ単独河川。魚が大きいと、釣り人の体全体に緊張が走る。釣り上げた時の喜びの大きさと、バラした時の嘆きの大きさは、この緊張感あってこそなのだろう

わを刻んでいる。彼女が他の客と会話している声がかすかに耳に届いた。

——打ったそばはその日のうちに使い切る。だから毎日早朝から準備している。

といった内容だった。今度はつゆに浸してから食べてみる。ほのかなそばの実の香りと鰹の風味、それぞれの甘みが見事に共鳴し合っている。二口、三口と箸が進み、一気に目の前の山が崩れていく。暮坪かぶのおろしには驚いた。カブでは繊維が多過ぎやしないか？　薬味には甘過ぎないか？　とその実力を疑ったのだけれども、遠野の暮坪地区で栽培される「究極の辛味」の異名を持つそれは、普通のカブとは違っていたのだった。大根のようにサラサラとしていて、しかもさらに辛い。「つゆ」に白く舞う「暮坪かぶ」と「そば」のトリニティを味わった時、私はこのそばはカルティエの店内で食べるのがふさわしいと思った。ただ、暮坪かぶをつゆに投下するタイミングについては、何しろ経験不足で研究の余地が残った。おそらく地元のそば好きの間では、「早合わせがいい」だとか「遅合わせが好き」といった論争が繰り広げられているに違いない。

　ホテルベルンドルフから、歩いて行ける距離に「大迫産直センター」と「ミルク工房ボン・ディア」がある。釣り終えてホテルに戻り、大浴場で汗を流してから、夕涼みがてら、アイスクリームを食べたり、ヨーグルト飲料を飲むと、岩手を満喫した気分になれる。日本では希少なブラウンスイス種の生乳は乳脂肪分が高く、濃厚なこくを味わうことができる。ホテルなんて、ぜいたくだというアウトドア派には、稗貫川沿いにひと山越えて、しばらく下ればタイマグラ・キャンプ場がある。早池峰の東の山腹にあって、開放的で明るいキャンプ場だ。シャワー施設があるのもいい。山の中だというのに、シャワー施設やトイレが清潔に保たれていて驚かされる。しかし何といっても、キャンプ場脇に薬師川が流れているのがいい。キャンプ場周辺はまるで放流されたかのように（笑）、いつ行っても魚影が濃い。稗貫川の日釣り券はローソン大迫店とファミリーマート大迫店、薬師川はタイマグラキャンプ場などで購入できる。

葛根田川と「玄武洞茶屋」

――次山嘉一

夏の日。乾いたグレーの河原とグリーンの水を湛《たた》えた流れが、どこまでも続いている。岩手県雫石町を流れる葛根田川は、昔から暴れ川として知られている。普段は静かに、ゆったりと流れているが、ひとたび大雨が降ると、まるで別の川のように荒れ狂う。

かれこれ10年以上も前のことになるが、大雨の予報を知りながら、釣りたい気持ちを抑えられず、秋にこの川で釣りを強行したことがあった。そして予報は当たり、雷が鳴り出し、ぽつり、ぽつりと雨粒が落ち始めた。そんな、やや不安な心持ちで釣っている最中、同行の友人が尺を楽々と超えるイワナを釣り上げた。それはもう丸々と太った見事なイワナだった。ヨシ、オレも！　という気持ちが、私を上流に向かわせた。もう少しだけ、もう少しだけ、と進むうちに水流に木の葉が混ざり出し、これはまずいな、と思っていると、明らかに水かさが増してきた。それから、ほんの10分程度でとてつもない豪雨となり、川は一気に白濁した。慌てて川通しに戻って事なきを得たが、頭の先からつま先までがずぶ濡れで、あと5分判断が遅かったら、とんでもないことになっていたと思い、寒さと恐怖で、実は少し体が震えていた。車を止めた地熱発電所前から少し車で下った所に無人の小屋があり、我々はそこでずぶ濡れの体を拭き、服を着替えた。風呂に入った時でもこんなには濡れないだろうというほど、びしょびしょだった。今思い返すと、なぜあんな都合のいい場所に、無人の小屋が立っていたのか不思議でならない。

しかし今は夏、あの時の体験がウソのように、川は静かに流れている。葛根田川の下流部（矢筈橋から砂防ダムまでの区間）はＣ＆Ｒ（キャッチ・アンド・リリース）区間で川幅が広く、アクセスが容易だ。逆に上流部は地熱発電所より先には林道もなく、最上流部を釣りたければ川を遡るしかない。上流部は河原も狭く、だから雨が降った時も

玄武洞茶屋

岩手県岩手郡
雫石町西根 150
019-693-2470

営業時間 11:00 ～ 16:00
定休日　火曜日

玄武洞茶屋
蕎麦

川通しで戻ってくるしかない。この川に限っては、釣り人特有の楽観性は捨てた方がいい。

葛根田川は小岩井牧場の西側に位置し、御所湖の少し上手で竜川と合流し、雫石川となる。合流する竜川は秋田県境から国道46号線沿いに東に向かって流れている、暗く不気味な川だ。国道脇に空いているスペースを見つけて車を止め、橋から下を見下ろすと、谷底を流れる水面が見えるには見える。とてつもなく深い谷で、とても釣りができるようには思えない。まさしく川の名のとおり、谷底に竜が潜んでいそうな気配がある。竜が想像上の生き物だとしても、少なくともキングギドラはいるのではないか、ならば早いところゴジラを呼ばないとならない、いや、ゴジラを呼ぶためには、先にモスラにお願いする必要がある。ついついそんな空想をしてしまう恐ろしい気配がこの谷にはある。しかし魚はいる。いいたくないがいる。橋の上からでも大きさが確認できるほどのサイズの魚がいる。

私はこんな恐ろしい川で釣りをしたいと思うような釣りバカではないが、なぜかある時、魔が差して、地獄の底に降りるような気分で橋の脇の踏み跡をたどって、河原まで降りたことがある。上から見下ろした時には、数匹の尺上が見えていたというのに、魚は消えていた。魚たちは地獄の底へと降りてくる釣り人の姿を見慣れているのだ。こんな地獄の底の魚までスレさせてしまう欲望まみれの釣り人は、まさしく地獄に落ちるにふさわしい。

で、地獄に落ちたくないと思って、もう少し足を延ばすと、西側から志戸前川が竜川に合流する。志戸前川は昔からあまりによく知られた川だが（岩手でよく知られていない川などない）、それでも先行者がいなければ釣れる。ともかく魚が多い川だし、釣りができる区間が長いから、どこかに竿抜けがある。粘り強く探ることだ。いや、オレは短気で粘れないという方は、志戸前川を行き過ぎて、そのまま西に進むと、もう秋田県境がすぐそこだ。

秋田県側に入ると、生保内《おぼない》川の上流部に出る。生保内川は東北ナンバーの車より、首都圏ナンバーの車が多いといわれるほどフライフィッシャーに人気のある川だから、地獄の底よりもさらに魚はスレている。残念ながら、この近辺に天国はない。だから葛根田まで戻るしかないわけだ。そう、もちろんそこにはそば天国があるから。

葛根田川の中流域には玄武洞という景勝地があって、国の天然記念物に制定されているのだが、崩壊が進み過ぎて、

中流域に文句の付けようのないプールを見つけた。上流部にはこういったポイントはほとんどなくなる

中流域。こういう地味な場所にコツコツとフライを流して一歩ずつ前へ進もう。名人は総じて足腰が強いものだ

香り豊かなそばの山を掘り進み、ひたすら深く潜っていきたいところだが、その気持ちは制御しなくてはならない。つゆと天ぷらが出番を待っている

危険な状態であることから現実的には見学できない状態となっている。だから観光客はいないはずなのに、なぜか車が多い。「玄武洞茶屋」目当てにやって来る人が絶えないのだ。ちなみに落石の恐れがあるという理由で、玄武洞から上流と下流へ、それぞれ２００ｍは釣りをしてはいけないことになっている。はい、そのとおりです。今、これを読んでいるあなたが思ったとおりに違いないのだ。おそらくこの４００ｍこそが天国なのだ。地獄に足を踏み入れることはできたというのに、天国はといえば、立ち入り禁止。キャッチ・アンド・リリースしているとはいえ、生物相手に遊んでいる釣り人の業の深さは相当のようだ。

その名のとおり、玄武洞が目の前にある「玄武洞茶屋」は「ちゃや」であって「ぢゃや」のように濁らない。店の前には、夏らしく蚊取り線香の煙が漂っていた。既に人が外にあふれている。順番待ちをしなくてはならないが、このために来たのだから待つ。空腹は最大のごちそうで、待てば待つほどに、そばはおいしくなるはずなのだ。

東北とはいえ、真夏の太陽の下で30分も蚊取り線香の煙を吸っているとハイになってくる。ようやく席が空いて、夏草色ののれんをくぐって店内に入った時には、雲の上を歩いているようだった。天国に足を踏み入れたに違いなかった。飲料用の湧き水をコップに入れて、口に含んだ。角のない爽やかな味だ。この湧き水で仕込んだそばか、なかなか期待させるじゃないか。「玉こんにゃく」という文字列がメニューから目に飛び込んできて、絶対に注文すると決めた。

「玄武洞茶屋」のそばは、石臼を使ってそばの実を周りの殻ごと挽く「挽きぐるみ」である。昔風の伝統を受け入れながらも、現代風の路線も見据えているからこそ、そばの注文は自動発券機という非人力任せにしている。確かに「玉こんにゃく」と言って注文するのは、どこかしら気恥ずかしさを伴う体験のような気がして、救われた気分でボタンを押した。

そして席に座ると、ほどなく「玉こんにゃく」が運ばれてきた。しょうゆとダシが優しく染み込んだ玉こんにゃくに、辛子を付けて口に入れる。素朴だ。中庸の優しさが、こんにゃくの中にさえ宿っている。

やがて運ばれてきたそばは、細切りよりやや太く、どこまでも中道なのである。そして盛り付けは、やや現代アートを意識したのか、写真に見るかつての玄武洞のように高く険しく盛り上がっている。その荘厳な山容に畏怖を覚えながらも、私はもろい岩を採掘するように、そばを丁寧に切り離し、口に持っていく。なぜか行ったこともない玄武洞が脳裏に浮かんでくる、歯応えのある引き締まったそばだ。香り豊かな山を、このままつゆを付けずにそのまま掘り進めたい。つゆを付けてはいけない。ただただこのまま、そばの山を掘り進めていくべきだ。暗い坑道を進んでいく私は、危険を顧みない坑夫だ。あるいはその先に待っているのは落盤事故かもしれない。それもいい、この際だ、地獄か天国か、どちらかハッキリさせてもらおうじゃないか。そう思っている私の耳に、ふいに店主の声が聞こえたような気がした。

「まあまあ、そう意固地にならずに、そばはつゆを付けてもおいしいし、付けなくてもおいしいんですよ」

そう思って、つゆを舌になじませてみると、それは丸みのある甘さで、野卑な塩気がなかった。そう、中庸の、程良い味わいなのだった。


竜川沿いに国道46号を秋田方面へ向かうと、峠の登り口に、「道の駅 雫石あねっこ いで湯の里」、があって、日帰り温泉に入ることができる。清潔で現代的な温泉で、道の駅での仮眠も可能だから、いつ行っても県外ナンバーやトラックがたくさん止まっている。あるいはゴージャス派であれば、盛岡側へ少し戻れば、御所湖には繋《つなぎ》温泉がある。

葛根田川の日釣り券は１５００円、千刈田のファミリーマート雫石バイパス店が最寄りの取扱店だ。国道46号で盛岡方面から来ると、葛根田川を渡る橋の３㎞ほど手前の右側にある。

安比川と「自助工房 四季の里」

次山嘉一

ギャラリーやミュージアムで、現代アート鑑賞をした経験があるだろうか。途方もなく広い空間に、不可解な作品がポツリ、ポツリと並び、見終わる頃には歩き疲れてしまう。ギュッと1カ所に集めてくれればいいのにとか、作品の数が少な過ぎるからだ、と不平を漏らしたくもなる。しかし、現代アートの世界にあっては、展示されている作品そのものだけではなく、作品の配置や展示空間そのものがアートの世界の一部となっている。そこで重要となるのは空白である。この世に休符のない音楽は存在しないし、小説にも行間はあるし、世界には空がある。

一方、釣り人は休憩したがらない。その昔、クリスマス期間は暗黙のルールで休戦していた戦争のように、ヤマメもこの時間帯だけは食ってこない、という相互合意がありさえすればラクなのに、釣りにはそれがない。うだるような暑さの中、熱中症すれすれのぼんやりとした視界の中で、突然、尺ヤマメがエルクヘア・カディスに襲いかかり、慌てた大合わせで合わせ切れなんてことがままある。だから釣り人には気が休まる時がない。一般的に釣りは、太公望のイメージから、リラックスするための趣味と思われているが、現実が真逆であることは、この本の読者なら知っているはずだ。私もその例に漏れず、フライフィッシングを始めてからというもの、のんびりした気分で釣りをしたことなどなかった。ランチ時にデイパックの中からガスバーナーを取り出し、コーヒーを入れてのんびりするなんて、ＹｏｕＴｕｂｅやムック本のために演出された絵空事だとさえ思っていた。現実の私はといえば、ほとんど歩きながらおにぎりをほお張り、無理やりお茶で胃に流し込んでいるといった有り様だったのだ。しかし、そばを知ってからというもの、釣りという遊びに余白ができたような気がする。そして不思議なことには、どうやらその余白がフライフィッシングを、さらに楽しくしているようなのだ。例えば、今皆さんが開いているこのページには余白がある。も

自助工房 四季の里

岩手県二戸市
石切所荒瀬 49-1
0195-23-7148

営業時間 11:00 ～ 15:30
定休日　月曜日

そばの太さにバラツキがあることがわかるだろうか。手打ちそばの証明である。この不ぞろい加減にいい知れぬ安心感を覚えるようにようになったら、そば通、もしくはロックスターは夢じゃない

暑い日だった。川の色、音、匂いまで覚えているのに、なぜか魚の顔を思い出せない。都合のいい熱中症がすっぽりと記憶を奪ったのか、もしかすると釣れなかったのかもしれない

し余白がなかったら、文字だらけで息が詰まってしまう。で、その状態が、これまでの私の釣りスタイルだった。

私は以前から釣れない日を「アバタもエクボ」と称して、フライフィッシングの魔力の一部だと思ってきた。やせ我慢をして、「釣れなくても楽しい」と自分に言い聞かせてきたのだ。こんな美しい景色の中で、新鮮な空気を吸っているだけで十分じゃないかと。でも、イタリアのギャングかKGBかCIAに「少しは魚の気持ちになってみろ！」とか言われて、水バケツに頭を突っ込まれて拷問されたら、「スミマセン、本当は楽しくありません」とあっさり白状してしまうだろう自分がいた。そう、実は釣れないと楽しくないのだ。しかしそばを好きになってからは、釣らないと楽しいことに気が付いた。読み間違えないでほしい、釣れないではなく、釣らないだ。釣れないからフライを換える、上流を目指す、場所を変える、川を変える。それが釣りの面白さの一部であることは認める。でも、そばを知ってから、私は変わった。釣れないと楽しくない。でも、釣らないと楽しいことを知ってしまったのだ。これを無条件降伏と見る一派がいることは知っている。最後のフライを使い切るまで戦い続け、それでもダメなら玉砕するまでだ、という思想である。しかしながら、歴史が証明するように、この戦い方に明るい未来はない。釣れない時、本当に変えなければならないのは、釣り方でも釣り場でもなく、気分なんじゃないだろうか。その日の安比川も釣れなかった。安比川は岩手県で最も北を流れている川で、最下流部で馬淵川と合流して青森県に入るまでに、かなりの長さがある。何しろ支流が多いから、先行者がいても（有名河川なので平日でも釣り人はいる）どこかに逃げ場があるはずだからと、釣れないままに転戦を繰り返しているうちに、くたびれてくる。そんな時は釣らないに限る。

二戸の街へ向かう県道沿いに「自助工房 四季の里」はあった。既に安比川が馬淵川に吸収された下流のほとりに立っている。これまで安比川で釣りはしてきたが、ここに来たのは実は初めてだ。南部せんべいの老舗「巌手屋《いわてや》」が経営する店で、立派な石垣と手入れの行き届いた庭木に囲まれた日本式の建物である。同じ敷地内には創業者の記念館や南部せんべいの工場を兼ねた店舗もあって、チョコレートを使った新商品を食後のデザートにするというのもありだと思った。店の前に立ってもガラス窓がないので中の様子は見えない。太く頑丈な柱で支えられた建物で、正面に構える障子の引き戸が既に名店の風格を放っている。「自助工房 四季の里」では、岩手県産のそばの実を石臼で挽いて、その日に手打ちしたものだけを提供している。また二戸市は全国有数の鶏肉の生産地で、釣り場を探して右往左往しているとブロイラーセンターだとか養鶏農場といった看板がやたらと目に付く。鳥の揚げ物が添えられた「とり天ざるそば」が絶品との前評判を聞いていたので、迷うことなくそれを注文することにした。運ばれてきた「とり天ざるそば」は障子をくぐり抜けた西日を受けて黄金色に輝いていた。釣りをした後で、空腹感が強かったから、野菜に加えて鶏肉の天ぷらが二切れも載っているのがうれしかった。まずはいつものように、何も付けず、そばを口に運んでみる。文句なくおいしい。次につゆを口に含んだが、豊かな出汁の香りに圧倒された。そして、とり天。まずはそのまま食べて本来の味と食感を確認する。芳醇さ、カラッとした噛み応えが格別だった。そしてそばの残りが少なくなってきた時、勇気を持ってつゆに落とし込んだ。「ああ、おいしい」と私はため息交じりにつぶやいた。どんなニワトリだって、こんな素敵なとり天になりたいに決まってる。食後には同じ敷地内にある工場兼店舗「２ｄｏｏｒ（二戸の意）」でチョコレートアイスクリームを買って食べた。

　で、泊まりは金田一温泉の緑風荘にしたいところだが、人気があり過ぎて、予約を取ることが難しい。同じ岩手の早池峰は猿ヶ石川の岸辺にあった「わらべ」が廃業してしまった今、座敷童をライブで経験するなら緑風荘ということになる。オーブ（魂）が部屋をゆらゆらと移動するなんて当たり前で、座敷童を体験できる確率はかなり高いと聞く。そういったオカルト系が苦手で、泊まるのが怖い人は、日帰り温泉だけでも営業しているが、午後は3時までなので、まあ釣り人には難しいかもしれない。最後に、連日のそばに飽きた時には、二戸市内の寿司店「三五郎屋」がお薦めだ。そばに飽きるはずのない私だけれど、実は夜はココと決めている。文句なしにうまい。

　安比川の日釣り券は上流の安比高原側だとローソン安比高原店、下流の二戸側ではローソン二戸金田一店で購入できる。

秋田県

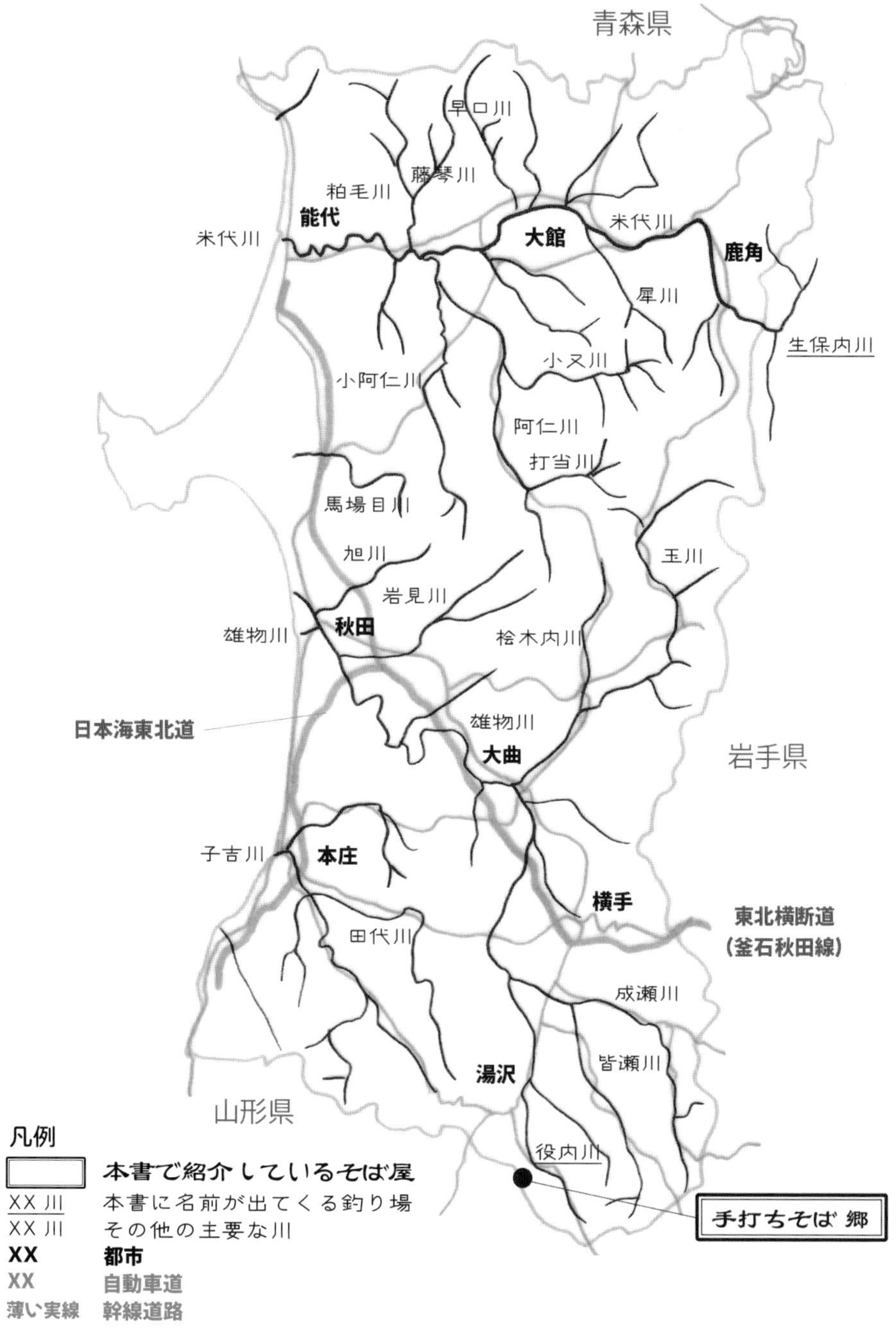

青森県
早口川
藤琴川
粕毛川
能代
米代川
大館
米代川
鹿角
犀川
生保内川
小又川
小阿仁川
阿仁川
打当川
馬場目川
旭川
玉川
岩見川
秋田
雄物川
桧木内川
日本海東北道
雄物川
大曲
岩手県
子吉川
本庄
横手
東北横断道
(釜石秋田線)
田代川
成瀬川
皆瀬川
湯沢
山形県
役内川
手打ちそば 郷
凡例
本書で紹介しているそば屋
XX川 本書に名前が出てくる釣り場
XX川 その他の主要な川
XX 都市
XX 自動車道
薄い実線 幹線道路

手打ちそば 郷

秋田県湯沢市
秋ノ宮字小杉沢 26-3
0183-56-2517

営業時間 11:30 ～ 15:00
定休日　木曜日

手打ちそば
郷ーさとー
手打

役内川と「手打ちそば郷」

——大野敏男

前日の18時、秋田の「道の駅 おがち」に到着した。国道13号を北上し、途中昼と夜の2回の食事、そして山形県赤湯の公衆浴場「あづま湯」（１００円）で日帰り温泉に入った。トータル４８０㎞、13時間のロングドライブだ。

この年は7月に入っても、梅雨前線が東北地方まで北上してこなかった。朝の天気予報で、関東圏とほとんど変わらない真夏日の最高気温の数字に気持ちが萎えかかったが、覚悟を決めて、雄物川水系の役内川へ向かった。

車窓から川の様子を見て、適当な空き地に車を止め、付近の踏み跡を探して夏草をかき分け、川に出た。水量は割と多い。日差しを反射している水面がまぶしい。とても朝とは思えない。ウェーダーを通して感じる流れはまるでぬるま湯だ。水温計を流れに漬けると19度。後悔先に立たず。他の川への転進を思案したが、既に釣り券も購入してしまっている。半ば諦めモードでウェーディングするが、結構流れが速い。水温が高いせいか、底石が滑る。膝上まである流れを徒渉するのが容易ではなく、ウェーディングスタッフが欲しいくらいだ。

入渓した地点から少し遡行して、いい感じの流れ出しの岸際でロッドにラインを通した。まぶしく反射する水面に向けてのファーストキャスト。全く期待していない気持ちが出たような雑なキャストになった。ラインとリーダーにリールの巻き癖すら残っている。流れ下るフライにもひどいドラッグが掛かっている。ところが意外にもそんなフライに反応があったのだ。フッキングしなかったにせよ、フライに出たのにちょっと驚いた。まだ狙えそうだ。

少し間を空けるついでに、ヨレたラインとリーダーをしっかりと伸ばし、フライも交換する。そして同じ流れへの2投目のキャストで出た。強い流れに乗って走る手応えから、明らかに良型であることが分かる。エキサイティングなやり取りの後、無事にキャッチ。泣き尺の雄ヤマメだった。鼻が三角にとがり、パーマークが奇麗に並ぶ秋田の美男子ヤマメだ。まだ一日が始まったばかりなのに、たった2投でもう満ち足りてしまった。証拠写真を撮ってリリース。余裕綽々《しゃくしゃく》で上流の瀬から釣りを再開すれば、すぐまたフライに出た。今度はさらに幅広な雄ヤマメで、しかも尺上。3匹目はさらに走られ、ティペットが水中に沈んだアシにでも巻かれたのか、絡まったまま外れずにバレてしまった。

釣りを開始してからまだ20キャストもしていないだろう。尺ヤマメを狙った真剣勝負をしたつもりもないのに、尺絡みを3匹掛けて、2匹キャッチという信じられない成果だ。この先の展開を考えると、6・9ft3番の竹竿が頼りなく思えてきて、川沿いに引き返していったん車に戻った。

主導権を握ることができるように、宇田ロッド7・2ft4番を選んだ。ロッドを継ぐ間中、落ち着かなかった。誰かに先を越されてしまうのではないか、と気が急いてしまう。念のために背中にぶら下げたランディングネットも、ひと回り大きなサイズへ換え、足早に再入渓した。

その後も尺絡みのヤマメばかり掛け、経験したことがない夢のような釣りが2時間ほど続いた。普段は年に一度釣れるかどうかの泣き尺ヤマメを手にして、写真も撮らずにリリースするなんて先にも後にもないことである。やがて太陽は高く上がり、汗だくになってきた。釣りに夢中になって忘れていたが、朝食用のおにぎりをベストのバックポケットへ入れていたことを思い出した。水面から頭を出す平たい岩に腰掛けて、一息付く。釣り上げたヤマメはすべて8寸を下回らず、その多くが尺絡み。こんなにヤマメがいるのは、冷水が流れ込んでいるか、湧き水が出ている場所があるからか。実際、川沿いの国道近くに、冷水をくむことができる「目覚めの清水」と呼ばれる湧き水がある。

そんなことを推理しながら2個目のおにぎりを食べ終わる頃、これまでクリアだった川の流れが見る見るうちに濁り始めた。朽ちた木端が混じった笹濁りのような流れに変化していくのだ。上流で用水路の清掃でも始まったのかと、川の回復を願い、しばらく待った。太陽がジリジリとTシャツから出た両腕を焼き、私の頭もクラクラしてきた。やがて刈られた草が水面を覆うように流下し始めた。こめかみから頬を伝って落ちる汗を拭いながら、未練をたっぷり残しながら車に戻った。気温は既に30度を超えていた。もうこうなると行く所はあそこしかない。

三角鼻の秋田美男子ヤマメ。こんなヤマメに出会えるなら、片道480kmの道のりもへっちゃらだ

車のエアコンを全開にして、そば屋「郷」へ向かった。役内川沿いの仙秋サンラインを下から秋ノ宮温泉郷方面へ上っていくと、小杉山という集落の山側に手打ちそば「郷」がある。若い夫婦が自宅をそのまま改装した店で、この周辺では唯一のそば屋である。ウェーダーを脱ぎ、雪国仕様の二重扉の玄関を入ると、二間がつながった大広間に、大きめのテーブルが3卓ある。そばは県境を越えた隣町の宮城県鬼首《おにこうべ》産のそば粉を使用している。この辺りの雄勝地方は「あきたこまち」の稲作と稲庭うどんの方が有名かもしれない。「郷」のそばは甘みと風味がありながら、のど越しがいい十割そばである。野菜天ぷらは通年提供しているが、春から初夏にかけては店主が山で採ってくるタラの芽、ワラビ、ミズ、コシアブラ、シオデ、さらにはネマガリタケの山菜天ぷらもある。これを抹茶塩で食べる。平日は地元客が多い。こぢんまりとしたお店なので、混雑する週末や休日の訪問はお薦めできない。夫婦二人で営む店に限っていえば、混雑している時においしいそばに出会うことはまれである。

翌日は気になっていた別の川を回った。仕事の都合で一度帰宅したが、もう1度、あの不思議な釣りを再検証しようと、５日後、連日の猛暑が続く中を、またまた４８０㎞走った。その5日間の間に雨は降らず、川の水位が若干下がり、水温はさらに上がっていた。５日前の出来事が夢だったかのように、全く釣れなかった。上流域へ移動して、二回りほど小さなヤマメを1匹釣っただけで終わった。当然、次の年も同じタイミングで再訪問したが、白昼夢が再現することはなかった。

雄物川の最上流を子吉川方面へ向かう国道１０８号の途中に、東洋一とうたわれた「院内銀山」という史跡がある。役内川からほど近い所だ。江戸時代初期に開山され、秋田藩（久保田藩）直営の銀山として栄えた。江戸中期には４０００戸、1万5千人余りの人が住み、年間の産出量も日本一を記録するなど、秋田城下をしのぐほどの活況を呈していたという。明治時代になると、富岡製糸場（世界遺産になった）同様に「院内銀山」は新政府の直轄となり、

2時間の白昼夢は突然消えた。用水路の清掃でも始まったのか、流れは朽ちた枝葉混じりの濁流と化してしまった

「郷」の十割そば。そばの風味を舌と鼻で味わい、のど越しを堪能する。良型ヤマメを釣った余裕で、そばの味わいが深くなるのは気のせい？

ドイツ人技師を赴任させて近代化が進んだ。そんな場所が、今やツタや雑草に覆われて、自然の森へとかえりつつある。その場に立つと、ここに1万人を超える人々が暮らした町があったとは、容易に想像しがたい。坑道への立ち入りはできないが、国道から少し脇道に入った場所にある外国人技師の住居（館）跡の石垣や小学校跡、神社などが自由に見学できる。銀山の史跡を見学してから、近くの道脇でフキの茎を刈り採ってビニール袋に詰めて土産にする。夏のフキは少々硬いが、キャラブキなどの佃煮にすれば山の幸を楽しむことができる。

「郷」の近くに、秋ノ宮温泉郷があり、その中に湯ノ岱温泉がある。「太郎兵衛」という温泉民宿があり、イブニングの後でも気軽に３００円で日帰り温泉に入れるため、私はよく利用している。「太郎兵衛」は代々関守（関所の役人）をしていた家系が経営する宿で、まさにその関所跡に建っている。温泉は熱めのナトリウム、塩化物泉の自家源泉は、掛け流し。例の尺ヤマメデーに熱めの湯へ漬かった私は、日焼けの腕が痛くてバンザイ状態で入るしかなかった。ここは早朝6時から日帰り温泉が楽しめる。家庭的なサービス、山菜料理、リーズナブルな料金で釣り人に人気だ。

あの尺ヤマメデーに、田んぼのカエルの合唱を聞きながら山を下った記憶が懐かしい。あの時は、翌日は鳥海山麓の子吉川水系の渓流で釣りをしたので、「道の駅 おがち」まで行って仮眠した。この周辺には道の駅以外に食事をする場所がないが、コンビニやドラグストアー、ガソリンスタンドがあるから便利だ。夏の夜の仮眠は夜明けも早いし、都会の熱帯夜より多少は楽だが、汗をかいた時には、道の駅内に１００円のコインシャワーがある。

私自身お土産に漬物はあまり買わないが、秋田名物、いぶりがっこは好きだ。稲庭うどん、本場の「秋田こまち」もいいし、「道の駅 おがち」には銘酒も豊富にそろっている。

釣り券はセブン-イレブン 雄勝こまちインター店で購入できる。

宮城県

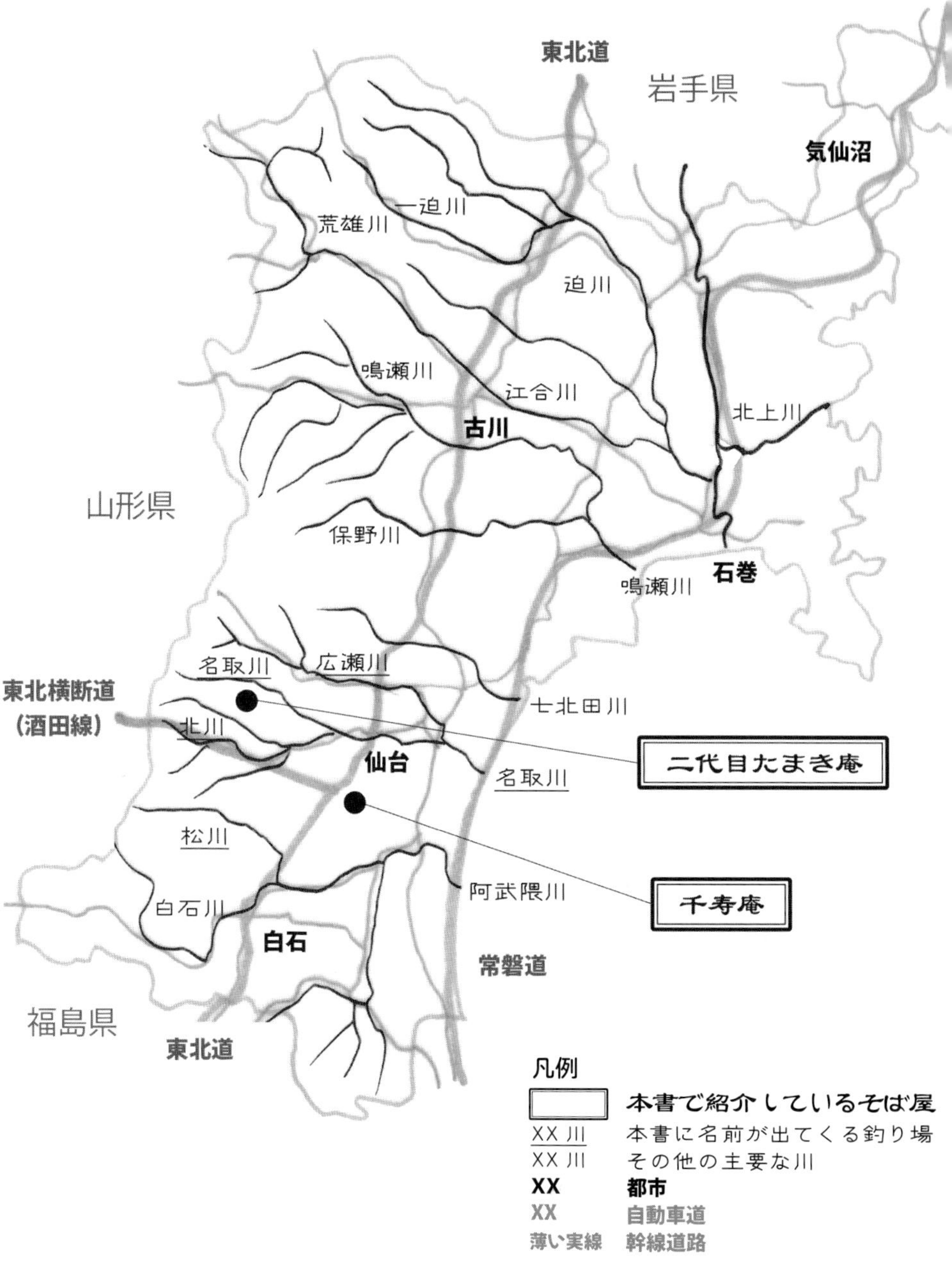
東北道
岩手県
気仙沼
一迫川
荒雄川
迫川
鳴瀬川
江合川
北上川
古川
山形県
保野川
石巻
鳴瀬川
名取川
広瀬川
七北田川
東北横断道
(酒田線)
北川
仙台
二代目たまき庵
名取川
松川
千寿庵
阿武隈川
白石川
白石
常磐道
福島県
東北道
凡例
本書で紹介しているそば屋
XX川 本書に名前が出てくる釣り場
XX川 その他の主要な川
XX 都市
XX 自動車道
薄い実線 幹線道路

二代目 たまき庵

宮城県仙台市太白区
秋保町字大滝 8-1
022-399-2120

営業時間 11:00 ～ 15:00
定休日 木曜日 その他不定休あり

手
そ

名取川水系と「二代目たまき庵」

――次山嘉一

仙台市の名取川沿いに車を走らせると、赤い大きな橋が見えてきた。さらに進むと枯れたやぶの隙間から親子三人が川遊びをしている様子が見え、父親が釣り竿を持っていることを確認できた。鱒が生息しているかは分からないけれど、そこに未来につながる小さな手がかりを見つけたようで、ハンドルさばきが軽快になった。ここは秋保町。「あきほちょう」ではなく「あきうまち」と読む。この地では「秋保在来」と名付けられたそばが生産されていて、辺り一帯は文字どおり、そば屋の激戦区である。温泉とそばが湧き出してくるようなこの町に長めに滞在して、そば釣り温泉三昧は悪くないと思いながら車を進めていくと、駐車場と観光客が見えた。宮城の名瀑として知られる秋保大滝の前に、目当てのそば屋はあった。

サイコロのように律儀な建物は道路に面し、サイコロのように四角く「手打ちそば」と書いてある。人の背丈ほどある一枚板の上に、堂々と「二代目たまき庵」の名があり、それは、例え舌の肥えた客がやって来ようと、ひるむことのないだろう立派なものだった。黒い引き戸の前で、のれんが涼しげに揺れている。この店では地元産の十割そばの太麺に出会えるはずだ。

いつの時代もそばは庶民のものだった。講談や落語の中にも度々登場し、例えば6代目神田伯山が襲名披露で語った「中村仲蔵」には、「雨宿りのためにそば屋に入り、食べたくもないそばを注文する」という描写がある。ちょうど現代の我々がカフェでコーヒーを一杯飲む、といった距離にそばがあったわけだ。ところが、日本が豊かになるに従って、「白色炭水化物至上主義」が定着し始めた。従来の黒くて口触りが荒く、匂いの強いそばは、時代の要請にほとんど逆行し、そば業界にも日本人の胃袋シェア争いを生き抜くための変化が求められるようになった。

日本各地で古来からそばが作られてきたのは、土壌への順応力が高く、作付けしやすく、どの地域であっても発達し得たからである。言い方を換えれば、その土地それぞれに、個性の備わったそばが存在していたのだ。しかしながら、じり貧のそば産業を復活させるためには、生産効率の悪い「在来種」を切り捨て、生産効率のいい改良種、あるいは人気品種へと切り換えて行く必要があった。白米における各地方の在来種が、一時期ことごとくコシヒカリに取って代わってしまったように、そばの世界からもローカル色は消えていき、誰の口にも合い、品質と商品流通が安定した品種が優先されるようになったのだ。

ここ「二代目たまき庵」は地元で収穫されたそばを使い続けていて、私はどうしてもそれを食してみたかった。テーブル席が数席と、正面奥に座敷がある。運良くこの時は先客がいなかったので、上座の特等席を選んだ。トラディショナルな座布団に腰を下ろして、メニューブックを開く。あった。「十割田舎そば」だ!

選択肢には、ざるそば、天ぷらざるそば、辛味大根ざる、粗挽きそば、舞茸天ぷらざるそば、そばがき、などがある。ちなみにそばを打った後に平たく延ばし、細く切ったものが「そば切り」で、言うまでもなく、一般的なそばとして広く行き渡っているのがこれだ。一方、そばを打った後、細く切らずに餅のように提供されるものを「そばがき」と呼ぶ。弾力があってそば切りとは違う食感を楽しむことができる。そばがきも、店によっていろいろと種類がある。私はフライフィッシャーだから「ドライそばがき」と「ウェットそばがき」と二つに区別して呼んでいるが、この店が出すのは「ドライ」の方だ。

「二代目たまき庵」では、店主が「粉」ではなく、収穫されたままの「そばの実」を仕入れ、自分で挽いて手打ちするので、挽き立て、打ち立て、茹で立ての十割そばが堪能できる。私は店員の女性を真っすぐに見つめ、名取川の流れのように淀みなく、「十割田舎そば」と言った。

荒ぶるそばと、それを受け止める箸の接点に注目してほしい。写真からも、そばの十分な筋力が見て取れるはずだ。私は常にそばと正々堂々と対決している

ただそっけなく丸められたそばがきは、丁寧に手間暇を掛けて細く切られた一般的なそば（切り）を見て、一体いつもどんな気持ちで過ごしているのかが気になり、グチを聞いてあげた

そばが運ばれてくる頃には既に満席となっていた。めんつゆ、薬味をしかるべき場所に配置し、箸を割った。目の前に置かれたそばは、しっかりとした角《かど》のあるそばで、サイコロのような店のたたずまいを引き継いでいるに違いない。箸でそばを持ち上げる。どちらがそばで、どちらが箸なのか？　と見間違えそうになるほど太い。そばで箸を持ち上げられそうな気がする。立てようと思えば、自立さえしそうな太いそばは、口に運ぶ前からコシの強さが分かる。

　そばだけを口に運んだ。箸のように立派なそれは、することさえできなかった。その太さの圧倒感に震えながら口に押し入れた。勝利を確信した将棋棋士がトドメの駒を打つように。舌の温度が急激に下がったのが分かった。そばがしっかりと冷やされているからだ。歯が深く埋もれていくのを感じ、やや遅れて一刀両断の応答があった。私は最近になって噛み合わせが良くなった歯と、矯正歯科のドクターに感謝した。口内でそばが砕ける。口蓋と舌に触れる面積が増すにしたがって、そばの温度が上がっていく。その時だ、ふいに香りが鼻に走るのは。それはスモーキーな香ばしさ。私の脳は何度ものどの奥と鼻の粘膜に、確認の信号を送った。本当においしいのか、そう確定してしまっていいのか？　のどと舌が応答してくる。「このそばはおいしい！」。こうして事実は確定されたが、幾度もの往復をいとわずに頑張ってくれたアゴにも、ねぎらいの言葉を掛けたい。太く切ったそばは細いものと比べ、多くの咀嚼《そしゃく》を必要とする。だから、噛むごとに変化があり、口の中で育てていく楽しみがあるのだ。そばつゆを付けることもなく、気が付くと残り数本になっていた。

　実は「そばがき」も注文しておいた。そばがきはそば粉を水やお湯で練ってから、丸めて作る餅状の食べ物なのだけれど、熱湯で練るもの、鍋で火を入れながら練るもの、煮るもの、焼くものと、作り方は様々だ。口触りや風味も、そば切りとは違った味わいがある。

　アーネスト・ヘミングウェイの短編『ビッグ・トゥー・ハーテッド・リバー』は多くの釣り人に愛されている短編小説で、今なお、世界中に熱心な信奉者やら親衛隊がいて、舞台となった現地への巡礼者が後を絶たない。物語には主人公ニック・アダムスがバッタで鱒を釣ったり、料理を作る場面が多く登場する。フライフィッシャーには、それ

地元の友人にはイワナしかいないと言われた上流域で良型ヤマメが釣れた

らのレシピをキャンプ地で再現することを、神聖な儀式と考えている者さえいて、「そば粉でパンケーキ」を作ったことがあるのは、私だけではないはずだ。もしニック・アダムスが水の量や火加減をちょっと間違えれば、それは「そばがき」になったかもしれなかった。「二代目たまき庵」のそれは、四角四面のそば切りとは逆に、まるで大衆に迎合するかのように「プレミアムそばがき」と命名されている。寄せる時代の波を思わないではいられないが、ここはつべこべ言わずに、小皿に分けられた、めんつゆ、薬味、甘味噌、塩で、それぞれのマリアージュを楽しもう。「プレミアムそばがき」は焼き目が付いて香ばしく、私はこれを「ドライそばがき」と呼ぶことにした。

　名取川は宮城を代表する名河川で、上流部は大倉川、広瀬川、名取川、碁石川に分かれている。人口１００万人を超す杜の都、仙台に近いだけに釣り人は多く、どこへ行っても先行者は覚悟しなければならない。そういう時には先行者を一緒に来た友人と思うと、親しみが湧くというものだ。アイツ、ヘタだから、ここはやらないだろうな、というポイントを拾っていくと、意外な大物に出会うことが多い。その昔、さとう宗幸の「青葉城恋歌」で歌われる、広瀬川の流れる岸辺で釣りをしたいオールドファンには残念なことに、広瀬川と呼ばれているのは、国道48号線沿いの流域で、もう少し上の大倉川まで足を延ばさなければ、それらしい渓相とならない。大倉ダムから上が釣り場だが、横川との合流点からが釣り場としては現実的だろう。あるいは広瀬川本流も、最上流部で分かれる新川川まで詰めれば、美しい景色の中で釣りができる。

　せっかく杜の都まで来たんだから近くにフライショップはないの？　という方には「杜の家ブルック」がお薦めだ。中古ロッドの品質と良心的な値付けを見る度に、気持ちがグラつくのは私だけではないだろう。

　温泉は言わずもがな、秋保温泉。日帰りなら、ホテル清水の別館「せせらぎ」、秋保グランドホテル、ホテル華の湯あたりが、のんびりゆったりゴージャス派向けで、１０００円前後。ローカル色がなくちゃつまらないし、安いに越したことはない人は、迷わず３００円の「秋保共同浴場」だ。キャンプ場は「天守閣自然公園オートキャンプ場」、「秋保森林スポーツ公園」、そして名取川に面している「仙台市秋保二口キャンプ場」あたり、新川川をやるなら「ドロキャン新川」が近い。

お土産は秋保温泉近くには道の駅がないので、やや下って「秋保ヴィレッジアグリエの森」ということになる。だいぶ以前の話だが、勤めていた会社にスポーティーですてきな女性の先輩がいて、実は密かに憧れていた。彼女は週末になると、宮城のサーキットへ車を走らせに行き、決まってお土産に大福を買ってきた。当時はそれだけの情報しか知らなかった。誰と行っているのだろうか、どこに行っているのだろうか、と気になりはしたが、質問する機会がやって来ないまま、私は会社を去った。ところが後年フライフィッシングを始めるようになって、彼女が買ってきていたのが「喜久福」で、スポーツランドＳＵＧＯに通っていたことが判明したのだった。そんな思い出があるから、私は川から上がった後にはきっと「秋保ヴィレッジ」に立ち寄ることにしている。彼女が今でも爆走していることを祈りながら。

仙台といえば牛タンだ。戦後仙台に駐留した米軍が使わなかった牛の部位を利用して始めたという説と、仙台の焼き鳥屋の店主、佐野啓四郎の独自発明説があって、真偽のほどは定かではない。

日釣り券は、名取川水系共通で、広瀬川に近いのはセブン-イレブン 仙台熊ヶ根店、名取川上流部に近いのがセブン-イレブン秋保店。この両店で購入できる。

田舎の蕎麦処 千寿庵

宮城県柴田郡村田町
大字小泉字道端 8
0224-83-5417

営業時間 11:00 ～ 15:00
定休日 月曜日 (祝日の場合は火曜日)

寒ざらしそば
千寿庵
田舎の蕎麦処
田舎の
千寿

北川、松川と「田舎の蕎麦処千寿庵」

――次山嘉一

「千寿庵」に着くとタイヤの砂利をこする音に気付いたのか、店主らしき男が出てきた。抹茶色の作務衣《さむい》に雪駄《せった》を履いている。白い布を頭に巻き、濃紺のエプロンは粉まみれだ。静かで優しい目をしているが、ごまかしや抜け道を嫌うような頑固さが見て取れる。会釈の仕方は、ほとんど私の想像上のサムライの雰囲気だ。どうやらパーキングの見える場所に彼の仕事場があるらしい。私の車を誘導するために出てきてくれたようだ。車の窓を下ろしてあいさつをすると、「ここにバックで入れると、出しやすいですよ」と言って、厨房へと戻っていった。

「店」というよりは、「山奥にある家屋」といったたたずまいである。どこかしら手作り感が漂っている。正面ののれんには「田舎の蕎麦処 千寿庵」とあり、田舎そばを提供するだけではなく、田舎そばを堂々と名乗るあたりに固い決意が見える。そののれんをくぐると、店内は、というか、店内に入ったのかどうかが分からないアウトドア仕様で、どこに座ればいいか迷ったが、どうやら屋内もあるようで、仄《ほの》暗い中に歩を進めた。

　この店を訪れる前、ふらい人書房の編集人に、屋内でそばの写真を撮影する際のホワイトバランスについての相談をした。その件はすぐに解決したのだけれど、ライティングについての要望があった。そば屋の店内は暗いことが多いから、釣り用のヘッドライトで、斜め前からそばを照らせというのだ。確かに頭に装着するからヘッドライトであり、両手を自由にするための機能ではあるだろう。ヘッドライトを装着してカメラを斜《はす》に構える自分の姿を想像するだけで笑えた。面白いことを言うなと思った。笑って済ませようとすると、「そば屋は変な人に慣れているから大丈夫だ」と言う。本気らしかった。彼のこの企画に対する固い決意を前に、これは厄介な人と付き合うことになったなと思った。

屋内に入ると天井から零戦《ぜろせん》の模型がぶら下がっていた。落書きのある柱や壁、何度も引きずられたテーブルや椅子の痕跡には長い歴史が刻み込まれているように見える。壁のそこかしこに、客とのツーショット写真や店の外観を描いたスケッチが飾られていて、屋外のフロアには自転車、棚にはラジカセや土産物らしき物が生活感を漂わせつつ、オブジェのように並んでいた。そこには確かに「人」がいた。すべてがきっと家族、あるいは友人との思い出で、店主はその記憶をいつも目の届く場所に置きたいと考えたのかもしれない。あるいは自宅の客間に客を招き入れるような感覚なのかもしれない。その感覚は全く都会的ではないけれども、それがかえってクールだ。

女性がお茶を運んでくれた。素敵な人だった。気立の良さそうな瞳が丸々と輝いていた。足とひざの畳を擦る音さえ美しかった。彼女はメニューの紹介と、「千寿庵」で提供するそばが「寒ざらし」のプロセスを経ているという説明を、自慢する風でも、押し付ける風でもなく、ただただ自然に語った。一年で最も寒い大寒の時期に、そばの実を川の水に一カ月間浸すと、甘みが増してまろやかになるということだ。「じゃあ、あなたはきっと水の中に一カ月漬かっていたんですね」と言いたかったが、オヤジギャグ的な香りがしたので思い直し、心の中で彼女を「そばマーメイド」と呼ぶことにした。

私は形だけメニューブックを開いてはいたが、初めから十割そばを注文することに決めていた。この辺り、村田町で収穫されるそばは「たまゆらそば」と呼ばれ、「千寿庵」ではそのそばを寒ざらしにした後に自家製粉し、手打ちする。今回、私はその希少性やユニークな風味をどうしても味わいたいと考えてやって来たのだ。

「二代目たまき庵」の項に記したとおり、そばは地域個性派時代から、無個性大量消費時代を経て、今、高品質高価格時代に突入している。まさにそば業界のサードウェーブだ。今風に表現してみると、「千寿庵」のそばは、「村田町産たまゆらそばを使用し、シングルオリジン寒ざらしプロセスを経て、干咾《かんまん》不動尊の水を使って挽いて打つ、ハウスメイド手打ちそば」なのである。

そして十割そばが運ばれてきた。皿に盛られた褐色のそばは、まるで生きているように見えた。思わず、すごい！

1 枚の絵を前にして、一方的に作家と通じ合ったつもりになるように、そばという主役と脇役の副菜のハーモニーに酔いしれた私は、このそばの作家を理解できたと思った

時々、店主の顔を思い出す。目尻の皺、話し方、歩き方、肩、手のひら、どこをとってもこのそばとそっくりだ。恋というものを知らなければ、私はそんな気持ちを恋と呼んでいたかもしれない

という言葉が漏れてしまった。そばマーメイドの気を引くために、わざと声を漏らす輩《やから》が存在していることは承知しているけれど、私のは断じて違った。「すごい」の種類にもいくつかあるのだ。巷では、感情をほとんど含まないライトな「すごーい」や、ボキャブラリーが少ないがために、意図せずして連発してしまうキラキラ系的な「スゴーイ」、深くは理解せずとも、何となく周囲のムードを察して発する「すごい」、多少の感情は伴っているものの、主として対象者の関心を引っ掛けることを目的として発せられる「すごーい」が存在する。私が発した「すごい」はそのどれとも違う。それは畏怖の感情が、かろうじて咽喉《こういん》を伝って空気を振動させた結果の、いわば、ため息の聖なる言語化であった。

そして、そばは堂々と、そこにあった。横に置かれた副菜も立派で、主役に負けないくらい華やかなものであった。めんつゆ、薬味をしかるべき場所に微調整し、注意深く箸を鞘《さや》から抜き、あごを引いて青眼に構える。次の瞬間、私の箸は目の前にある筋骨隆々の太麺と刃を合わせた。が、しかし、その瞬間に勝負は決したのだった。黒々と引き締まっているのに透明感があり、日に当てると血流が隅々まで流れているように見える「たまゆらそば」は、そばという形態の剣豪だったのだ。「たまゆらそば」は上目遣いで私をにらみ付け「オレは雷神の化身だ」と言わんばかりにとてつもないエネルギーを放っている。

「千寿庵」では「そばは、すするものではなく、噛むもの」という基本理念を掲げていることも、私のスタイルと相性がいいように思えた。そばを箸でつかんだ時、このまま一人ぼっちで草原の小川にウェーディングし、ひっそりと香るそばの風を受けていたいと思った。

極太そばをつゆに浸すことなく、丁寧に口に押し込む。ところが、激しく口の中で暴れるではないか。唇から飛び出しそうになるそばを、どうにかあごで押さえ込み、吟味を続ける。コシがある、なんていうレベルではなく、もはや生命感すら感じる次元の食感なのである。何度か慎重に噛んだ後、この日のために完璧に整えた歯を駆使して（最近、矯正終わりました）、そばの流出を阻止する。そばの動きが止まると同時に、静寂の中に反応があった。雨の日のあぜ道を思わせる懐かしい香りと甘みがやって来た。「あめあめ、ふれふれ、かあさんが」の歌が聞こえてきて、うるっとくる。涙をこらえて、自分の気持ちをごまかすように、あごを動かすピッチを変える。すると口内の粘膜が、ふいにそばと戯れ始めた。それはもはや男女のそれに近かった。そう、私はいまそばマーメイドと愛し合っている。気付いた時には目を閉じている自分がいた。

　残りわずかとなってしまったそばを見て、初めて私はめんつゆに目を向けた。そばとっくりではなく、そばちょこだ。少しだけ口に含んでみると、出汁の風味がしっかりと香る。それでいて薄めのつゆだ。これはそばをどっぷりと漬けて食べてもいいんだぞ、という暗号だろうから、そうやって食べてみた。しかしやはり私にはそばをつゆなしで、そのまま噛んで楽しむ方が性に合っている。サイドディッシュの切り干し大根と白菜の漬物、大根の甘酢漬けは、ボリュームがあるけれど決して主役の味を邪魔しないように吟味されている。そば作りに集中するために、同時に調理しなければならない「天ぷら」もメニューからは排除されている。

　ここまで作り手の人柄が表現されたそばを食べた経験はなかった。駐車場で誘導してくれた店主の顔を思い浮かべながら、白濁のそば湯を一気に飲み干した。

　そばマーメイドは別の客の会計をしている。所作の隅々からウェルカム感があふれ出ていて、残念ながら私にだけではなく、すべてのお客さんに好意的であることが分かる。それはすなわち店の哲学が体全体に浸透している証左だろう。だからこそ誰もがまた行きたくなるような店になるのだ。

　最後の客は私たちだった。店の戸を閉めて、車に向かう途中にガラス越しの店主に一声掛けたら、調理の手を止めて、見送りに出てきてくれた。私は「たまゆらそば」に感動したことや、店の雰囲気全体からにじみ出る、店主の精神をリスペクトしている旨を伝えた。そんな私の言葉に、心から感動してくれた。どうしたら、こんなに素直で、素朴な人物が出来上がるのだろう。あるいは、やっぱり一カ月間、水の中に浸っているのだろうか？

そば作りがうまくいった日、失敗した日、客の言葉に傷付いた日、喜んだ日、全てがここにある

オヤジさん、お客さんたちは、ただそばを食べに来ているんじゃない。皆、あなたの打ったそばに会いに来ているんだよ。ずっと元気でいてください！

別れ際に、私は手を握らせてもらった。時はまさにコロナの時代。握手などの直接接触行為が適切でないことは分かっていた。しかし、15歳からここに住み、80歳を超えてもなお、客の声に耳を傾け、研究し、成長し続ける男のことをもっとディープに知りたかったのだ。手は分厚く、さらりとしていた。私の手の甲に最後に触れたのは、彼の硬い親指で、体の一部というよりは、道具に触れたような触感だった。

「私の打つそばは、お客様によって育てられています。そばの一つひとつに心を込めて打っています。そばという食べ物ではなく、私の心というそばを食べていただきたいんです」と彼は言った。こんなそば屋さん、他にどこにもない。

店から近い、東北道の村田ICと連絡するように、「道の駅 村田」があるから、土産物はここで買ったが、何か忘れてないか？ と思えば、釣りだった。「千寿庵」から西北に20~30分車を走らせると、国道２８６号線沿いに北川が流れている。ここは国道沿いだが、いや、だからこそ意外に竿抜けが多い。丁寧にポイントを拾っていくと、意外に数が出ることが多いが、堰堤の連続が面倒で、ついつい、素晴らしい渓相の上流部へ逃げたくなるが、「同じことを考える釣り人が多いんだな」という結果になることが多い。何といっても杜の都のお膝元だから仕方がない。そう考えて転戦するなら、西に向かうと宮城蔵王から流れ出る松川（上流部は澄川）がある。

もうここまで来たなら、遠刈田温泉に寄っていこう。共同浴場が2カ所あって「壽《ことぶき》の湯」（営業曜日に季節変動あり）と「神の湯」（休業中）という、どちらもありがたい名前の温泉が４００円、高級志向の方には「山景の宿 流辿」もしくは「旅館三治郎 湯の里」あたり。それでも１０００円あれば足りる。キャンプ場は「国立花山青少年自然の家南蔵王野営場」がそれほど遠くない。

日釣り券は北川であれば、前項と同じく広瀬名取川水系の共通券なのだが、24時間購入できる店舗で一番近いのは前項で記したセブン-イレブン 秋保店で、ややアクセスに難がある。ネットでの購入ができるようにしてほしいところだ。松川、澄川はセブン-イレブン 蔵王遠刈田店、ファミリーマート蔵王遠刈田店で。

山形県

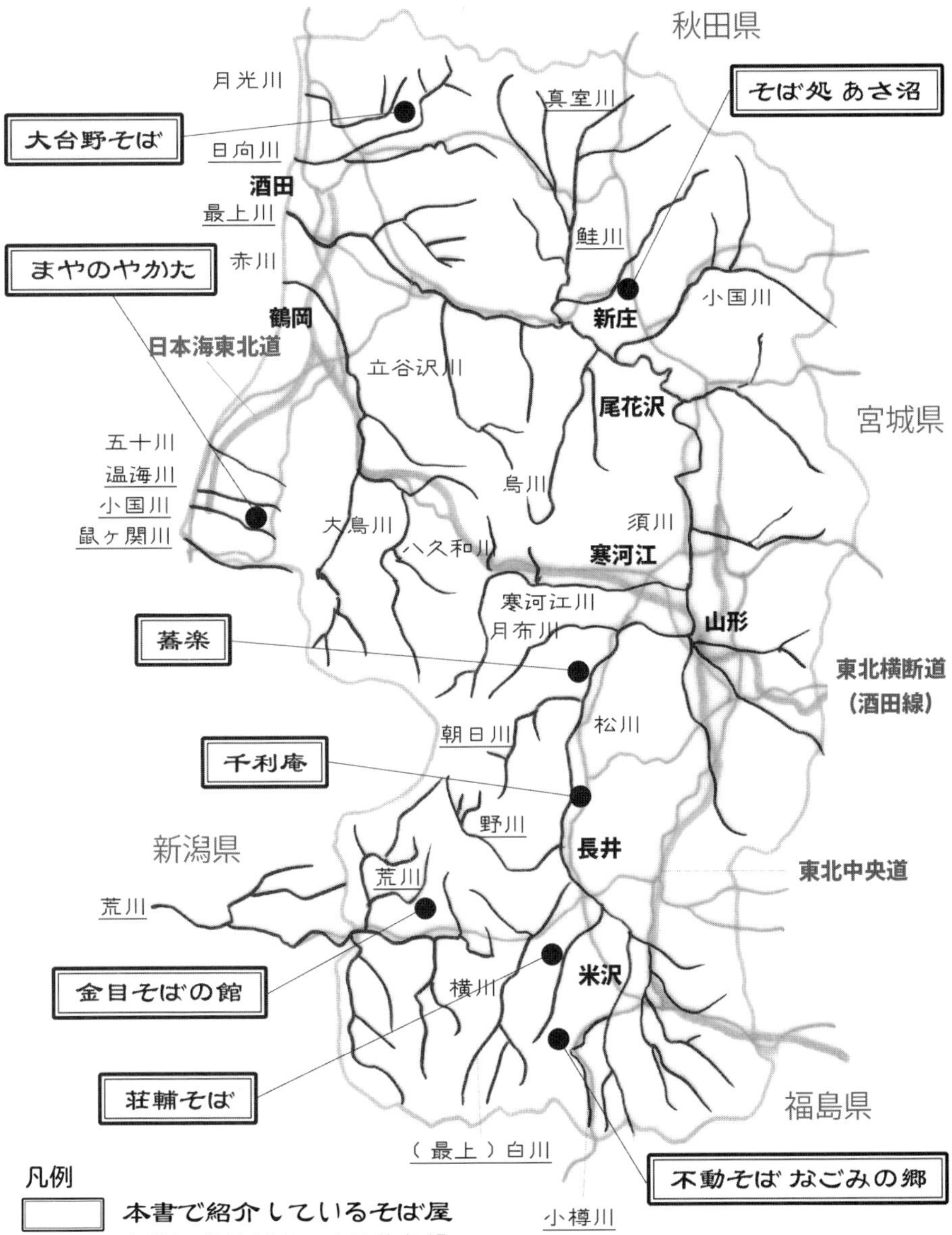

凡例

(枠)	本書で紹介しているそば屋
XX 川 (下線)	本書に名前が出てくる釣り場
XX 川	その他の主要な川
XX	**都市**
XX	自動車道
薄い実線	幹線道路

不動そば なごみの郷

山形県米沢市
大字入田沢 519
0238-31-2753

営業時間 10:30 ～ 15:00
定休日　元旦のみ

営業中
DyDo

小樽川と「不動そば なごみの郷」

——大野敏男

私の釣り旅は短くても3日間で、可能な限り、長めの日程を組む。首都圏に住み、北へ向かう渓流釣り師としては珍しいタイプだと思うが、私は東北道などの高速道路は使わない。寄り道のできる下道（有料自動車道ではない一般道）を走る。南東北への釣りであれば、大概、国道4号から121号の会津西街道を走り、会津若松を経て、米沢街道の大峠を越えることになる。会津西街道は、別名「そば街道」と呼ばれている。鬼怒川温泉の先、五十里湖を過ぎた辺りから、上三依に掛けての男鹿川沿いにそば屋が多いのだ。会津若松から米沢街道に入り、喜多方市街を抜けると立派なバイパス道となり、飯豊連峰の片隅に空いた大峠トンネルを抜けて山形県側に入る。この道は平成になってから開通した新国道である。それまでの旧国道は田付川沿いを走って大峠を越えていたが、その年の積雪の程度によって、一年の半分以上が通行止めとなる狭い山道だった。さらに古くを遡ると、江戸時代には、桧原湖から長井川に沿って、桧原峠を越えるのが旧米沢街道であった。米沢街道はかつては会津藩と米沢藩を結ぶ重要な街道だった。ＮＨＫの大河ドラマ「八重の桜」の主人公にもなった山本八重は、戊辰戦争の会津鶴ヶ城の落城後、米沢街道を通って米沢に向かったが、どんな気持ちだったのだろう。

新バイパスの国道は大峠トンネルを抜けると、米沢側への緩い下りとなる。旧道との合流から先は八谷街道と呼ばれ、昔はこの辺りに小学校の分校もあったというが、今は何もない。さらに奥地には明治から昭和の終わり頃まで鉱山があったというから、かつては集落もあったのだろう。やがて右側には、釣り人ならば気になる渓流が、河畔林の隙間から見え隠れしてくる。これが最上川水系の小樽川である。国道と並行し、渓相も穏やかな流れにはイワナとヤマメがいる。河原は少なく左右の河畔林が迫っているが、意外とフライロッドが振りやすい渓流だ。遡行に大きな支障はないが、国道へ上がる際はちょこっとヤブコギをしないとならない所もある。初夏や初秋にいい釣りができることもあるが、この川をメインにするか、サブにするかはタイミング次第で、他にも置賜地方にはいい渓流がたくさんある。置賜白川などがダメな時は、移動して午後にここへ入る手もあるだろう。なお最上流域となる普洞沢出合から、先の本流、支流は禁漁区となる。

新米沢街道は喜多方を出てから20㎞以上人家はなく、トンネル向こうに、日中ダムサイトのレストハウスと道路管理施設がある程度だ。米沢側の麓の田沢地区まで下りてくると、「道の駅 田沢」があり、釣り券はここで手に入る。

この道の駅の建物は、築２００余年を経た古民家の材料を使用した曲家風。中には土産物と「不動そば なごみの郷」がある。道の駅のそば屋か、と侮ってはいけない。「不動そば なごみの郷」は南原地区で栽培された「でわかおり」を自家製粉している。不動そばの名前は、その水源の近くにある大同3年（８０８年）弘法大師によって開山されたと伝えられる、大荒山不動尊に由来する。挽きぐるみのそば粉と小樽川支流の大荒沢の水源から引いた水で打たれた二八そばは、コシと風味を味わえるそばである。道の駅で、そんな挽き立て、打ち立て、茹で立ての三拍子そろった、本格的な手打ちそばが食べられるのだ。「でわかおり」は平坦部での栽培に適している。米沢藩の時代から食糧難対策に、そばの栽培を奨励されていた歴史から、米沢南部の南原地区ではそばの栽培が今でも盛んに行なわれている。「でわかおり」は在来種より大粒で、あまり緑色が出ない。素朴な滋味と、滑らかな食味が特徴だ。

「なごみの郷」のそばは、きりっと角ばった太打ち。そのエッジが効いた、噛み応えのあるそばは、私好みのど真ん中。濃厚な辛めの汁に、そばを3分の1ほど漬けて食べれば、噛みしめるほどに、そばの甘味と香りを感じる。おいしいそばへの感謝をこめて、竹すだれの間に挟まった最後の1本まで引っ張り出して味わいたくなる、そんな時こそ私は食を満喫しているのだ。「なごみの郷」はラストオーダーが午後3時と営業時間が長く（はい、これでも長い方なんです）、秋田や岩手への釣行時にも立ち寄ることも多い。

二八そば。大荒沢の水で打たれたそばは角張った太打ち。コシが強くて噛み応えがあり、風味をたっぷり味わえる

「なごみの郷」の店内。「道の駅 田沢」の曲屋風の建物の半分近いスペースを占める。奥には座敷もある

小樽川流域には草木塔と呼ばれる自然石の石塔が多く立っている。古いものは江戸時代に建立され、草木塔の発祥地ともいわれている。その草木塔の一つ、寛政九丁巳年（１７９７年）に立てられたものは、「一佛成道観見法界草木国土悉皆成佛」（いちぶつじょうどうかんけんほうかい　そうもくこくどしっかいじょうぶつ）とある。これは経典にはなく、仏教が日本に渡ってきた際に説かれた一節らしく、情を持たない草木にも成仏の義があるという教えだ。大火や洪水などによって失われた家屋の建て直しなど、復興のためにたくさんの木材が伐採されてきた。草や木など、自然からの恵みへの感謝と供養を忘れてはならないという教えだが、山岳信仰の根付いた飯豊山の麓らしい、この地域独特の宗教観をうかがい知ることができる。

「なごみの郷」で、そばを満喫した後は、米沢の奥座敷と呼ばれる小野川温泉へ寄りたい。「なごみの郷」からなら、車でわずか15分ほどではあるが、そばと温泉の営業時間には数時間の空白があるから、もちろん釣りをすることになる。絶世の美女として、数々の逸話がある小野小町の伝説がここにもある。そもそも小野川温泉の名前も小野小町からきているのだ。おいしいそば、いい温泉のある所には、なぜか伝説や昔話が多い。小野川温泉には、その中心的な存在として、共同浴場「尼湯」があり、地元の人たちが集うコミュニケーションの場だ。泉質は含硫黄ナトリウム、カルシウム塩化物泉。レトロ感いっぱいで、熱々の源泉掛け流しの湯に浸りながら、その日の釣果を振り返るのは悪くない、が、まあ、それも釣果次第か（笑）。

近くを流れる綱木川沿いには、無人の露天風呂「小町の湯」（休止中）もある。初夏には、この綱木川周辺で天然のホタルを見ることもできる。初めにゲンジボタルが飛び、季節が進むとヘイケボタルへ移っていく。さらに東日本では珍しい小さなヒメボタルも飛ぶそうだ。温泉の後、初夏の夜にホタルが乱舞する幽玄な光景を目するれば、忘れられない思い出となること間違いない。

小樽川の釣り券は、「道の駅 田沢」、セブン-イレブン 喜多方田島見山店で。

小樽川の夏ヤマメ。イワナとの混棲だが、ヤマメの数は少ない

金目そばの館

山形県西置賜郡
小国町金目 264-1
0238-62-2800

営業時間 11:00 ～ 18:00
定休日　木曜日 (祝日営業)

手打

置賜荒川水系と「金目そばの館」

――大野敏男

夜8時過ぎ、喜多の郷「蔵の湯」に立ち寄り、３日間の釣り旅の初日が終わった。中禅寺湖からのハシゴ釣行で、会津西街道（国道１２１号）を走って山形の渓流へ向かう途中だった。当初はもう少し先の山形側の「道の駅 田沢」、もしくは「道の駅 いいで」まで行くつもりが、眠くなってしまい、手前の福島側の「道の駅 喜多の郷」までとなった。6月半ば、梅雨の晴れ間を狙って中禅寺湖へ行ったものの、魚の反応は良くなかった。風が弱く、クリアな水面下にクルージングしているブラウンの姿が見えた。チャンスに胸が高鳴ったが、浮かべたドライフライはすべて無視されてしまった。悔しいというよりも、気持ちが萎えた。そんな日の運転は疲れる。温泉に入って、早めに寝るのが一番だ。「道の駅 喜多の郷」に併設されている日帰り温泉施設「蔵の湯」は、自家源泉の肌にいいメタケイ酸を含む単純温泉。館内には食事の施設もあり、ゆったりとして広い。入浴料は５００円だが、17時以降は３００円になるのもうれしい。

翌日の朝は梅雨前線が北上して、雨になった。この日は飯豊の北面の川で釣る予定だったが、この時期の雨は沢の雪渓を溶かして、流れに雪代が入ることが多い。行き先を変更して、朝日連峰南面を流れる荒川へ向かった。雨といっても霧雨で、午後にはやむ予報だった。午前中は川の下見だけして、金目川の最奥の集落にある「金目そば」を食べに行くことにした。小国町から荒川沿いに県道２６１号を五味沢方面へ向かうと、右側に「金目そば」の看板があり、そこが金目川に沿っている林道の入り口だ。心細くなるほど山深い林道を８㎞走るとようやく空が開けてきて、まばらに人家が現れ、集落らしくなった所で、大きな店構えが見えてくる。それが「金目そばの館」である。地元の金目地区で収穫された「でわかおり」のそば粉を使う。注文して、そばを待っている間に、先付けに出てくるゼンマイのお浸しやフキの煮付けを食べる。これがおいしい。そして出てくるそばは、この地域に伝わる製法で打たれた十割そばで、素朴な香りと甘みが特徴のそばである。

品書きには、「里山の天ぷら」の他に「季節限定特製天ぷら」がある。普段、私はそばだけを注文するのだが、旬の山菜がある時は別で、この日は天ぷらも頼んだ。この日の天ぷらは「ワラビ、ゼンマイ、タラの葉、行者ニンニクの花、行者ニンニク入りの餃子」。行者ニンニクの花を食べるのは初めてだったがおいしかった。秋には、クリやキクラゲ、アケビ、キノコなどの天ぷらが出てくる。なお、金目地区は豪雪地でもあるため、冬期は休業になる。

午後は予報どおりに雨がやんだので、荒川の上流域に向かった。人気のある釣り場であり、朝日連峰への登山口でもあるので、林道終点にはたくさんの車が止まっている。吊り橋を渡り、しばらく森の中を歩いてから入渓する。やがて河原が消え、両岸が切り立った狭いゴルジュ地帯となる。徒渉を繰り返して先へ進む。水量は多く、水温も10度を切っている。すでに午後なので、先行者が通ったとしても、かなり前の時間帯のはずだ。そんな読みが当たって、魚の反応は悪くはない。小型イワナが出た後に、岩盤際の緩い流れから9寸のイワナをキャッチした。その後も良型のイワナがフライを吸い込み続けるものだから、決めていた時間を「あと10分」、「もう10分」、「あと5分だけ」と延ばしてしまう。結局延々と釣り続け、温泉の営業時間に合わせたタイムリミットをオーバーしてしまった。仕方なく、遡ってきた川をたどって引き返す。上空の夕焼けが美しかった。前日の中禅寺湖での負けを取り返したような、晴れ晴れとした気分で関川の湯沢温泉へ急ぎ、共同浴場終了間際の午後6時前に何とか滑り込むことができた。山形から新潟県境を越えるが、小国町から車で20分ほど。湯沢温泉は、越後関川温泉郷の中で、最も歴史のある温泉である。湯船からあふれ出る温泉は、ナトリウム、塩化物、硫酸塩温泉の掛け流し。湯は熱めだが、その分湯上りがさっぱりして気持ちいい。駐車場もあって、入浴料は２００円。

金目地区で栽培された「でわかおり」の十割そば。こだわりのそば打ちで仕上がった、そばの甘みとのど越しを味わってほしい

春と初夏には山菜の天ぷらが楽しめる。この日は周辺で採れたワラビ、ゼンマイ、タラの芽、行者ニンニクの茎と花、行者ニンニクのギョウザ天ぷら。そばと一緒に食べる天ぷらは、塩派の私

この日は「道の駅 おぐに」にて仮眠とする。釣り旅では、道の駅で仮眠することが多いが、この道の駅は町外れに位置しているため、周囲に商店も人家もなく静かで、かつ駐車場がとても広い。仮眠には打って付けだ。車を止める位置は、車内でニュースや天気予報などを見るために、他の車の邪魔にならない範囲で、テレビの電波を受けやすい向きにする。できれば外灯の斜め下を選びたい。明るい所は他の車が避ける傾向にあるので空いている。ただ外灯の真下は、夜集まってきた虫の排泄物が車に落ちてくるので避けたい。斜め下を選ぶのは、実は明るい外からは暗い車内が見えづらいからである。車内ではソーラーバッテリーの充電式ランタンをつけ、テレビはポータブルバッテリーにつなぐ。これで食事をしたり、翌日行く釣り場の下調べなどしながら、快適に過ごすことができる。

多くの道の駅では仮眠しか許されていないから、場所は限定されるが、夏の暑い夜には、車全体を専用のモスキートネットで覆ってしまうこともある。近年、東北であっても夜は暑いことが多く、蚊もたくさんいる。ネットがあればサイドドアやハッチバックを開けて寝ることができるから、風通しが良くて、ぐっすり眠れる。気になることといえば、自分のイビキが漏れることくらいか。それと耳栓とアイマスクは必携だ。トラックのアイドリング音も気にならず、寝坊するほど安眠できる。あと、こんなことはいうまでもないが、道の駅のルールはゴミを残していかないこと、そしてトイレの洗面台で調理用具を洗わないことである。

３日目、前線が南に下がって朝から晴れた。

荒川支流の上流域へ向かい、林道の車止めから歩いた。林道沿いにはブナやミズナラの森が広がり、朝日が漏れてくる樹林の中に、エゾゼミの声が心地よく響き渡る。整備された林道を外れて渓へ入ると、白い岩が多く明るい河原に、風と豪快な流れの音がステレオのように谷にこだまする。まだまだ水量も多く、重い流れは徒渉できる所が限られていた。ところどころに大きな黒い口を開けた雪渓が残っていた。その日はラマノスカスのバンブーロッド４番が楽々とフライを運び、狙ったポイントに落ちてくれた。水温は10度には届いていないが、８寸ほどのイワナがエルクヘア・カディスに出た。反応がいいとはいえなかったが、雪代に磨かれた、たくましく体高のあるイワナを数匹手にすることができた。

さらに上流に遡行すると、先行するフライフィッシャーに追い付いてしまった。ここまで休むことも忘れていたので、左岸の登山道へ上がって、堰堤脇のベンチで一休みする。河畔の木陰にいても、すこしばかり蒸し暑かった。

マウンテンスミスのヒップバックから小型コンロとクッカーを出し、コーヒーを沸かした。この陽気だったら、雪渓からの清水で作るアイスコーヒーのほうが良かったかもしれないと思った。

堰堤から吹き下ろしてくる心地良い風を浴びながら、熱いコーヒーをすすっていると、雪渓から登山者が下りてきた。見るからにベテランだ。男性は一人だけで、残り5人が年配の女性という混成グループは、私が座っているベンチ目指してやって来た。登山口までもうちょっとだ、最後の休憩だろう。おのおのがスパッツを脱いだり、日焼け止めを塗り直したりしながら、おしゃべりが止まらない。なぜ男性が一人だけなんだろうか、と余計なことを考えたくなる。

しかしそんな賑やかな渦の中から、何とそばの話が聞こえてきたのだった。先行者に追い付いてしまったから、もう少し時間を空けてから上流を釣ってみようか、それとも場所を移動して本流をやってみようかと思案していたのだが、飯豊山荘脇に立っていた「栃の実そば」ののぼりを思い出してしまった。そうだ、栃の実そばがあった、あれを食べにいこう！　というどんでん返しで、あっさりと釣りは終了となった。

飯豊山荘は、登山者や釣り人が利用する山小屋で、温泉もある。昼時には宿泊者以外にも軽食を提供しており、「栃の実そば」もその一つだ。地元産のそば粉に栃の実を練り込んだそばである。やや太めでコシが強く、のど越しもいい。おいしいそばだった。

おなかも落ち着いたし、次は温泉だ。浴室は山荘の階段を上っていった所にある。温泉は、ナトリウム、カルシウ

荒川上流域。遡行の復路は登山道を歩き、何度か吊り橋を渡って戻ってくる。天候の見極めと装備は万全に

夏。雪解け水に磨かれたイワナを狙って、大きめのフライを投げたい。ここには朱点が美しいイワナがいるから飯豊詣でがやめられない

初夏。荒川支流の豪快な流れ。場所次第ではあるが、徒渉が危険な個所が多い。豊かな雪解け水がたくましい魚を育てる

ム、塩化物、炭酸水素塩、硫酸塩温泉。源泉は透明だが、空気に触れると次第に黄土色へ変化する。タオルを湯に漬けると茶色になってしまう。

飯豊山荘には、これまで何度か立ち寄って温泉に漬かっていた。初めての訪問は学生時代に飯豊連峰の縦走の際、この近くでキャンプして、後輩たちと温泉に入った。当時から、私が計画する登山には温泉は外せなかったのだ。あの時から30年以上経過したが、湯船を囲む石の配置は全く変わっていない。

窓を全開のまま湯に漬かると、眼下に見える玉川の沢音が響き渡り、いつまでも入っていられるほどに心地いい気分になる。源泉はこの近くの湯沢という川から湧いている。毎年9月には引湯管清掃のため山荘が休業するので、利用の際には確認を。またその年の積雪量によって、営業開始日、及び終了日が変わるので、事前に確認が必要だ。山荘より下流にある梅花皮荘《かいらぎそう》と別館の川入荘でも、日帰り温泉に入れる。川入荘の露天風呂からは、ダイナミックな飯豊の山塊と玉川の豪快な流れを見下ろすことができる。

荒川流域は明るく開けた釣り場が多く、フライフィッシャーに人気のある地域だから、先行者はいて当たり前だし、後からやって来る釣り人もいる。今回の釣り旅はこのくらいで切り上げよう。梅雨らしくない青空が、田んぼの水面に映えている。入浴後の頬に車窓から入ってくる風が気持ち良かった。小国町漁協管内の荒川水系は、朝日連峰側も飯豊連峰側も同じ釣り券で釣りができる。ファミリーマートで年券を買ったので、続きはまた来月の楽しみにすることにしよう。

「道の駅 おぐに」には、昔ながらの雰囲気のある食堂がある。隣のログハウスはレストランだ。土産になりそうなのは山菜くらいか。

荒川水系の釣り券は、白い森交流センター りふれ、梅花皮荘、ファミリーマート小国店が最寄りの販売店だ。

置賜白川と「荘輔そば」

関根信太郎

新潟に住んでいた頃、夏場に釣りに行くのは山形の置賜地方が多かった。置賜には、最上川と荒川、それぞれの支流が何本も流れていて、ヤマメとイワナが良く釣れる。朝一で入渓した川がダメでも、次から次へと川を変えられるのが魅力であった。最上川の支流で良く通ったのは置賜白川（以下、白川）と、その支流である広河原川で、いずれも釣り場は白川ダムの上流にある。白川は飯豊連峰の種蒔山《たねまきやま》付近に水源を持ち、上流はフリーストーンでイワナ中心、中流は里川っぽいイメージでヤマメが優勢となる。広河原川は白川と同じ飯豊連峰の、赤崩山《あかくずれやま》付近に水源を持つ小河川で、白川より規模が小さいが魚は多い。中下流はヤマメ混じりで、上流はイワナの渓だ。

広河原川への釣行には釣り以外にも楽しみがあり、一つはテレビ朝日の「ポツンと一軒家」に登場した曲家の訪問だ。広河原川の上流域へ行く時に、必ず通る道の端に立っている。築１５０年になるという、藁葺《わらぶ》き屋根の家には老夫婦が住んでいる。あまり人と話すことがないせいだろうか、こちらから声を掛けると、快く対応してくれる。

もう一つは林道の一番奥にある間欠泉の温泉、湯の華。ここは大正時代に温泉旅館が立ち、にぎわっていたそうだが、その後つぶれて野湯となり、２００５年に旅館として再生したそうだ。赤茶色で、ぬる湯の混浴露天風呂は真ん中に間欠泉があり、時々、湯が２ｍほど吹き上げる。間近で見るとなかなか迫力がある。残念なことには、２０２１年春、またしても旅館が閉鎖され、取材時は入ることがかなわなかったが、いずれ野湯として復活することを望んでやまない。

だいぶ以前に、広河原川で朝の釣りを終え、昼飯をどこで食べようかと調べて見つけたのが、今回紹介する「荘輔そば」である。以前、店までの道は対向車とのすれ違いが難しい１車線の山道だったが、現在では快適なドライブが

荘輔そば

山形県東置賜郡川西町
大字玉庭 5013
0238-48-2962

営業時間 11:30 ～売り切れ
定休日　火曜日

手打そ

いかにも山形のそばらしい、硬めでのど越しのいいそば。とはいえ硬過ぎず、つゆとの絡みもいい。一口すすると、そばの香りとうま味が口の中に広がる

茶の間から３部屋すべての客席が見わたせる。初訪の際に見たこの景色は衝撃的で、ここだけの話、仲間内ではしばらくこの店を「仏壇そば屋」と呼んでいた

楽しめる道路となった。山を下りて県道8号線から玉庭小学校へ左折すると、所々にのぼりが立っている。迷うことはないだろう。

坂を下りた所に車を止めて歩いていくと、何の変哲もない2階建ての一軒家の入り口に、木の看板が掛かっていて、そば屋であることが分かる。「荘輔そば」は、現店主の父親が15年ほど前に始めたそば屋で、10年ほど前に母親と共に後を継いだそうだ。創業のきっかけは、体の調子を悪くした父親が、そばが体にいいと聞いてそばを打ち始めたことにある。その後、各地のそばを食べ歩き、高じてそば屋を始めたという。開店当初はそばを安定して打つことができず、時に茹でるとぶつぶつと切れてしまったこともあったらしい。今の店主は父親のそば打ちを見よう見まねで習い、亡くなった後は自分で工夫して現在のそばを作り上げた。

玄関を入ると右手が調理場で、正面の縁側沿いに畳部屋が三つある。客席はいずれも座卓で、一番手前の部屋に1卓、2番目に1卓、一番奥に2卓と小規模な店である。最初の部屋は生活感たっぷりの普通の茶の間であり、次の間には巨大な仏壇があり、どちらも田舎の知り合いの家に上がり込んだ感じで、やや戸惑う。奥の部屋には床の間があって、客間らしい落ち着きがある。

メニューは冷たいそばが、もりそばと、もりそば2枚分という板そばの2種。それぞれに天ぷら付きもある。温かいそばは、かけそば、天ぷらそば、山菜鶏そばの3種。そして鴨汁と山菜汁の2種の温かい付けそば、かいもち（そばがき）もある。取材当日はいつもの天ぷら付きのもりそばを頼んだ。この店はそばもさることながら、天ぷらがカラッと揚がっていて、野菜がおいしいのだ。ちなみに、そばも野菜も鶏も鴨も、すべてが自家栽培、自家飼育だそうだ。

注文して、まず出てくるのはキュウリの漬け物と小鉢に入った煮物。先付けをつまみながらお茶をすすっていると、天ぷらが運ばれてきて、すぐにそばがやって来る。

そばは店主が自分で育て、自分で丸抜き（玄そばの殻を取ってから挽く）した、「でわかおり」。これを地下水を使って二八で打っている。丸抜きのため色は白っぽく、透明感とコシがある。鰹出汁の効いた辛めのつゆに、少しだけ漬けて口に運ぶと、まずそばの香りが鼻に抜け、噛むとそばの風味がしっかり感じられて、つるりとのどに吸い込まれていく。いかにも山形らしいそばだ。つゆが好みで、のど越しがいいので、あっという間に平らげてしまう。天ぷらは、エビとシシトウが2本、ナス、インゲン、シイタケ。自家製の野菜天がおいしいのは当然だが、山の中なのにエビがおいしいのには驚く。揚げ方がうまいのだろう。そば湯は、打ち粉のみと思われる、やや薄めのもの。やはり、そば湯がうまい店はいい。ごちそうさま。

白川は、飯豊山からの雪代が入るため、年にもよるが、釣りになるのは大体6月中旬から。白川荘の少し上から入渓できて、秋には遡上してきたと思われる大きなイワナやヤマメが釣れることもある。そこからしばらくは、田んぼの中を流れる里川が続き、釣りやすい。中流部はどろっこ橋から岳谷橋を通り、葡萄《ぶどう》沢合流まで。この辺りはイワナが多く混じる。こちらもフラットな流れが多く、歩くのも楽で、頭上が開けているから、フライをロストすることが少ない。入渓点は橋の前後にあるので踏み跡を探すといい。対象魚はイワナが主体。葡萄沢合流の少し上にスリット型の大堰堤があり、それより上流は、やや傾斜がきつくなって深みも多くなる。大日杉小屋までの県道３７８号沿いに数カ所車を止められる所があるので、そこが入渓点になる。川までの落差はほとんどないので、入渓しやすい。大日杉小屋より上流は、ほとんど行ったことがないが、魚止めの滝までの短い区間でイワナが釣れるそうだ。白川は頭上が木で覆われていない区間が多いので、フライフィッシングに向いている。

広河原川は白川よりも雪代が早く収まるので、6月初旬から釣りになる。白川との合流に近い須郷橋より1本上流側の橋辺りが釣り場としての最下流部だ。この辺りはフラットな流れで釣りやすいが、あまりいい釣果を得られたことはない。そこから西沢と東沢の合流点少し下流の大堰堤までがヤマメとイワナの混棲域で、それより上流ではイワナ以外釣ったことがない。東沢は林道が脇を走っているので入渓しやすい。サイズにこだわらなければ、イワナの数

山形人らしく（？）飾り気がなく、実直な「荘輔そば」の店主、井上さん。亡き父親の後を継いでそば屋を始めてから10年少々。今後が楽しみなそば職人だ

大日杉小屋少し手前のポイント。対岸の岩盤際を流れるフライをバックリとくわえる大イワナをいつも夢見るのだが、釣り人は皆、同じことを考えるのだろう。世の中そう甘くはない……

は出る。西沢も林道が脇を通り、以前は普通車で入っていけたが、現在は荒れ果てて、ジムニーかバイクでないと入れない。合流点に駐車スペースがあるので、そこに車を置いて歩いていくのがいいだろう。高巻きできない堰堤がいくつか続くので人気がないのか、以前はイワナが多く、そこそこサイズもそろった。しかし２０１３年（だったと記憶している）に大水が出て川が荒れてしまい、それ以降はあまりいい思いをしていない。ただ、そろそろ復活しているのではないかと淡い期待を抱いている。東沢、西沢とも、枝が張り出している所が多く、ややキャストしにくい。

白川、広河原川共通で、ラインは3番か4番、フライはエルクヘア・カディスやパラシュート、テレストリアルなどの#12~14でいいと思う。夏場はスレている魚が増えるので、やや小さめの方が反応がいいことが多い。

白川と広河原川を管轄する西置賜漁協の日釣り遊漁券は、白川荘や農家民宿でも購入できるが、早朝の対応は難しいだろうからＦＩＳＨＰＡＳＳ（フィッシュパス）で購入しておいた方がいいだろう。ＦＩＳＨＰＡＳＳでは年券も購入できる。少し遠いが野川でも使えるのはうれしい。

「湯の華」が閉館してしまったので、近辺で入れる温泉（鉱泉）は白川荘のみとなった。源泉は数馬鉱泉で泉質は単純冷鉱泉。ほんの少し硫黄臭がある。源泉温度は12・7度。鉱泉なので残念ながら加温、循環であるが、ここのウリは広い浴槽と浴室からの眺め。眼下に白川が眺望できて、ついついライズを探してしまうのはフライフィッシャーのサガであろうか。なお「荘輔そば」からは小野川温泉がさほど遠くないので、掛け流しの温泉に入りたい場合はそちらもお薦めである（小野川温泉については99ページを参照）。

この辺りの土産といえば、やはり農産物とその加工品となるだろう。白川から最も近い道の駅である、「道の駅 いいで めざみの里 観光物産館」は、置賜地方では最も大きな道の駅であり、種類も数も豊富な農産物を販売している。取材時の9月上旬には、主力のブドウがなんと20種類近く、その他、リンゴや洋ナシも数種類販売されていて、しかも手頃な価格なので、ついつい買い過ぎてしまうこともしばしばだ。野菜も、食用菊、アケビ、コクワ、夏なら鶴岡のだだちゃ豆など、山形らしいものがたくさん置いてある。道の駅で販売されている野菜は、時期によって県外産のものもあるが、白川寄りにある直売所では地元の野菜ばかりなので、そちらを利用するのもいいだろう。

農産物の他には、地元の日本酒やワイン、地ビールなど、驚くほど多くの種類を置いている。山形らしく、道の駅でサバ缶を売っているのも面白い。軽食コーナーもあり、山形名物「玉こん」（丸いコンニャクを甘じょっぱく煮たもの）を食べられるのもうれしいところ。なお、白川荘でも地元のお土産を購入することができる。お薦めはどぶろくと、それを使った最中《もなか》やどら焼き。どぶろくソフトも、ちょっと甘酒のような香りがしておいしい。

白川荘は安めの旅館価格で宿泊できて、夕食がおいしい。また白川ダム湖畔公園キャンプ場を経営しており、オートキャンプサイトもある。白川荘ではバーベキューセットやポータブル電源のレンタルも行っている。その他の宿泊施設として、白川荘から白川を上流に向かうと農家民宿が数軒あり、安価で古民家に泊まることができるため、そちらを利用するのもいいかもしれない。白川荘にほど近い源流の森公園は、野外シェルターと呼ばれている大きな東屋があり、中にベンチとテーブルがあるので雨を防げて食事ができる。また駐車場の近くにトイレがあり、外の水道もあるので、車中泊に適した駐車場といえるだろう。ただし、たき火は禁止。トイレ横に利用上の注意の看板があるので、よく読んでから利用しよう。その他、白川沿いや広河原川沿いにも数カ所駐車スペースがあるが、設備は何もない。寝るだけなら利用可能だろう。

まちのやかた

まやのやかた

山形県鶴岡市
越沢字蛇喰 111-1
0235-47-2430

営業日　土曜日、日曜日、祝日
営業時間　11:00 〜 14:00
定休日　平日、冬期は休業

温海三河川と「まやのやかた」

関根信太郎

新潟市の北外れに住んでいた頃は、よく山形県に釣りに行った。その中でも、庄内地区や置賜地区は1時間から2時間ほどの距離だったため、シーズンになると毎週のように通った。庄内でも南の端にある鼠ヶ関川、庄内小国川、温海川は「温海三河川」と呼ばれ、３河川とも温海町内水面漁協の管轄である。1枚遊漁券を買えば３河川で釣りができる、お得な釣り場である。

庄内というと、見渡す限り田んぼが並んでいる庄内平野をイメージする人が多いかもしれないが、鶴岡市より南のこの地域は山が海に迫っていて、平野が少ない。３河川を行き来する道路は、国道であっても片側1車線に満たないような狭い場所も少なくない。特に、鼠ヶ関川から小国川へ抜ける国道３４５号線は、所々で普通車がすれ違えない個所がある上、交通量はそれなりにあるので注意が必要だ。

その国道３４５号を鼠ヶ関から北上し、峠にある関川トンネルを越えて2、3分行き、赤い橋を越えた所にあるのが、今回紹介する「まやのやかた」である。赤い屋根の小さな平屋の建物だが、周辺の国道沿いにはほとんど建物がなく、営業中は「越沢三角そば」と書いてある赤いのぼりが立っているので分かりやすい。

駐車場は店の裏にある。表に回って店に入ると、右に混雑時の待合テーブルがあり、靴を脱いで左に入ると広間がある。席は４人掛けの座卓が6卓。座布団に座りメニューを見ると、そこにあるのは越沢《こえさわ》そばと天ぷらそばの2種類のみで、あとは大盛りとお代わりという潔さである。取材当日は、越沢そばを注文した。

小鉢には、この地方の名産である赤カブの甘酢漬け（私の好物）。なお、天ぷらそばには、小鉢に加えて、笹巻という庄内地方独特のスイーツが付いてくる。これは餅米を笹で包み、灰汁水で半透明になるまで茹でたもので、笹の

久しぶりに訪れたのが祝日の開店直後だったせいか、先客は１組だけだった。そばを待つ間の期待と不安が入り交じった緊張感がたまらない

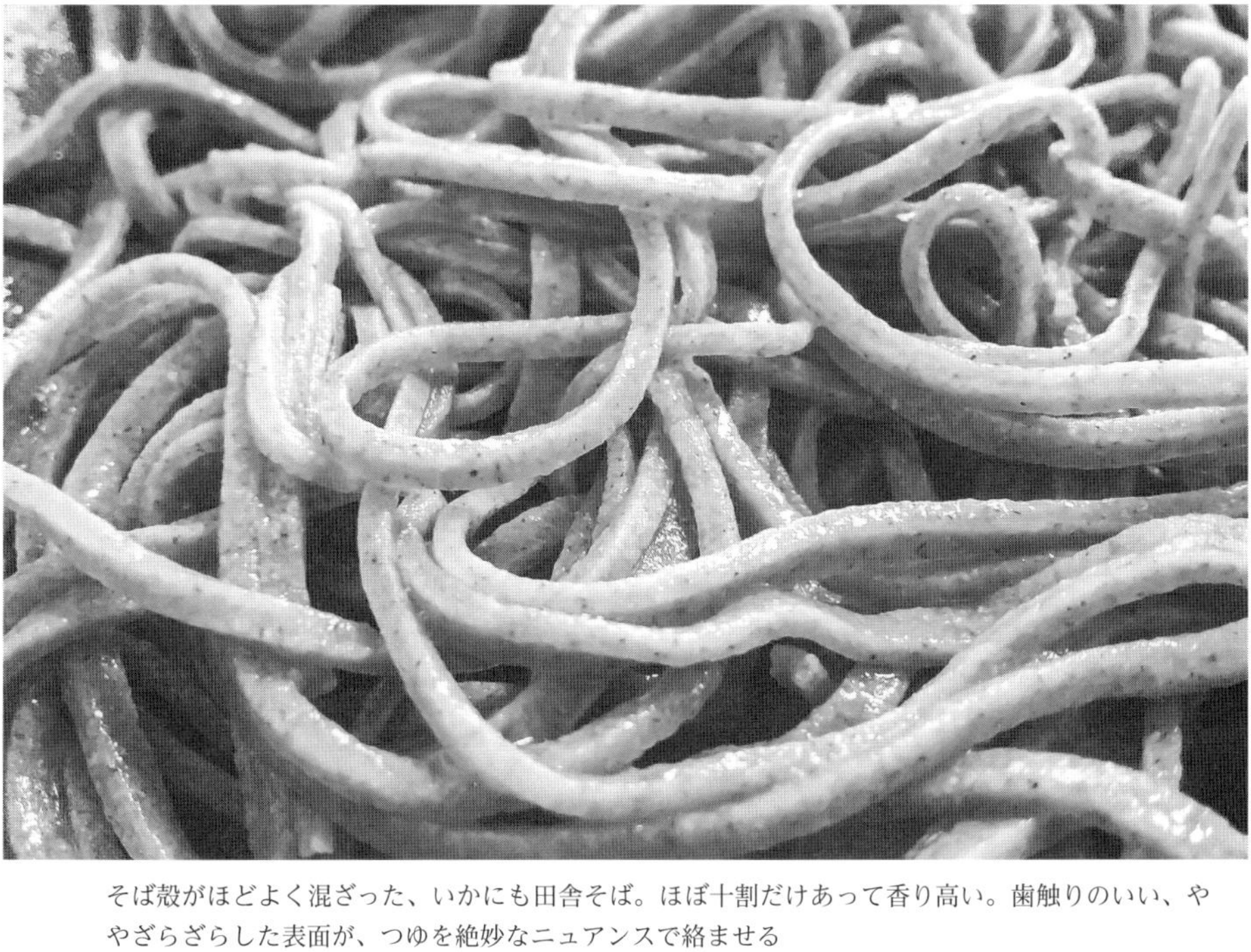

そば殻がほどよく混ざった、いかにも田舎そば。ほぼ十割だけあって香り高い。歯触りのいい、ややざらざらした表面が、つゆを絶妙なニュアンスで絡ませる

色が移って少し黄緑色になった涼しげなデザートである。庄内地方でも、地域によって茹で方が変わるとのこと。きなこを掛けて食べると、笹の葉の香りがしてほんのりと甘い。天ぷらは、カボチャ、シイタケ、タマネギ、ニンジンなど地元の野菜で、春には山菜天ぷらも選べる。

のぼりに書かれた「越沢三角そば」とはそばのブランド名で、２０１６年に山形の在来作物に認定された品種である。越沢とは「まやのやかた」があるこの辺りの地区の名前で、そこで長年作り続けられてきた品種を山形大学の在来作物の権威が調査したところ、約１３００年前に長野県の野尻湖付近から移住してきた住民によって越沢地区に持ち込まれたそばと分かったものだ。そのためか越沢地区には野尻という姓が最も多く、「まやのやかた」の館長も野尻さんであった。今では長野県にこの品種を栽培している所はなく、ここが世界で唯一の栽培地となっている。そばの実を見せてもらったが、山形で一般に栽培されている「でわかおり」と比べて粒が小さく、より三角錐《さんかくすい》に近い形で、これが三角そばの名の由来となった。２０１６年当時は栽培農家が3軒にまで減っていたそうだが、ブランド化により徐々に増えてきたということだ。地区の活性化と雇用創出のために地域の住民が開業したそば屋が、結果的に絶滅寸前の品種を復活させたわけである。

越沢そばはつなぎに自然薯を少し混ぜているから、完全な十割そばではなく、ほぼ十割そば。そばを打っているのは自治会長の大滝さんと館長（この呼び方も自治会らしい）の野尻さんだ。当初は地区の3人のそば打ち名人に打ち方を習い、二人で試行錯誤しながら三角そばのおいしさが引き立つ挽き方、割合、打ち方を作り上げてきたそうだ。まだまだ勉強中だと野尻さんはいう。

鰹節と煮干しで出汁を取って作られるつゆは、やや濃いめの味付けに仕上げられている。若干平打ちで中庸な太さのそばに絡ませて噛みしめると、そばの甘みが強調されておいしい。田舎風に挽かれたそばなのに、つなぎの自然薯がつるつるした食感を紡ぎ出しているので、のど越しもいい。条件の良くない秋口の取材であったが、完全な十割そばと違いが分からないほどの香りもなかなかであった。そば湯は少しそば粉を溶いた、やや白濁したもので、こちら

山形で一般的に栽培されている「でわかおり」（左）と「越沢三角そば」。三角そばは実が小さいが、挽いて粉にした際の歩留まりが良く、栽培面積当たりの量は実の大きさほどの差はないという

終始にこやかに接してくれた、「まやのやかた」の立役者、自治会長の大滝さん（右）と館長の野尻さん。二人三脚で越沢そばをここまで発展させてきた。今も二人でそばを打つ

も香り高かった。ごちそうさま。

せっかくなのでそば畑を見に行った。この地区は平地が少なく、米やそばは山あいの狭い棚田や段々畑で作っている。普通車では脱輪しそうな細い農道を通り、山に上がってみると「やまがたの棚田20選」に選定された見事な棚田が眺望できる。稲とそばの割合はやや稲の方が多めだろうか。現在では9軒の三角そば栽培農家があるということだったが、そば好きとしては、そばの白い花で埋め尽くされた景色が見てみたいと思った。さらに標高を上げると、高台にある田んぼやそば畑に水を供給し、三角そばを育てている郷清水と呼ばれる湧き水がある。こんこんと湧き出る透き通った水は「里の名水やまがた百選」にも選ばれており、暑い中を歩いて渇いたのどを潤してくれた。

さあ釣りだ。国道を隔てて「まやのやかた」の脇を流れるのが、摩耶山を源にして日本海に流れる庄内小国川。山形県には小国川と呼ばれる河川がもう1本最上川の支流にあるので、庄内というサブネームが付く。ここから南に下ると鼠ヶ関川、北へ行くと温海川が流れる。いずれも独立小河川で、ダムがある温海川中下流域以外は似たような釣り場環境である。3河川とも、基本的には中下流のヤマメと上流のイワナが対象となる河川であるが、いずれもサクラマスが遡上する。小河川なのでダブルハンドロッドを振り回すようなスペースはないが、遊漁券はヤマメ、イワナと共通なので、春には狙ってみる価値があるかもしれない。確率はかなり低いと思うけれど……。

3河川のうち最も水量があるのは温海川。ダム下では二面護岸の場所が多くて雰囲気はあまり良くないが、4月の解禁からヤマメが釣れる。ダム上でも5月になればライズの釣りが始まるが、最盛期は6、7月。禁漁近くまで釣りになり、魚は減るものの大型が出る可能性がある。小国川も護岸が多く、狭くて水量が少ない里川なので、主に夏場までの釣り場。それ以降は渇水に加えてブッシュが邪魔になり、楽しい釣りはあまり望めない。また、上記2河川の上流域は入渓点が少なく、近くを通る登山道などもないため川通しで戻ってこなければならないので、あまりお薦めできないが、入る人も少ないので、ひょっとするといい釣りができるかもしれない。鼠ヶ関川は小国川とよく似た規模。中下流域は護岸が多いが、川と護岸との間にアシが生えている所が多く、アシ際で良型のヤマメが出ることがある。上流域はイワナが多くなるが、ヤマメも混じる。こちらは川沿いを国道が走っているため、上流域でも一部を除いて入脱渓がしやすく、場荒れも早いが移動は楽である。

いずれの川も状況によって、小さめのアントだけが効くことがあるので、夏に限らず#14〜18ぐらいのアントを忘れずに。

温海町内水面漁協の遊漁券はコンビニ等では販売されておらず、温海町に1軒ある釣具店も9時半開店なので、朝早くであればネット（ＦＩＳＨＰＡＳＳ）で購入しよう。また、この漁協は全国でも珍しく午後半日券を販売している。1日券の半額とお得で、イブニングだけ楽しむには非常にありがたい。半日券は残念ながらネットでは販売しておらず、店舗でしか購入できないため、私はどの川へ行くにも通り道となる鼠ヶ関のマックスバリューに隣接するホームセンターのサンデーで購入している。

漁協名になっている温海町周辺は温泉地として有名で、周辺にもいくつか温泉がある。温海川の下流にある温泉街には主に地元の人向けの共同浴場が「正面湯」と「下の湯」の二つ、公衆浴場が一つある。泉質はナトリウム、カルシウム、塩化物、硫酸塩泉、源泉温度は68度。共同浴場は町民でなくても入れるが、源泉がほぼそのまま流れ込んでいて、特に「正面湯」は朝一番だと浴槽内の温度が50度を超えており、よほど熱いお湯が好きな人以外は厳しいだろう。ただし、お湯は素晴らしい。湯の里公衆浴場の方も源泉掛け流しで、やや熱めではあるが共同浴場に比べれば入りやすいので、よほどの温泉好きでない限り、こちらをお薦めする。いずれもシャンプーや石けんを持ち込む必要はあるが、共同浴場は１００円、公衆浴場は２００円で入れるのはうれしい。また、夜10時まで入れるので、夏場に暗くなるまでイブニングを楽しんだ後でも、ゆっくり汗を流せるのがありがたいところ。

庄内の土産といえば、前述した笹巻の他に、だだちゃ豆や榧《かや》の実の加工品、キノコ、赤カブ、庄内柿、庄内米など

越沢集落の上に広がる棚田とそば畑。ちょうどそばの花が満開で、白い花と稲の緑とのコントラストが美しかった。勢力図は緑優勢。そば好きとしては白が緑を打ち負かしてくれることを祈る

摩耶山から流れる小国川の上流域。うっそうとした林の中を流れていて、フライロッドは振りにくいが、その分、釣り人に会うことは少なく、落ち着いてフライフィッシングが楽しめる

の農林産物、地酒、海産物加工品など。これらはほぼすべて鼠ヶ関川と小国川の間の海岸沿いにある「道の駅 あつみ」で購入できる。私はここで買った椎の実（ピスタチオのようなナッツ）を煎って食べるのが好きなのだが、11月頃の一瞬しか出回らず、渓流釣りシーズンを外れているのが残念だ。他の季節は仕方ないので、椎の実煎餅や赤カブを買うことが多い。「道の駅 あつみ」にはレストランも併設されていて、ここでは日本海の海の幸を食べることができる。お薦めは時期によって変わると思うが、焼き魚定食がおいしい。「まやのやかた」では三角そばのそば粉や生そば、ちょっとした農産物も買うことができる。

ちょっと足を延ばせば鶴岡市内なのでホテルや旅館はたくさんある。釣りに来て、その気になるかどうかは疑問だとしても、藤沢周平記念館や加茂水族館などもある。どうしても釣り場近くで泊まりたいとなると、宿泊施設はあつみ温泉のホテルや旅館、海岸沿いの民宿だが、温泉街は宿泊料が観光地並みなので、空いていれば民宿をお薦めしたい。キャンプ場は一カ所、鼠ヶ関港内の砂浜にあるが、夏場の休日はかなりの混雑を覚悟する必要がある。また、海岸沿いに車中泊ができそうな駐車場はいくつかあるが、幹線道路の国道7号線に面しているため、夜間でも車の音がうるさい。また荒天時には風や波の音が気になるかもしれない。あるいは川沿いの道路に点在する駐車場で仮眠した方が落ち着けるかもしれない。

千利庵

山形県西置賜郡
白鷹町広野 1656
0238-87-2087

営業時間 11:00 ～ 14:00
定休日　水曜日 (祝日営業)
売り切れ終了

蕎麦

野川と「千利庵」

関根信太郎

山形県の最南部、置賜地方には、２本の大河が流れている。１本は大朝日岳に水源を持ち、新潟県村上市で日本海に注ぐ一級河川の荒川、もう1本は福島県吾妻小富士に水源を持ち、山形県酒田市で日本海に注ぐ一級河川、最上川。置賜地方を流れる荒川の一次支流のうち、渓流釣りで有名なのは、上流から金目川、横川、玉川など、最上川では羽黒川、鬼面川、吉野川、置賜白川、置賜野川、朝日川、月布川など、一次支流だけで10本を超え、イワナ、ヤマメ、アユなど多くの魚を育んでいる。今回紹介するそば屋「千利庵」は置賜地方の北端にあり、最も近いのは置賜野川（以下、野川）であるが、他にもいい川がたくさんある。ただし最上川水系の漁協はかなり細かく分かれており、山形県共通遊漁承認証（いわゆる共通年券）は約2万円と高価なので購入に迷うところだ。

国道２８７号線を長井から白鷹へ向かい、ファミリーマート白鷹町広野店を左折、狭い道を3、４回曲がった所にのぼりが立っていて、さらに狭い道を入った突き当たりにあるのが「千利庵」だ。白鷹町は、隠れそば屋の里とも呼ばれるほど、そば屋の多い町だが、その中でもこの店は評判が高い。

店に入ると障子があり、靴を脱いで上がると正面は普通の居間で、奥に調理場がある。左手の戸を開けると４部屋をつなげた大きな座敷があり、４人掛けの座卓が8卓。いろりや仏壇もあって、いかにも古民家そば屋らしい雰囲気が味わえる。

ここは小売り酒屋をやっていた店主が、妻の実家だった古民家を改装して１９９６年に始めたそば屋だ。趣味でそばを打っていたが、旧山都町《やまとまち》（現在は喜多方市）にある振興公社の資料館へ行き、売店で粉を買ってみたのが転身のきっかけになったという。家に帰って買ったそば粉を打ってみたら、これまで打ったことのないような透明感とコシ

店主がほれ込んだ山都のそば粉で打った十割そば。抜きを歩留まり７割で挽いているため、色は白っぽい。十割でこの細さは、山都のそば粉と店主の腕のたまものだ

かつて日本の一大産業だった養蚕。その当時の古民家を、ほぼそのまま使っている。天井が高く、いろりもあって、古き良き時代の日本を思い起こさせる。座るだけで何となくほっとする

のあるうまいそばが打てた。新そばから半年以上たつのに粉がしっとりしているのだった。はやる気持ちを抑えることができず、翌日もまた山都へ行ってそば粉を買い、打ったそばを知り合いに試食してもらったところ、これはイケる！　ということで、そば屋を始める決断をしたという。振興公社では、収穫したそばの実を雪室で保存しているため、温度、湿度が保たれ、梅雨時の湿度や夏場の高温でも変質しにくい。そのために収穫から時間がたっても味が落ちないのだ。

山都そばは、旧山都町宮古地区で育てたそばを丸抜きにし、石臼で製粉歩留り70％で挽き、つなぎを一切使わない十割で打ち、挽き立て、打ち立て、茹で立ての三立てを提供するのが定番だが、「千利庵」では今でも振興公社からそばを仕入れて石臼で細かく挽き、山都そばを基本にアレンジを加えて独自のそばを作り出している。メニューは十割のもりそばとおかわりのみで、他には何もない。そばだけで勝負している心意気が、そば好きにはうれしい。

もりそばを注文してしばらくすると、女将がそば、薬味、つゆ、漬け物、煮玉子をお盆に載せて運んできた。せいろではなく陶器の器に盛られているにもかかわらず、そばをつまんでも全く水気が残っていない。茹で立ての一番うまいところを食べてほしくて、水切りに時間を掛けていないのに、これほど水切れがいいのは、やはり山都のそばのおかげか。エッジが立ったそばは歩留まり7割だけに、更科に近い白さだ。太さは2ミリぐらい。十割そばをこの細さ、長さで仕上げるのは難しいと思う。店主の腕と山都のそばが相まってこその技なのだろう。つゆは、出汁を鰹節、あご、昆布で取り、かえしで仕上げた濃いめのもの。コシのある舌触りのいい、細めのそばに少し絡めて食べると、そばの香り、うま味、甘みが、出汁でさらに引き立つ感じで、実にうまい。決して少ない量ではないが、のど越しの良さもあって、あっという間に食べてしまった。そば屋では珍しい煮玉子も味が染み込んでいておいしかった。そば湯は打ち粉のみの、さらっとした薄濁りのもの。いつも思うのだが、うまいつゆと、うまいそば粉で入れたそば湯には言い知れぬ味わいを感じる。ごちそうさま。

「千利庵」から約30㎞、山の中の細い道を延々と走り、ダムを二つ越えた所が野川の釣り場である。ここに至るまでの距離というよりも、曲がりくねった道の細さを思ってなかなか足が向かないが、川はフライ向きで釣りやすく、行けばそれなりの釣りができる。ここのシーズンは雪代が終わった6月以降で、対象はイワナのみだ。

野川本流以外に木地山ダムに流入する支流は大きいものが2本あり、こちらもイワナが釣れる。ただし入渓するつもりなら朝早く行かないと、橋のたもとに車が止まっているのを見るだけのことになる。

本流の入渓点は、大きく祝瓶《いわいがめ》山荘より下流と上流に分かれる。下流は所々に枝分かれした林道が左に折れているので、邪魔にならない所に車を止めて川まで歩き、入渓する。道との高低差はあまりないし、踏み跡などもあるので、入渓に苦労することはない。ダムに近過ぎると川底が砂だらけで、秋の遡上期以外は魚がいないので、インレットから1㎞ぐらい上がってから入渓した方がいい。上流側は祝瓶山荘の駐車場に車を止めて少し林道を歩き、吊り橋跡を徒渉して右に行くと2段堰堤があるので、脇を抜けてさらに堰堤を二つ越えてから入渓する。途中、崖上の細い山道を歩く必要がある。危険なので、初めて行くなら友人を誘っていった方がいいと思う。なお、吊り橋跡のすぐ下流で合流している支流も本流より若干細い流れながらイワナは多く、狙ってみる価値はある。どちらの川も頭上は開けているのでフライロッドは振りやすいが、フライ、ルアー、餌釣りとオールラウンドで人気のある川だけに、シーズン後半はスレたイワナが多くなる。

野川を管轄する西置賜漁協の遊漁券はネット（ＦＩＳＨＰＡＳＳ）で購入できる。長井ダムより上流はほとんど携帯電波が届かないので、山に入る前にスマートフォンで購入しておこう。

野川と「千利庵」のちょうど中間辺りに、小さな日帰り温泉施設がある。運営会社が変わり、２０２０年7月にリニューアルされて「ニュー桜湯」と名称が変わった。ひなびた外観に変わりはないが、内装やボイラーは一新された。昔の、ポリカ波板を貼っただけの素朴な浴室も雰囲気があって良かったのだが、マニア以外には新しくなった方が好

そば屋の店主は個性の強い人が多いように思う。「千利庵」の店主、遠藤さんも一見こわもてで、話し掛けるのにやや躊躇したが、山都のそばを情熱的に語ってくれた

野川の木地山ダムのインレットのやや上流。これ以上ダムに近づくと砂地になる。夏、ウェーディングすると不思議な形状の魚が水底を走って驚かされるが、正体はヤツメウナギの幼魚だ

まれるだろう。決して広い温泉ではないものの、薄い濁り湯の源泉掛け流しで入浴料が３００円という安さ。泉質はナトリウム硫酸塩、塩化物温泉、源泉温度は42度。ちょっとした高台にあるので、２階の休憩所や食堂からの長井市街の眺望もいい。受付は19時半までなので、野川でイブニングをやってからでは間に合わない。道中は焦ると谷底に転落しかねない悪路なので、入浴を優先するのであれば早めに上がろう。遅くなるとクマも出る。

「千利庵」からほぼ真っすぐ北へ10㎞弱行った所に、もう1軒お薦めの温泉（鉱泉）がある。「黒鴨温泉 滝の湯旅館」だ。黒鴨地区は、かつて朝日連峰に登る山伏の拠点として栄えていたが、現在はこの旅館が残っているだけで、周りに民家はほとんどない。旅館の日帰り入浴になるので、11時～18時の間しか入浴できないとはいえ、ｐｈ８・３というヌルヌル、トロトロのお湯は美肌の湯として知られ、特に女性フライフィッシャーにとっては、わざわざ入りに行くだけの価値はあると思う。浴室も浴槽も小さいので実質的な貸し切り湯。先客がいると待たされるらしいが、今まで1度も先客がいたことはない。ただ２０２０年にテレビ番組で紹介されたのが若干気掛かりではある。泉質はナトリウム炭酸水素塩冷鉱泉、源泉温度は17・２度。鉱泉なので加温循環は致し方ないところ。入浴料はこちらも３００円と格安だ。

また、すぐ近くの蔵高院には、日本で最後といわれる即身仏が祭られているので、興味がある方は訪れてみるのもいいだろう。蔵高院には、他にも珍しい仏像や鳴き龍もある。

「千利庵」から国道２８７号を北上すると、８㎞ほどで「道の駅 白鷹ヤナ公園」がある。こちらはその名のとおり、道の駅に併設されたヤナが売り。道の駅の裏手には、日本一ともいわれる規模の大きなヤナが最上川に掛かり、道の駅に併設されたあゆ茶屋では、８月からヤナ漁で獲ったアユを塩焼や田楽で食べることができる。また、晩秋に捕れたアユを干した寒風干し鮎は、焼くと酒のさかなに最適だ。1年中、道の駅で購入できる。９月下旬には「しらたか鮎まつり」が行われ、白鷹町のおいしい食べ物が勢ぞろいする。なお２０２1年はコロナ禍の影響で鮎まつりが1ヶ

祝瓶山荘までの渓相は美しいが、なぜか魚の反応は今一つだ

月間の長丁場で行われたので、訪れる場合は事前に確認した方がいいだろう。

その他、白鷹町の名産といえば、紅花、そば、くるみゆべしや「じんだんあんびん」などのスイーツ。これらはすべて道の駅で手に入る。「じんだんあんびん」とは、じんだん（空豆を潰したもの。ずんだ）のあんびん（あんこ）で、それを餅に包んだまんじゅうのことだ。甘過ぎず、素朴な味が楽しめる。

白鷹町へ行った時に、私が必ず買うものがあって、それは馬刺しだ。「千利庵」から白鷹市街方向へ３㎞ほど行くと新野肉店がある。かつては店の横で馬を飼っていて驚かされたが、牧舎は移設したらしい。白鷹産の生の馬刺しは、冷凍とは全く違って滑らかでうま味に富んでおり、赤身２００g程度ならペロリと食べられるほどおいしい。馬肉チャーシューもくどくなく、ラーメンに載せたり、そのまま酒のつまみにしてもいい。

「黒鴨温泉　滝の湯旅館」は旅館の割には料金が民宿並みに安く、女将が気さくで人当たりがいいので、野川までかなり距離はあるがお薦めである。白鷹町や長井市には他にも旅館やホテルがあるが、いずれもそれなりの価格だ。安いビジネスホテルもあるが、味気なさ過ぎて積極的に勧めることはできない。

キャンプ場は白鷹町に2カ所、長井市に1カ所。ふるさと森林公園に併設のキャンプ場は、温泉やサウナもある。他の二つは野川にもう少し近く、どちらも奇麗で快適とはいかないが、キャンプをするには不足はない。何しろ、「上の台公園キャンプ場」はテント一張り２００円、葉山森林公園は無料なので、あまり贅沢は言わないことにしよう。あるいは、どうせないない尽くしならば、いっそ潔く、林道終点にある、祝瓶山荘前の無料野営場という選択が正解かもしれない。

大台野そば

山形県酒田市
八幡町升田字大台野 38-1
0234-64-4708

営業日　金、土、日、祝日、お盆
営業時間　11:00 ～ 15:00
冬期（12 月～GW前まで）は休業

日向川と「大台野そば」

――関根信太郎

山形県と秋田県の県境にある鳥海山は、東北で3番目に高い山である。鳥海山の魅力はその高さもさることながら、大きく裾野を広げた壮大なスケール感にあるだろう。周辺に高山がないため、遠くからでも裾野を望むことができるのだ。その美しい姿が富士山を想起させ、山形側では出羽富士、秋田側では秋田富士と呼ばれて親しまれている。山頂の標高は２２３６ｍあり、豪雪地帯でもあることから、真夏でも7合目ぐらいまでは残雪がある。その雪解け水がたくさんの河川の魚を育む。今回紹介する日向川の他にも、山形県側では月光川《がっこうがわ》、秋田県側では子吉川の本支流や奈曽川、白雪川など、渓流釣りやサクラマス、アユ釣りで有名な多くの河川が鳥海山を源にしている。

その鳥海山への登山口の一つ、湯ノ台口に向かう鳥海高原ラインの近くに店を構えるのが「大台野そば」である。大台野とはこの周辺の地域の名称で、元々ここに住んでいた店主が自宅を改装し、独学でそば屋を始めたのが１９９７年7月のことだ。それ以降、約25年間ずっとそばを打ち続けている。ぱっと見はちょっとばかりこわもてだが、話し好きの優しい人物であった。

客席は４人掛けの座卓が3卓と、２人掛けが1卓。メニューは板そばと大盛りのみで、ついでに営業日も週末と祝祭日という潔さで、平日休みの釣り人にはチャンスがない。それでも、昨年（２０２１年）からは金曜日にも営業するようになり、ここのそばを食べられる機会が増えたのは喜ばしい。

山形のそばといえば板そばが有名だ。山形における一般的な板そばとは、大きな木箱に、噛み切るのに苦労するほど硬くて太い、大盛りの田舎そばが盛り付けてあり、のど越しではなく、しっかりと噛みしめて味わうものが多い。かつて寒河江川のＣ＆Ｒ区間が始まった頃、川の近くで食べた板そばの印象がまさにそのとおりで、その後、板そば

店主が近くの畑で育てたそばを自ら挽いて、打って、茹でたそばは、山形風の板そばながらも江戸風の細切り。甘めのつゆとの相性もいい。付け合わせもおいしくて箸が進む

決して広い店ではないが、店主一人でさばくにはこれぐらいが限度だろう。そのおかげで満席であっても、騒がしいこともなく、落ち着いてそばに集中できる

ややこわもてで、取っ付きにくい人かと思いきや、話してみると言葉の端々に優しさがにじみ出る店主、村上さん。この地で生まれ育った、地元愛が強い人物である

日向川上流域を空撮。この辺りは道と川との落差もなく、狭いながらも駐車スペースがあるので、入渓しやすい。魚が隠れられる大きな石が多くて、いやが応にも期待が高まる

を敬遠するきっかけになった。「大台野そば」の板そばは木箱に盛ってはいるものの、そば自体は江戸風の細切りで、あごが疲れることなく食べられる。

板そばを頼むと、最初に出てきたのはキュウリの漬け物とイタドリの煮物。イタドリは秋田ではよく食される山菜だが、酸味を取り除くのに手間が掛かる。ここで出てきたのは豚肉と一緒に煮付けたらしく酸味を全く感じさせず、さっぱりしておいしかった。以前訪れた際には、ワラビなど季節の山菜や、むきそば（殻を取り除いたそばの実を茹でたもの）が出された。むきそばは、そばそのものの甘みと香りが強く感じられる。

しばらくしてそばが運ばれてきた。板そばの名の元となる木箱には「鳥海山麓そば振興会」と彫られているが、これは創業前に店主が始めた会で、地元のそばを使うことを前提に、当時の八幡町の公的補助を得て始めたということだ。もちろん今でも使っているそば粉は、店主が近くの畑で育てたそばを天日干しして、挽きぐるみにしたもの。打ち方は二八で、見た目は田舎そばと更科の中間ぐらいに見える。新鮮なそば粉を使えるためか、香りが素晴らしい。つゆは鰹出汁の一般的なものだが、細いそばに合わせた鰹節の甘みと、かえしの濃さのバランスが良く、そばに少し付けて食べると、つるつるっと入ってしまう。1人前は250gで普通のせいろよりやや多いが、口当たりものど越しもいい。そば湯は打ち粉だけの薄く濁ったもの。香り高いそばを堪能した。ごちそうさま。

鳥海山を源とする幾多の河川のうち、最も南を流れているのが日向川である。延長は74kmに及び、主な対象魚はイワナだ。日向川本流はサクラマスが遡上する川ではあるが、下流域に堰堤が多く、また途中に発電所が2カ所あることや、かつての油流出事故による川の荒廃などで、残念ながらヤマメの釣果は期待薄だ。

鹿俣川合流より上流の中流域が主な釣り場で、川幅はそれなりにある。長めのフライロッドでも十分使える。シーズン当初、イワナは大らかだが、夏になると人出も増えて、だんだんスレてくる。以前、ライズしているイワナを狙い、フライを取っ替え引っ替えし、最終的に#20のアントで決着を付けた経験もある。

海に注ぐ直前で日向川に合流する荒瀬川という大きな支流がある。こちらはヤマメが主な対象となる緩やかな里川で、すぐ脇を真室川に抜ける国道３４４号が通っている。国道脇で入渓しやすく、スレるのが早い。その他、草津川、荒木川、鹿俣川、大八重川などの支流ではイワナが釣れる。これら支流の上流域にはあまり放流がされていないのか、下流のイワナとは模様が違う、原種らしきイワナが釣れるので、大事に扱ってリリースしてほしい。

少々心配なのが、支流草津川の上流域に１８００頭規模の大規模な牧場を作る計画があり、工事が進んでいること。かつての牧場跡を再開発しているのだが、取材時には広範囲に赤土の表土が現れ、雨が降ると草津川に泥水が流れ込んでいた。完成後の牧場の廃水も気になるところだ。

荒瀬川を含む日向川は、日向荒瀬漁協の管轄である。日釣り券も決して高くはないが、年券が日釣り券3枚と同じ価格で、とてもお得で、しかもサクラマスも釣ることができる。日釣り券は酒田市内の釣具店でも売っているが、旧八幡町のセブン-イレブンとファミリーマートは24時間営業だから安心だ。

鳥海山は活火山なので、どこにでも温泉が湧いているような錯覚に陥るが、実は山域に温泉はそれほど多くない。日向川への行き帰りであれば、やや混雑するが「八森温泉ゆりんこ」が使いやすい。泉質は単純ナトリウム泉で、日帰り温泉施設らしく、浴槽は大浴場の他に露天風呂、サウナ、バイブラバス、ジェットバス、寝湯とバラエティに富んでいる。残念ながら殺菌、循環のうえ、地元のお年寄りでいつも混雑しているため、のんびりするというよりは、汗を流す程度に考えておいた方がいいだろう。ただし、ここは朝6時から開いており、朝風呂を浴びられるのが車中泊者にとってはうれしい。

「大台野そば」の近くで温泉に入りたくなったら、車で5分ほどの所に鳥海山荘がある。ここは近くにある湯の台温泉の源泉からお湯を引いているが、こちらも循環で掛け流しではない。活火山の麓なのに、掛け流しの温泉に入るには海岸まで出ないといけないのだ。

この辺りには特産と呼べるものは多くない。遊佐町や酒田市街まで出れば、海産物やその加工品も多く手に入るのだが、日向川周辺に限定すると、農畜産物を土産にすることになるだろう。「八森温泉ゆりんこ」から車で5分ほどの所にある「産直たわわ」では、新鮮な旬の農産物が手頃な価格で手に入る。5月には山菜祭りがあり、珍しい山菜が買える。渓流のハイシーズンである6、7月だと、トマトやキュウリ、メロン、スイカ。8、9月はブドウ、ナシ、洋ナシなどの果物もたくさん並ぶ。ここの目玉の一つが、鳥海山の牧場で育った乳牛の乳製品。特に店の裏手で、雄大な鳥海山を眺めながら食べる鳥海高原ソフトクリームは、さっぱりした甘さで何度食べても飽きないおいしさだ。

日向川周辺は宿泊施設が少なく、ホテルも民宿もない。唯一の宿泊施設は鳥海山荘である。ただ車で30㎞近く走れば酒田市街で、ビジネスホテルや旅館がある。キャンプ場は鳥海山荘近くの「家族旅行村」と八森温泉ゆりんこ近くの「八森キャンプ場」の2カ所。双方とも鳥海山荘と同じやわた観光（株）が経営していて、料金はどちらもテント一張り７７０円と安価だ。風呂も近いし、設備も充実している。車中泊は、日向川沿いや荒瀬川沿いに広い駐車場がいくつかあって、仮眠に利用できる。

蕎楽

山形県西村山郡
朝日町三中丙 68-1
0237-84-1028

営業時間 11:30 ～ 14:30
定休日　木曜日
売り切れ終了

味自慢
営業中

朝日川と「蕎楽」

関根信太郎

最上川は、米沢市から酒田市まで山形県内を縦断する大河川で、延長は２２９kmに及ぶ。かつては内陸の紅花や米などの農産物を舟で庄内平野や、さらに酒田から日本海を経由して、関西地方まで運ぶ重要な経路として、流域の町村を発展させてきた。流域面積は山形県の８割近くを占めており、その支流は一次、二次を合わせて４２８本にも及ぶ。県内に網の目のように張り巡らされた支流は、飲み水や農業用水にとどまらず、アユやサクラマス、渓流魚などを育てる場として重要な役割を果たしてきた。松尾芭蕉が出羽三山へ向かう途中で川舟に乗り、「五月雨を集めて早し最上川」という句を詠んだのはあまりにも有名だが、今でも観光舟下り（川下り）が行われており、かつて芭蕉が見たであろう流域の風景を楽しみながら、足跡をたどることができる。

芭蕉の句に「集めて早し」と詠まれたように、最上川は多くの支流があだとなって、昔から梅雨時を中心に洪水が多く起こり、暴れ川としても知られている。そのために大型のダムが本支流を問わず造られており、渓流釣り人としては少々残念ではあるが、流域の住民の生活を守る上では欠かせないものなのだろう。最上川に設置された最も大きなダムは、支流の朝日川が合流する朝日町にある上郷ダムだ。そこから1kmほど下流の最上川に掛かる新五百川《いもがわ》橋のたもとに「手打そば処 蕎楽」がひっそりと立っている。

看板とのれんがなければ、全く普通の住宅にしか見えないたたずまいだ。それもそのはずで、27年前に趣味でそば打ちを始めた店主のそば好きが高じて、12年前に自宅を改装して始めたお店なのだ。のれんをくぐって店内に入ると、畳の6畳間二つを繋げた12畳の広間に、４人掛けの座卓が三つと４人掛けの椅子席が一つある。椅子席のテーブルは1枚板の見事なものだ。メニューはもりそばと、量が5割増しの小板そば、2倍の板そば。それにおろしぶっかけそ

やや細めで角の立った「蕎楽」のそば。そこかしこに挽かれた殻が見える田舎そばだ。日によって配合を変えるそうだが、基本十割なのでハズレはないだろう

そばがおいしい店は、そば湯もおいしい。そばのうま味を引き出すには打ち方もさることながら、そば自体の質と選び方も重要なのだろう

まだまだ修行中です、とあくまでも謙虚な店主の若月さん。趣味が高じてそば屋になった人は少なくないが、かなりの確率で、おいしいそばを食べさせてくれる

ばの普通盛り、大盛りの５種類。サイドメニューの天ぷらとデザートのコーヒーもある。少し早い時間だったので、もりそばを注文した。

そばは、北海道産の「ぼたん」など３種類と県産の「でわかおり」を混ぜて打った十割。当初は二八で始めたが、常連のお客さんの希望で、今は十割のみにしているという。まだ修行中とおっしゃるご主人は、粉の割合や殻を混ぜる量なども日によって変えているそうだ。そば殻が少なめで、田舎そば風ながらも、さらっとした舌触りのそばであった。店主はそばの太さに最もこだわっているということで、山形の板そばに良くある、太めのごついそばではなく細めのそばなのであった。十割の田舎そばをこの太さになるように打つのは難しく、そこがこの店のウリになっている。

鰹とシイタケで取った出汁が良く効いたつゆは、濃いめでまろやか。箸でつまんで少しだけつゆに漬け、口に入れると爽やかなそばの香りが鼻に抜ける。聞けば、夏の新そばが配合されているとのことで、なるほど新そばらしい香りや甘みが強く感じられた。口当たりも良く、香りと味を楽しみながら食べた。そば湯は打ち粉のみのほぼ透明なもの。こちらも新そばの香りが強く感じられ、まろやかなつゆと相まっておいしくいただいた。ごちそうさま。

店主によると、冷たいそばに大根おろしと野菜の素揚げを載せた、おろしぶっかけそばや、（メニューにない）揚げ出しそばがきも人気だということなので、次回は食べてみたいと思う。

「蕎楽」の裏を通る県道９号線を１・５㎞ほど南下し、交差する県道２９５号を右に曲がると朝日川に行き当たる。しばらく走ると川ギリギリを道が通るようになり、その辺りからが釣り場となる。朝日川は大朝日岳を水源とし、延長43・８㎞に及ぶ最上川の一次支流で、大朝日岳は標高が２０００ｍ近くあるために、雪代が遅くまで続き、釣りができるのは６月からだ。年にもよるがドライフライの最盛期は７月に入ってからになることが多い。上流にダムがある割には水が清らかで、道路から川をのぞくと時々ヤマメやイワナが泳いでいるのが見える。そこから木川ダムまでの約４㎞は主にヤマメで、上流に向かうほどイワナが多く混じるようになる。また、支流の北ノ入沢やタバネ沢はイワナの釣り場だ。沿道の所々にスペースがあるので、通行する車の邪魔にならないように止めよう。道がすぐ近くを通っているので、入脱渓が楽な区間が多い。この区間は大岩が多く、水が多いと遡行が困難だが、いい型のヤマメが出る。晩夏にはバッタが大量に出ることもある。ダム直下は急な放流に注意が必要だ。

木川ダムのバックウォーターより上流はイワナの釣り場だが、ヤマメも混じることがある。魚影は濃いが、人が入りやすい場所のイワナはスレているので、ティペットやフライに気を遣った方がいいだろう。この区間は駐車スペースや入脱渓点が少なく、河原が狭く、道路から川までの標高差も20m程度ある所が多いので、天気が急変しそうな時は計画的に行動しよう。区間によっては、川通しで入渓点まで戻る必要がある。なお、最上流部の朝日俣沢は全面禁漁だ。朝日川は最上川第一漁協の管轄で、遊漁券は朝日町内のセブン-イレブンやサンクスで購入できる。

朝日川の最上流部には、「朝日鉱泉ナチュラリストの家」という宿泊施設があり、その名のとおり鉱泉に入ることができる。塩化物泉で、源泉温度は19・8度なので沸かし湯であるが、鉄分やカルシウムが多く、泉質はいい。シーズン（7~9月）以外の平日は休みのことが多く、また人が少ないと沸かしていないことがあるので、注意。事前連絡しておいた方が安心だろう。「朝日鉱泉ナチュラリストの家」までの道は狭く曲がりくねっているので、下流部で釣りをする場合は、朝日川のすぐ横にある五百川温泉か、「道の駅 あさひまち」にほど近い、りんご温泉がいいだろう。五百川温泉は主に地域の人が利用するこぢんまりした浴槽で、泉質は低張性アルカリ性冷鉱泉、源泉温度は17・9度である。残念ながら塩素消毒の加温循環のため、あまりいい湯とはいえないが、夏場、汗だくになって釣りをして、早く汗を流したい時には重宝する。りんご温泉は朝日町１００％出資のためか入浴料が３００円と安い割には設備が充実しており、別棟だが露天風呂もある。泉質はナトリウム、塩化物強塩温泉、源泉温度は71・1度。やや石油臭や硫黄臭のする温泉である。残念ながら１００％源泉掛け流しではないが、恐らくかなりの量を掛け流していると思われるいいお湯である。ここのウリは、シーズンになると浴槽にリンゴをたくさん浮かべていること。りんご温泉の名に恥じないアレンジであるが、利点はあまり思い浮かばない（笑）。

朝日町を含む山形村山地域の土産といえば、サクランボ、リンゴ、洋ナシ、ブドウなどの果物をすぐに思い付く。「蒼楽」から５㎞ほど北に走った国道２８７号線沿いには「道の駅 あさひまち」があるが、そのサブネームは「りんごの森」。９月上旬から売り場には、リンゴがイヤというほど並び、種類も豊富なうえに安価で、どれを買おうか目移りしてしまう。残念ながら、サクランボはあまり出ないが、９月頃からはブドウ、洋ナシの他にスモモやモモがたくさん並び、ほぼすべて朝日町産。もちろん地元の野菜や、時期には山菜、キノコも並ぶ。また、朝日町では特産のブドウを使ったワインが作られていて、道の駅から１・５㎞ほどの所にワイン城がある。時間があればワイン城で20種以上というワインを見ながら選びたいところだが、種類は少ないものの道の駅でも購入できる。朝日町産の食材を使った軽食コーナーもあり、りんご冷麺、ダチョウのフランク、リンゴで育てた豚の焼き肉丼などは、ここでしか食べられないもの。また、リンゴの時期に食べてもらいたいのが、露店で売っている、すりおろしりんごソフト。ソフトクリームというよりはシャーベットっぽい舌触りであるが、まるごとリンゴ！ という味で、さっぱりしていて食べやすい。

「朝日鉱泉ナチュラリストの家」は登山客が多く泊まる宿で、安価に素泊まりできる。上流域で釣りをする場合には宿、食事、温泉を一カ所で済ませることができ、大変便利である。下流域にはＡｓａｈｉ自然観というホテルがあり、こちらもシーズンオフであればそこそこ安価で宿泊できる。キャンプ場は隣町になるが、道の駅から６㎞ほどの所に大山自然キャンプ場がある。キャンプサイトだけでなくコテージもあるので、友人や家族と連れ立っていく時は重宝するだろう。朝日川沿いに車中泊ができそうな所はほとんどなく、唯一、河川公園の駐車場ぐらいだ。周辺にも広い駐車場などはなく、車中泊には向かない地域である。

木山ダム上は道路との高低差が大きく、一度入ったら抜けるのが難しい。人工物が少なくて雰囲気はとてもいいのだが、途中で先行者を見つけた日には、天を仰いでため息を漏らさざるを得ない

そば処 あさ沼

山形県新庄市
大字仁間 33
0233-22-5538

営業時間 11:00 ～ 15:00
定休日　火曜日 (祝日営業)

鮭川水系と「そば処 あさ沼」

――関根信太郎

「そば処 あさ沼」は鳥海山麓の日向川から真室川への移動中に見つけた店だ。釣り場までの距離は少しあるが、私にとっては衝撃的ともいえるそばだったので紹介することにした。新庄市は山形県最北部にある地方都市で、秋田や山形北部の渓流へ行く際によく通る町だ。この辺りは最上地域と呼ばれるとおり、最上川の中流域とその支流が流れる地域で、新庄周辺を流れる支流は鮭川とその支流である真室川、金山川、最上小国川、角川、銅山川など。渓流釣りをする人なら一度は聞いたことがある名前だろう。

新庄は、奈良時代の文献に記録が残っている古い町で、かつては宮城県と秋田県を結ぶ街道が通っていたという。江戸時代には羽州街道（現在の国道13号）の宿場町として栄えると共に、常陸国から国替えした戸沢政盛によって新庄藩が立藩、新庄城が築城された。戸沢氏は２５０年にわたって新庄藩を統治したが、戊申戦争時に同盟を結んでいた庄内藩を裏切り新政府側に寝返ったため、庄内勢によって新庄城に攻め込まれた。１８６８年に落城して、城下ごと大火に見舞われた際には新庄城も焼け落ちてしまい、現在では、最上公園にわずかに堀の一部を残すだけとなっている。

羽州街道（国道13号線）のバイパスとして大石田町と新庄市をつなぐ東北中央道を新庄ICで降りて、そのまま県道34号を７００ｍほど走り、セブン-イレブンの交差点を左に曲がって５００ｍほど行くと、右手に看板と松の木が目印となる「そば処 あさ沼」がある。入り口はやや狭いが敷地は広く、2軒の家の向かって右が店主の自宅、左が店舗だ。新庄市は、これまでの最大積雪深が２・５ｍ、雪が減った近年でも積雪１ｍを超えることが珍しくない豪雪地帯なので、この店も１・５ｍほど床を上げている。階段を上がってのれんをくぐると、正面が調理場、奥には個室が2部屋ある。左に入ると大広間となっていて、二人掛けの座卓が11席。個室や混雑時の2階席など、すべての席を合わせると50席になるというが、これがすべて自宅を改装した店というから驚きだ。窓際の席から見える庭園も広く、池には錦鯉が泳いでいて、ゆったりした気分でそばを楽しめる。ここは、１９９５年に店主が脱サラして始めた店だ。そばは肘折温泉の周辺で、最上早生《もがみわせ》という品種を契約農家に栽培してもらっている。それを自宅の貯蔵庫に保管して、毎朝自分で挽いて粉にして、打っている。メニューには、冷たいそばと温かいそばが数種類ずつ、天ぷらや身欠きニシンなどの一品料理と、酒などの飲み物がある。冷たいそばは、普通のせいろ（板そば）と太打ち田舎そばの2種類から選ぶ。田舎そばは、舌触りが悪くなりがちだが、そうならないように殻を念入りに細かく挽いて、そば粉と混ぜて打っているということだ。割合はどちらも外二。その日は両方食べたかったので合い盛りそばを頼んだ。

　メニューに写真が載っているので覚悟はしていたが、出てきたそばを見て改めてびっくりした。せいろは見た目も普通のそばだが、田舎そばは真っ黒で極太。黒くて太いのが田舎そばの特徴とはいえ、これほどのそばにはなかなかお目に掛かったことがない。恐れをなして、まずはせいろをつまむ。表面が少しでこぼこしている好みのそばだ。３種類の鰹節とシイタケ、煮干し、昆布で取った出汁を、かえしで仕上げたつゆは山形らしく濃いめで、かつまろやか。鰹節の香りが食欲をそそる。少しだけつゆに付けて口に入れると、挽き立てのそばの香りが広がり、噛むと適度な歯応えと共にそばのうま味と甘みが感じられる。二口、三口とせいろを堪能し、さていよいよ田舎そば。実は、私はいかにも田舎そば然としたそばは、それほど好みではない。そば殻の香ばしい香りは好きなのだが、殻が多い黒っぽいそばとなると、どうしても雑味、えぐ味が出て、舌触りも悪くなりがちなのだ。殻が適度に混ざった、少し黒い程度の田舎そばが好きなので、この店の真っ黒いそばは見ただけで苦手意識が顔を出した。ところが、つゆを少し多めに付けて口に入れ、噛んでみると、雑味は少しあっても、えぐ味は全くなく、香りはもちろんのこと、何とうま味もせいろより強く感じられたのだ。細かく挽いたそば殻のおかげなのか、配合の妙なのか、これを我流で作り上げた店主

20畳の大広間から眺める庭園と、錦鯉が泳ぐ池は一見の価値がある。真夏でなければ窓際の席を選びたい。自宅を改造して店にしたということで、ウサギ小屋の住人としてはうらやましい限りだ

脱サラしてそば屋を始めた店主の浅沼さん。店では、随時そば打ち体験会を開催しているそうで、浅沼さんの指導で、自分が打ったそばを食べられる

の才能と研究には敬服するしかない。のど越しを楽しむそばではないので、良く噛んで食べるのが正解だ。噛めば噛むほどに甘みが出てくる。２種類のそばを交互に食べ比べるつもりが、気が付くと田舎そばばかりが減ってしまっていた。そばちょこ、つゆとっくり、湯桶《ゆとう》などの器は、地元新庄の東山焼のもの。厚口の陶器で口当たりが良く、打ち粉だけのほぼ透明なそば湯が、よりおいしく感じられた。ごちそうさま。

この辺りの釣り場は、前述したように鮭川の支流となるが、ここでは真室川と金山川を紹介する。真室川は秋田県との県境にある黒森を水源とする鮭川の支流で、奥羽本線の真室川駅辺りで金山川と合流し、その３㎞ほど下流で鮭川に合流する。対象はヤマメとイワナだが、イワナの方が良く釣れる。東北中央道の真室川IC辺りから上流が釣りやすい。河原にアシが多く、夏以降は上流に行くと入脱渓が困難になるため、釣り場はそう長くない。

金山川は、神室山を水源とする真室川の支流で、神室ダムの下流は主にヤマメの釣り場、ダム上はイワナの釣り場となっている。ダム下は護岸が多く雰囲気がイマイチなうえ、入渓しにくいこと、私自身がイワナ釣りが好きなこともあり、ダム上に入ることが多い。ダム上はインレットが三つあり、一番右が本流だ。左の２本の支流へ行く道は現在通行止めになっているので、１㎞ほど歩かなければいけない。かつクマが多いのでお薦めできない。ダム湖を渡って右へ行くと、５００ｍほどで駐車場があるのでそこに車を止め、歩いて1分ほどで舗装が終わってすぐ右に本流が流れている。本流といっても水量は雪代時期を除いて多くはない。どちらかというとチャラ瀬が多いが、イワナの魚影はそこそこだ。登山道が川の脇を通っているので、上流の大滝近辺以外、入脱渓に困ることはない。頭上は開けていない所が多いので、ロッドは短めがいいだろう。フライにはこだらなくていいと思うが、盛期は人も多く入るので、繊細なフライもあった方がいいだろう。

山形県は、自治体に必ず一つ以上温泉がある恵まれた地域で、新庄周辺にもちょっと足を延ばせば肘折温泉や赤倉

真室川の中流部。叩き上がりが基本だが、ヤマメとイワナが混じるこの辺りは、叩くポイントを絞るのが難しい。アシ際に深みがあれば、そこには大ヤマメが潜んでいる（かもしれない）

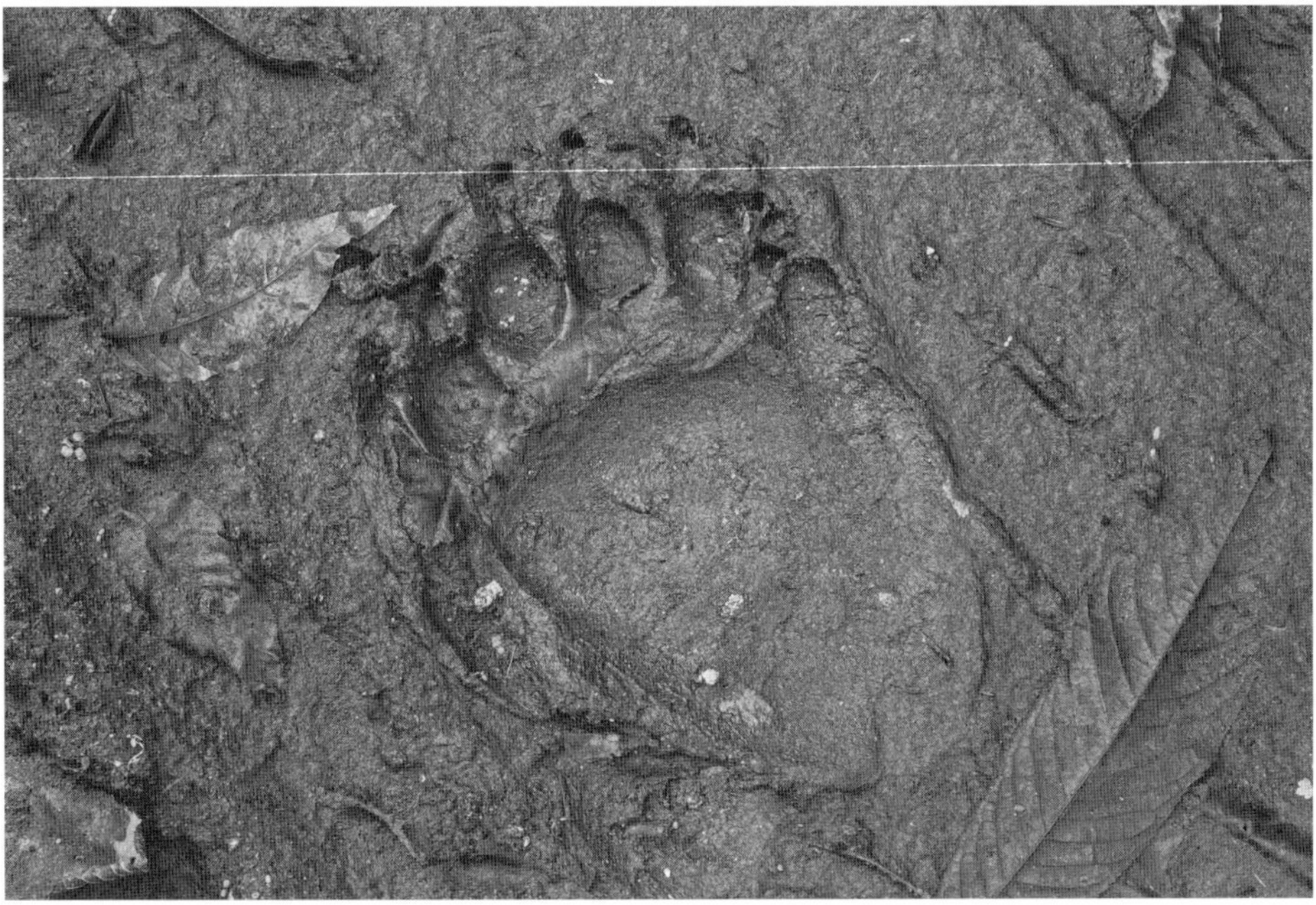

私自身は出会ったことはないが、山形の渓流はどこでもクマに会う可能性があるので、入渓時には熊鈴と熊スプレーが欠かせない。これは取材時に真室川上流域で見た、出来立てほやほやの足跡

温泉などの有名な温泉地がある。これらの老舗旅館に泊まり、朝はゆっくり食事を済ませてから釣りをするのもいいものだ。

真室川で釣りをするのなら、温泉は真室川駅からほど近い梅里苑がいいだろう。こちらは加温、循環ではあるが、施設が奇麗で気持ちがいいのに入浴料３７０円と格安だ。泉質はナトリウム、塩化物強塩泉、源泉温度は44・2度。露天はないが、丘の上にあるので浴槽からの眺めはいい。夜9時までなのもうれしいところだ。金山川なら、神室橋を渡って１㎞ほどのホテルに併設された「ホットハウスカムロ」がある。アルカリ性単純泉の循環湯だが、こちらは夜10時までで入浴料３００円と更にお得だ。最上白川へ釣りに行くのなら、近くのキャンプ場に併設されている「舟形若あゆ温泉」がいいだろう。こちらは循環、掛け流し併用の風呂で、ナトリウム、塩化物強塩泉。源泉温度は49・8度と少し高めだ。

新庄の土産といえば、くじら（くぢら）餅と馬ガッキ。くじら餅は、３００年前からこの地方で食べられていたという歴史のあるお菓子で、旧暦の桃の節句にひな菓子と一緒にお供えする風習がある。もち米とうるち米の米粉を蒸して砂糖などの調味料を混ぜて簡単に作れることから、今でも家庭の味として手作りされている。白砂糖、黒砂糖、味噌味の3種類が一般的だが、店によってはしょうゆ味やあんこ入り、豆入り、クルミ入りもある。米粉を使っているため硬くなりやすいが、硬い餅をあぶって食べてもおいしい。馬ガッキのガッキとは、すじ肉のこと。馬のすじ肉を酒やしょうゆで煮込んだのが、馬ガッキ（または馬ガッキ煮）である。これが辛口の日本酒と実に合う、おいしい酒のさかななのだ。山形は、馬肉の年間消費金額が熊本に次ぐ全国2位で、県民は馬肉をよく食べる。馬肉といえば馬刺しが一般的だが、山形には馬肉チャーシューや馬ガッキなど、調理して食べる人も多い。その他、地元の和洋菓子や日本酒などが、新庄駅に併設された「もがみ物産館」で手に入る。角川水系に釣りに行くのであれば「道の駅とざわ」があるが、ここは韓国と戸沢村との民間レベルでの交流が元となり、日韓友好のシンボルとして建てられたもので、外見からして普通の道の駅ではなく韓国のお城のようだ。小高い丘の階段を上っていくと正面に物産館があり、韓国中庭を中心にして食文化館（レストラン）と民俗文化館（民俗博物館）が回廊でつながっている。これらをまとめて高麗館と呼ぶ。物産館といえども地元の土産はほとんどなく、韓国ゆかりの民芸品や食料品などが所狭しと並んでいる。地元の新鮮な農産物や、えごまを中心とした農産物加工品などは、「高麗館」に併設された「とざわ農楽市」で購入できる。農産物の他、最上川で採集された化石や流木なども売っている。地元の土産はあまりそろっていないが、駐車場は広く、トイレや道路情報コーナーもちゃんとあり、道の駅としての機能に問題はない。

新庄駅の近くにはビジネスホテルがいくつかある。ほとんどがシングル５０００円台で宿泊可能なホテルだ。駅の西側には飲み屋が並んでいるので、素泊まりでも食事に困ることはない。ちなみに新庄の名物は鶏もつラーメンや馬肉、納豆汁など。また肘折温泉では、探せば素泊まりで５０００円台の旅館もある。もちろん、元河原湯や丸屋旅館などの老舗旅館に泊まって、１２００年の歴史を持つといわれる肘折温泉の神髄を味わうのもいいだろう。

新庄市に最も近いキャンプ場は、「鮭川村エコパーク栗の木オートキャンプ場」だ。鮭川水系への釣行なら、こちらが便利だ。ここはフリーサイト、オートキャンプサイト、コテージがあり、いずれもリーズナブルな価格で利用できる。最上白川に釣りに行くのなら、「おらだの川公園 キャンプ場」や「最上白川渓流公園キャンプ場」がある。金山川へ行くのであれば、「グリーンバレー神室キャンプ場」がいい。この辺りは、平らな所が多いので道幅が広く、駐車場もそこかしこにある。よほど山の中へ行かない限り、車中泊の場所に困ることはないだろう。

福島県

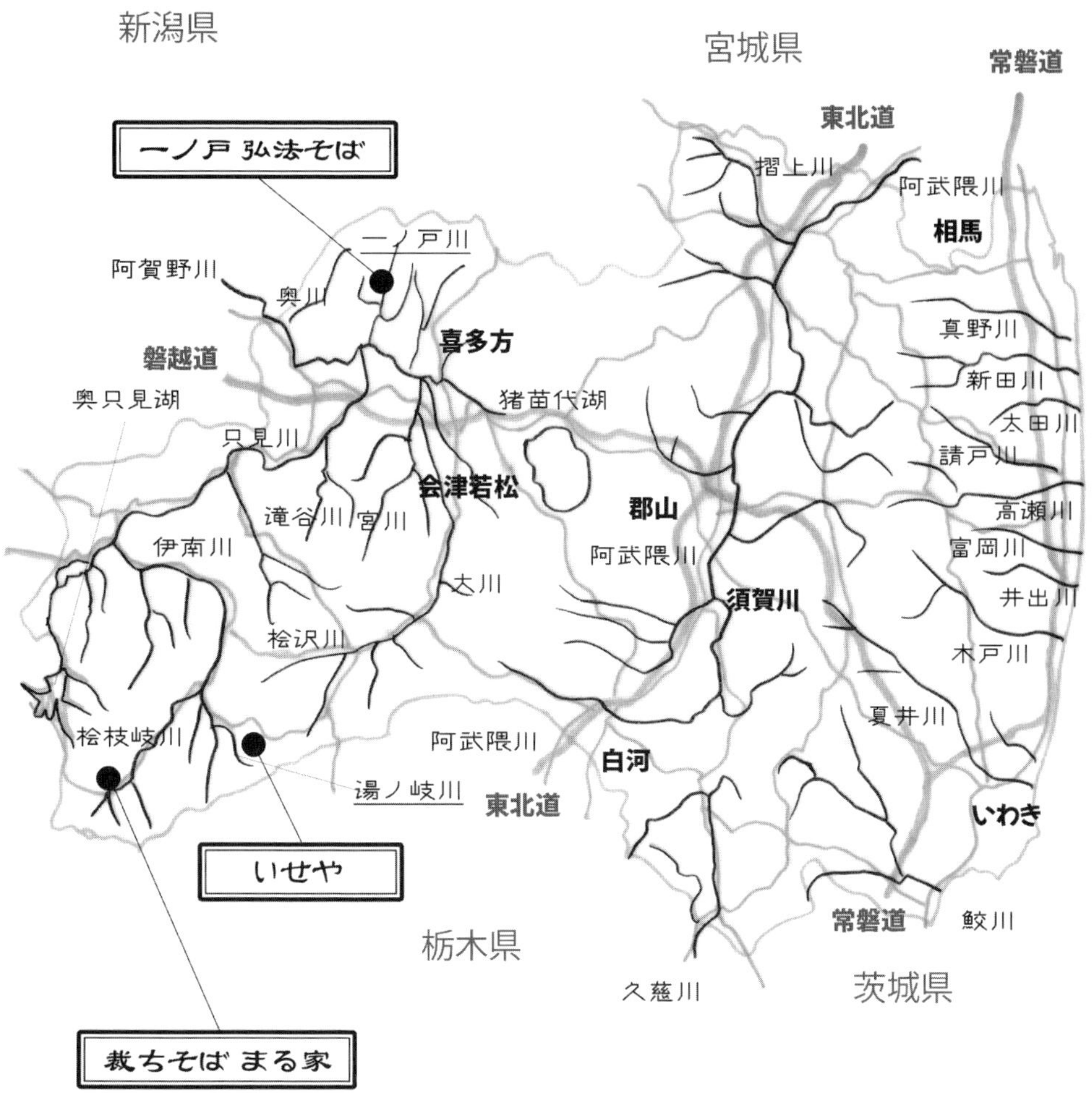

凡例

□	本書で紹介しているそば屋
XX 川（下線）	本書に名前が出てくる釣り場
XX 川	その他の主要な川
XX	**都市**
XX（灰色）	**自動車道**
薄い実線	**幹線道路**

そば通も納得する弘法そば
元祖
弘法そば
地粉100%
一ノ戸
☎0241(39)2081
究極本手打ち生蕎麦
磐梯の名水仕込
榮川
エイセン

一ノ戸 弘法そば

福島県喜多方市山都町
一ノ木高野原乙 3264
0241-39-2081

営業時間 10:00 ～ 18:00
不定休

一ノ戸川と「一ノ戸 弘法そば」

――大野敏男

福島県、山形県、新潟県の３県にまたがる標高２１０５ｍの飯豊山は、飯豊連峰の盟主で、山頂には山岳信仰の拠点、飯豊山神社奥宮がある。地域住民の信仰にも大きな影響を与え、男子は元服の年齢までに登頂しないと、一人前として認めてもらえなかった。また女性の入山が許されるようになったのは戦後になってからのことだ。

大学３年生の晩秋、山岳部の後輩７名を率いて、北股岳から飯豊山、そして三国岳への４日間のテント泊の山行合宿をした。途中、冷雨に悩まされはしたものの、４日目に福島県側の飯豊鉱泉がある川入へ無事下山した。駅までのバスを待つ間に地元の方から、お茶をふるまわれた。リーダーとしての役目を終えた私の体に、お茶の温かさが、人の優しさとなって染み入った。

バスを降り、山都駅から列車に乗ったが、喜多方駅で途中下車した。後輩たちを連れて初めて本場の喜多方ラーメンを食べた。１軒で満腹になるはずはなく、ラーメン屋のハシゴが合宿の締めとなった。

帰宅したその翌日に、山は大荒れとなり、各地で遭難が発生した。飯豊山でも60㎝の積雪になったとニュースで知った。運が良かっただけだ、と思い知った。翌年、主将となった私はそんな教訓を肝に銘じてチームを引っ張った。

若き日に、そんな思い出深い体験があったからかどうか、山屋から釣り人に転向した今でも、飯豊周辺を徘徊することが多い。ここ西会津の阿賀川水系一ノ戸川もその一つである。最奥の集落、川入にあった鉱泉宿はすでに閉鎖され、既に私たちが乗った路線バスもない。十数戸の人家や民宿にひとけはなく、まるでゴーストタウンのようだ（民宿と路線バスは夏休みシーズンのみ営業している）。

一ノ戸川は、飯豊連峰の南面に位置し、北面の山形側より雪解けは早いものの、早期にはまだ雪代も出る。タニウツギも咲き始めるが、日影では雪渓に行く手を阻まれることもある。飯豊連峰の雪解け水はゴールデンウィークを過ぎた頃から落ち着いてくるが、雪が多い年は5月末になる。フライフィッシングは鮮やかな新緑に藤の花が色を添える6月からがいい。しかし正直なところ、一ノ戸川に魚は多くない。半日釣りをして、手のひらサイズが1匹か2匹くらいなのだ。魚が釣りたければ、素直にフライフィッシャーにはおなじみの、置賜白川へ行った方が正解だと思う。

一ノ戸川沿いの林道を上って行くと、山形県側へ通じる飯豊トンネルがある。この辺りは全国でも指折りの豪雪地帯なので、冬期通行止めはもちろん、半年以上も通ることはできない。例年の開通は6月頃だが、雪が多い年になると7月までずれ込む。従って、夏から秋までのせいぜい4、5カ月くらいしか通行できないトンネルなのだ。通行車も少ないせいか、路肩の草刈りも行き届いておらず、夏草が覆って視界が悪いことすらある。飯豊連峰のど真ん中を貫く、大規模林道の負の遺産とも思えるようなこのトンネルは、しかし一ノ戸川から置賜白川へハシゴ釣行するには重宝する。

ある年の初秋、入渓点を探しながら一ノ戸川に沿った車道を低速で走っていた時のことだ。前方10mほど先のガードケーブルの切れ目からクマが飛び出てきた。車の真ん前にだ。クマは最初、私が運転する車に向かって突進してきたが、すぐに身を切り返して山側の茂みへ飛び込んだ。その直後に子グマが飛び出してきた。母グマの行方を探し、車道上をウロウロしている。私のせいだとしても、うろたえる子グマの姿が微笑ましく、車の中からしばし見守った。釣りの最中に丸腰でクマに遭うのと、車の中から見るのでは緊張感が全く違う。

子グマが母グマの後を追って茂みに姿を消し、私は入渓点探しを再開した。近辺を2往復したが、車を止めるるスペースはススキが刈り払われた狭い空間（クマが逃げ込んだ）しかなかった。クマへの警戒心より、釣欲が勝ってしまい、結局、そのスペースに車を止めることにした。結局、クマと遭遇する緊張感を強いられただけの釣りになってしまい、ちっちゃなイワナ1匹だけの成果に終わった。繰り返しになるが、一ノ戸川は魚が多くないのだ。ましてや

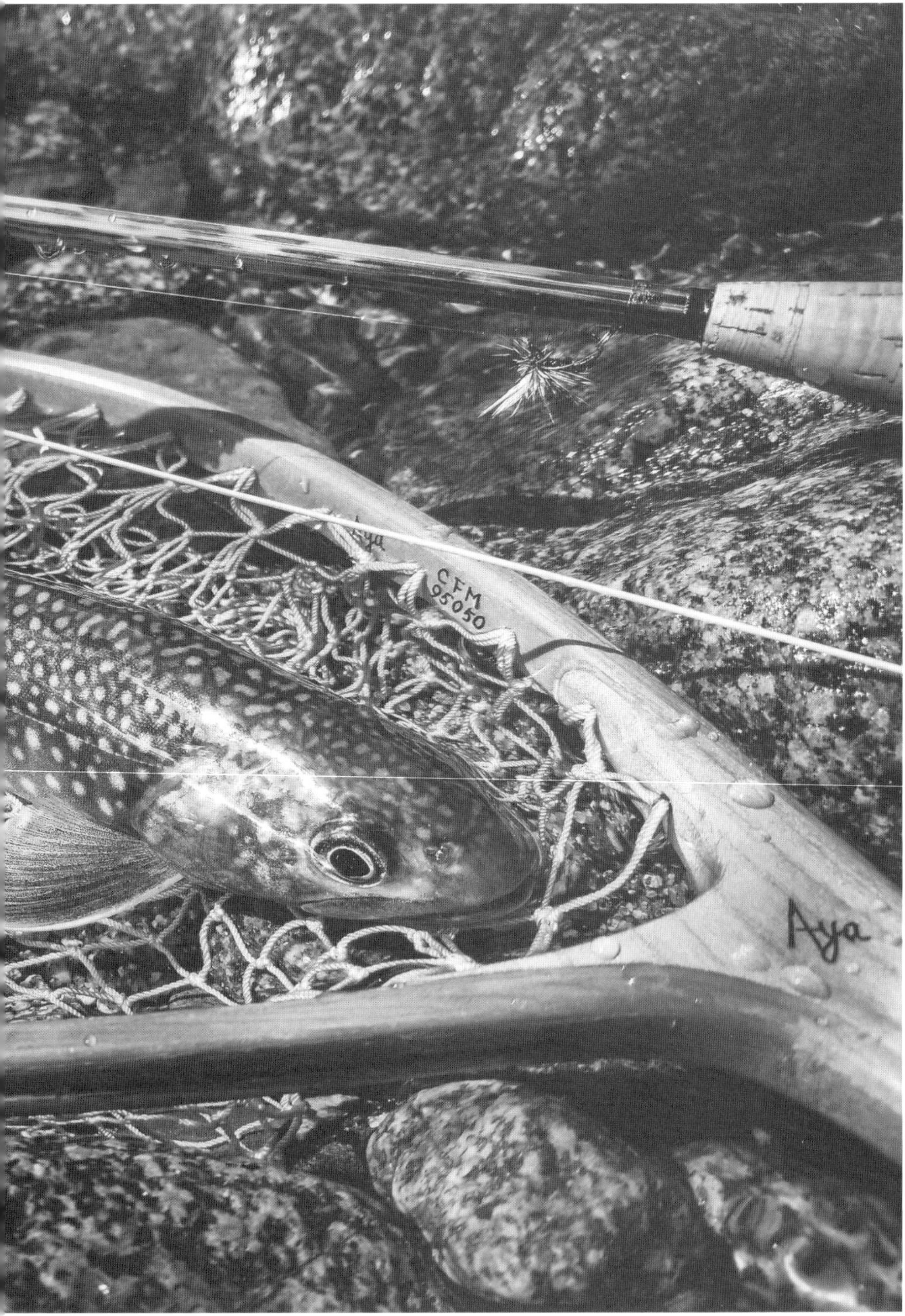
CFM
95050
Aya

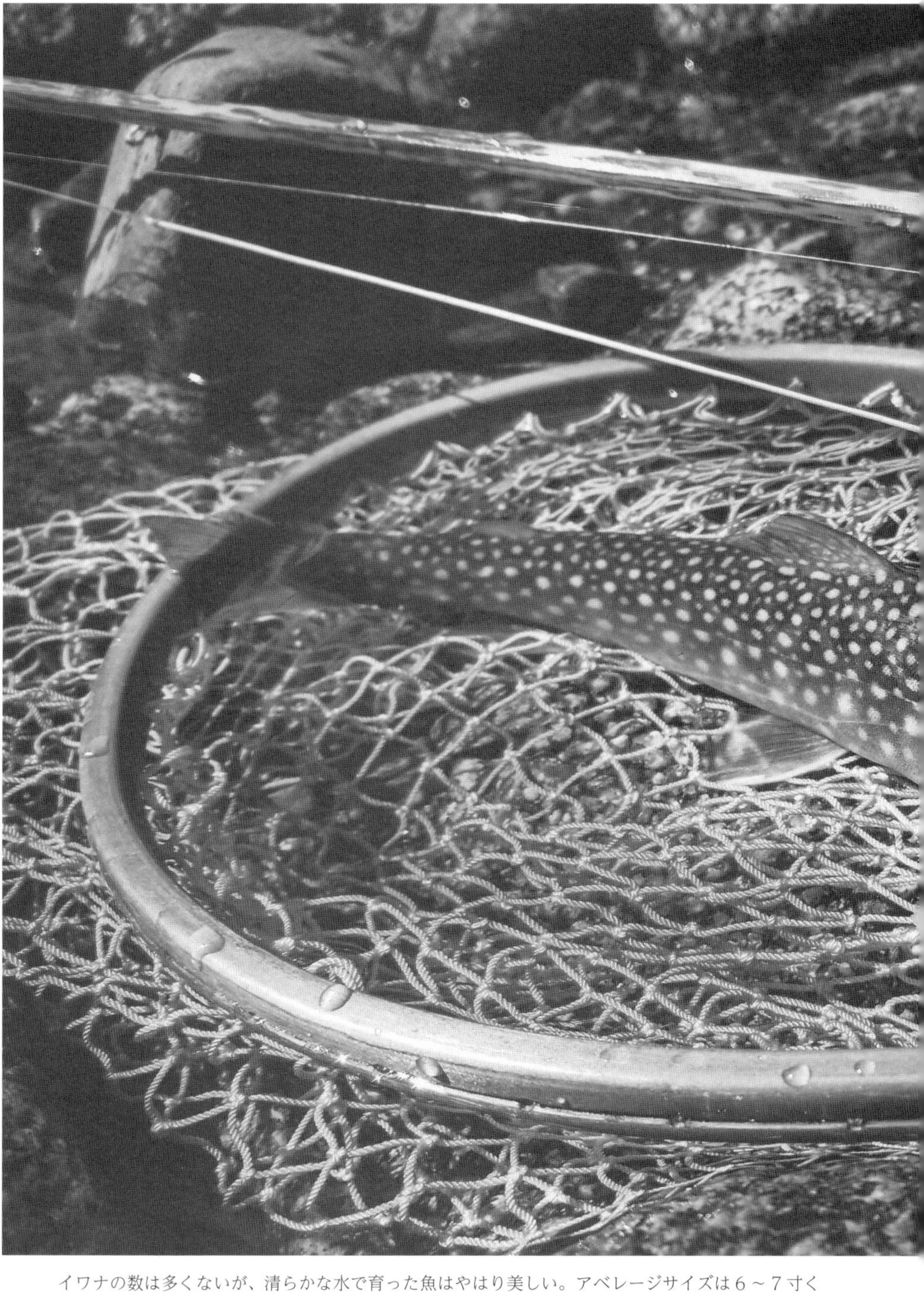

イワナの数は多くないが、清らかな水で育った魚はやはり美しい。アベレージサイズは６～７寸くらい

大物を釣ったことなど一度もない。

また別な日に最奥の集落である川入の近くに入渓し、日が暮れて暗くなった中で着替えていると、突然、背後で「釣れなかったでしょ」という声がした。近くに菜園でもあるのか、年老いた女性が猫車を押していた。戸惑う私の気持ちを察して「ここは魚が小さいから」とだけ言って、去っていった。知っている、魚は少ないし、しかも小さいのだ。そんなの分かってる。なのになぜ、私はこの川に通うのか？

以前は置賜白川ばかり通っていた。しかしながら置賜白川には決定的な問題点があって、それがどうにも我慢できなくなってきた。人家も多く、田園が広がる山里なのに、そば屋が1軒もないのだ。いや、そば屋どころか、食堂すらない（正確にいうと、「いろり」という山菜料理店があるが、土日と祝日の予約制）。下流域の白川ダム付近まで下れば白川荘があり、立ち寄り湯と食堂が利用できるが、しかしそば屋はない。

ある年のある時、飯豊山を挟んだ北側の豊かな米どころよりも、稲作ができない南面の方がそば屋が多いということに、ふと気が付いた。それからは魚が少なくて、小さくても、そばを優先して一ノ戸川の方に足を向けるようになったのだ。


喜多方といえばラーメンが知られているが、そば好きには「山都そば」が思い浮かぶ。周辺の町村と合併して今は喜多方市となったが、旧山都町の宮古地区では稲作が不適なため古くからそばを栽培し、宮古そばとして常食されていた。その在来種の宮古そばは、白く透明感のある上質なそばとして、幻のそばとまでいわれた。そんなことから旧山都町では、そばを町の特産にしようと栽培が広がり、現在の「山都そば」になったのだ。「山都そば」は標高４００ｍ以上の高地で育ち、昼と夜の寒暖差と清流沿いに立つ朝霧が、おいしいそばの実を育てる。そばどころとしては、宮古地区も一ノ木地区も、そば好きの間では知られた地域なのだ。一ノ木地区には数軒のそば屋があり、どの店も自宅を開放した、いわば農家そば屋である。どこも十割そばが基本であり、当たり外れが少ない、そんな中の1軒に「弘法そば」がある。

先祖代々、江戸時代から受け継がれてきた製法による「弘法そば」は、一見ソーメンと見間違えるほどに超極細だ。これほど細いそばを、他では見たことがない。私好みの極太そばとは、全く対極のそばなのである。

つなぎのない十割そばなのに、ブツブツと切れないのは、代々受け継がれてきた延ばし製法によるものらしい。そばはツルリと抵抗なく口に吸い込まれ、実にのど越しがいい。極細なのにコシもある。つゆは中辛の田舎風だ。

メニューは「ざるそば」「弘法がき（そばがき）」「つき出し」の3品のみ。「弘法がき」は予約のみ。「つき出し」は季節によって出される自家製の山菜漬けやお浸しなどで、季節ごとの山の幸を楽しめる。「弘法そば」では、純粋にそばを味わってもらいたい、ということで天ぷらは出さない。そんなこだわりもいい。

「弘法そば」の由来は、弘法大師が飯豊山に登る際に、この家に立ち寄ったとされるからである。聞けば、家の中には弘法大師座像を祭っているということだ。飯豊山へ登る前に、身を清めるための塩水が必要だったため、地面に杖を立て、塩水を湧出させたという伝説もある。伝説発生現場の周囲には、当時をしのばせる石積が残っているそうだ。

また川入の手前に名水「アッタ坂の清水」がある。山都の寒ざらしそばは、1月の大寒の頃に、この清水に10日間ほどさらされて作られる。江戸時代には、徳川将軍家にも献上されたという、その贅沢な寒ざらしそばも、いつか食べてみたい。

一ノ木地区でそばを食べても、午後には釣りの時間がたっぷり残っている。しかし、ここで大釣りをしたことのない私はガツガツすることなく、昼寝をしたり、温泉の時間まで、時間つぶしに竿を出す程度で終わることが多い。

その温泉だが、かつて上流域の川入にあった飯豊鉱泉宿に代わって、新たに一ノ木地区に高温の温泉が湧いた。薄茶色に濁った塩化物硫酸塩泉の天然温泉である。「一ノ木温泉 山都町温泉保養センター いいでのゆ」では釣り券も

一見して、ソーメンと見間違うほど、白くて極細なそば。秘伝のそば打ち技法で作られた十割そばは、コシがあって、のど越し良く、絶品である。ワラビやキャラブキは家庭の味だ

「道の駅 喜多の郷」に併設された日帰り温泉施設「蔵の湯」。館内には食堂もあり、週末にはそば打ちの実演が企画されることがある

扱っている。イブニングの後でも十分に間に合う。フライフィッシャーにとって都合のいいことには、17時以降なら入浴料も割安になるのだ。館内には19時半まで営業する食堂があり、そば打ち部屋を備えている、十割の山都そばが食べられるのが素晴らしい。初秋の頃なら、温泉で汗を流して外へ出ると、辺りはもう真っ暗だ。駐車場まで歩けば、そこかしこに聞こえる虫の音が心地いい。

喜多方の「道の駅 喜多の郷」にも日帰り湯がある。併設の「蔵の湯」はメタケイ酸を含む単純温泉。ここも17時以降の入浴が割引になる（入浴料についてはＰ１０４を参照）。

会津にはそば以外の郷土食に「ニシンの山椒漬」がある。山に囲まれた会津地方では、身欠きニシンを、山椒の葉で漬け込み、長い冬の間の保存食としてきた歴史があるのだ。それを漬け込むための専用の焼きものに本郷焼があり、中でもニシン鉢が有名だ。酒好きなら、土産にニシンの山椒漬を買って帰って、会津の地酒で一杯というのもいいかも。

一ノ戸川の釣り券は「喜多方山都町温泉保養センター いいでのゆ」で購入できる。

や
裁ちそば
営業中

裁ちそば まる家

福島県南会津郡
檜枝岐村居平 638
0241-75-2025

営業時間 11:00 ～ 15:00
不定休、冬期休業

桧枝岐川と「裁ちそば まる家」

――大野敏男

台風は九州へ上陸せず、東シナ海を北上し朝鮮半島へ向かったようだ。そのせいか風向きが変わって、前日の蒸し暑さから一変して爽やかな空気になった。舟岐キャンプ場の朝は、木立の間を爽やかな風が吹き抜け、頭上の木々がざわめいていた。お盆から1週間が過ぎて、キャンパーは少なく、キャンプ場には朝げの煙が頼りなげに漂っている。前日の夕飯の残りで2人前のチャーハンを作ってから、釣り支度をして渓を目指した。林道にはトンボの姿が多く、メジロアブは見掛けない。季節が少しずつ進んでいる。

強い風を考慮して、6ftのロッドを選んだのだが、上流から吹き下してくる風のために、狙ったポイントにフライが落ちない。リーダーのバット部を30㎝カットし、ティペットも短くしてみたが、風が強過ぎるし、落ち葉の流下にも悩まされる。

水中にイワナの姿を見つけたが、上ずっている感じではない。中層の流下物を捕食しているようで、右に左にとせわしなく動き、水面に落としたフライには全く興味を示さない。諦めて先に進んだら、別の大きなイワナが足下から飛び出て逃げた。風が水面をかき乱し、落ちこみ脇の反転流では落ち葉が回っている。魚が見つけにくい状況だ。

左岸から流入する沢との出合いの淵にフライをキャストすると、大きなイワナが白い口を開けて浮上してきた。リーダーにドラッグが掛かり始めたが、やる気があるようで、追い食いしてフライをくわえてくれた。ところがたちまち岩の下に潜られてしまった。リーダーを手繰って、岩の下に腕を伸ばした。肩の付け根まで濡れてしまうが、構わない。リーダーから魚の動きが伝わってくる。もうちょっと先だ、と思ったところで切れた。数秒間途方に暮れた。あの手応えからして、間違いなく尺前後あった。気を取り直して先へ進むと、右に見え隠れする林道に白い車が止まっていた。あっさりと退渓し、川沿いの林道を下った。キャンプ場に残してきた妻はハンモックの中で、のんびりと読書と、うたた寝をしていたそうだ。アブが少ないから機嫌も悪くない。

舟岐オートキャンプ場は、桧枝岐から舟岐川沿いの林道を３㎞くらい進んだ所にある。川に面していて、キャンプフィッシング好きにはベストロケーションである。管理事務所の他、炊事場とトイレがあるくらいのシンプルなキャンプ場だ。好きなテントサイトに車を横付けできるのもいい。管理人は夕方には帰ってしまうが、事務所周辺は、ドコモの携帯電話の通信圏内だ。台風の心配もなさそうなので、管理人にもう1泊の延長を申し出て、テントはそのままにして、二人で林道を下り、村の中心に向かった。

桧枝岐は江戸時代からの上州会津間の交易路である会津沼田街道沿いにある地域だ。上州からは塩や油などが、会津からは米や酒などが運ばれ、尾瀬沼の三平下では特産物などが中継されていたという。明治になると行商人相手の宿も立ち始めた。集落の標高は１０００m弱で、周囲は２０００m級の山々に囲まれている。土地も狭く、稲作には適していない環境のため、アワやヒエなどの穀物類の農作物を育ててきたが、中でもそばの栽培には適した土地らしく、そばを主食にしてきた歴史がある。

散策の後、昼少し前に、桧枝岐の裁ちそば「まる家」へ入った。裁ちそば本家7代目「まる家」の歴史は古く、明治5年創業の「丸屋旅館」が始まりという老舗のそば屋だ。桧枝岐のそばは、つなぎを使わない。平たく延ばしたそばを重ね、左手を添えて、包丁をナナメ傾けて引き切りする。その手法が布を裁ち切るように見えるため「裁ちそば」と呼ばれるのだ。

桧枝岐村のそばはキリンテ（不思議な地名！）や、御池から只見川方面に下った開墾地で栽培されている。しかしながら耕作地の面積は小さく、生産量には限りがあるため、「まる家」では隣町の舘岩地区で収穫されるそばを使っている。新そばの時期の緑色がかった実からは、香りも風味も豊かな味わいのそばが作られる。

裁ちそばの薬味には、ネギやワサビの他に、自家製の「シソの実漬け」が添えられる。この地域に伝わってきた伝

南会津町、舘岩地区のそば畑。初秋の頃、桧枝岐へ向かう道中の舘岩川沿いでは、そば畑が白い花で埋め尽くされたようになる

統的な薬味は、ラッキョウ、ミョウガ、青南蛮、シソの葉と実などを塩で漬けたもので、細かく刻んで、そばや豆腐や白飯などに載せて食べる。

そばつゆは、数種の鰹節と昆布で取った、出汁とかえしを合わせたもの。以前はイワナを囲炉裏で焼き枯らしにして（干しイオと呼ばれている）、を使って出汁にしたそうだ。丸抜きの挽きぐるみの裁ちそばは色が濃く、平たいそばである。そばの香りと食感、のど越しがいい。つゆは鰹出汁がが効いている。

桧枝岐の裁ちそばは、どの店や民宿でも朱塗りの椀に入って出てくる。一般的なせいろや盆ざるに盛られることはない。また桧枝岐には「はっとう」と呼ばれる郷土食がある。そば粉ともち米を練って延ばし、菱形に切って茹《ゆ》でたものに、じゅうねん（エゴマ）や、きな粉など付けて食べる（じゅうねんの由来は「食べると10年長生きする」からだそうだ）。江戸時代に凶作の調査に来た役人が「はっとう」を食べ、「このようにおいしいものは、普段から食べていてはダメだ。ハレの日（祭や祝い）だけにしなさい」と指示したと伝えられる逸品である（「はっとう」の名の由来はこの「御法度」説、「ほうとう」説、「はっと」から変化した説などいろいろだ）。

「まる家」の少し上流、桧枝岐川のC&R区間の横には、ミニ尾瀬公園がある。園内には尾瀬ヶ原のミニチュア版のような庭園や、山岳写真家の白旗史朗の「白旗史朗尾瀬写真館」、そして植物学者であり尾瀬の自然保護活動をしてきた武田久吉の「武田久吉メモリアルホール」がある。内緒で教えるけれども、公園前の橋の下には大きな魚影が揺れていることが多い。

キャンプ場へ戻る前に、桧枝岐温泉「燧の湯《ひうちのゆ》」へ立ち寄るといい。昭和48年に始まった温泉の源泉は2カ所、日帰り温泉施設が3カ所ある。「駒の湯」と「アルザ尾瀬の郷」はアルカリ性単純泉、「燧の湯」は単純硫黄泉である。以前は舟岐キャンプ場へ戻る途中に、村が管理する露天風呂があった。源泉が湧く場所に、村が露天風呂をこしらえたのだが、利用者が少なく、閉鎖されてしまった。「燧の湯」は桧枝岐川と舟岐川の合流付近にある。木材をふんだんに使っ

裁ちそば7代目「まる家」のもりそば。桧枝岐の裁ちそばは、どの店でも朱塗りの器に入れられて出てくる。シソの実漬けの薬味も桧枝岐ならでは

舟岐オートキャンプ場（1人1泊1000円)。晩夏、メジロアブがいなくなる頃を見計らって、妻を連れてキャンプ釣行に出掛けた。テント場から川までは10秒ほどだ

た建物で、内部は、広くゆったりとしている。温泉はサラリとした感触に、わずかにタマゴ臭のある源泉掛け流し。露天風呂からは、涼しさを感じる舟岐川の沢音が聞こえてくる。初夏には目の前に見える藤棚が目を楽しませてくれる。土産物なら「道の駅 尾瀬桧枝岐」。土産に「イワナ味噌」や「イワナの甘露煮」がある。「イワナ味噌」は白飯の上に載せて食べる。また「イワナの干し魚」も桧枝岐ならでは。また、この地域でネズコと呼ばれる黒ヒノキで作られた曲げワッパは、昔からの特産品である。などなど土産品を物色しつつも、フライフィッシャーとしてはクマの尻皮の方が気になってしまうかもしれない。

桧枝岐といえば、歌舞伎を思い浮かべる人が多いだろう。神にささげる奉納として始まった、この地域の農村歌舞伎はあまりによく知られている。その昔、伊勢参りをした村人が道中に歌舞伎を見て、いたく感激し、見よう見まねで村に伝えたのが始まりといわれている。桧枝岐歌舞伎は地域農村の娯楽として広がり、やがて近隣の村と競うようにして発展してきた。桧枝岐川の下流となる伊南川沿いの大桃地区（現南会津町）にも舞台が残る。かつては山二つ向こうの、湯の花温泉でも歌舞伎が行われてきたが、今は二荒山神社の境内に舞台を残すのみである。

「桧枝岐歌舞伎」は毎年決まって5月12日と8月18日、そして9月の第1土曜日の合計年3回行われる。現代風にアレンジされることなく、昔ながらの姿のまま、親から子へと２７０余年にわたって伝承されてきた。役者はもとより、衣装作りから大道具まですべて地域住民によって行われるというから驚きだ。毎年遠方からファンが訪れ、宿泊者は無料で鑑賞することができる。夕暮に開演するため、日没と共に刻々と移りゆく周囲の光景と相まって、江戸時代にタイムスリップしたかのような情緒がある。「桧枝岐歌舞伎」は福島県の重要無形民俗文化財に指定されていて、鎮守舞台は国の重要有形民俗文化財となっている。

桧枝岐の遊漁券はつりチケで（https://www.tsuritickets.com）。

舘岩川と「いせや」

関根信太郎

福島県では平安時代からそばの栽培が始まったといわれ、全国でも有数のそば栽培が盛んな地域だ。そばの作付面積や収穫量は、北海道がダントツで多いのだが、福島は、長野、山形、栃木、青森などと毎年2位を争っている。これらの地方では、栽培のしやすさや収穫量を重視して、盛んに品種改良が行われてきたが、福島県では地域在来のそばの品種も大切にしている。会津在来、山都町在来、山木屋在来、下郷町在来など、今でも多くの品種がそれぞれの地域で栽培されている。ちなみに会津在来は、そば鑑定士が選んだ「おいしいそば産地大賞２０２０」で第7位を授賞した。

そばは米に比べて出荷価格が安いために、稲作ができない山間の畑でのみ栽培されてきたという、やや不名誉な歴史がある。米、さらには麦よりも劣る代用食的な扱いを受けてきたのだ。しかしながら、会津地方では昔からそばを結婚披露宴などの「ハレの日」の贅沢なご馳走として食べてきた文化があり、今でも他の地方とはそばの扱いに違いが感じられる。そんな会津の中でも、南会津はまた独特なそば文化を持っている。檜枝岐を中心に食されている「裁ちそば」は、挽きぐるみのそば粉を、つなぎを使わずに十割で打つため、普通のそばのように、打った生地をそのまま折り畳んで切ろうとすると折れてしまう。そこで、一枚一枚生地を丁寧に延ばして数枚から十数枚積み重ねて切るという手法が考案されたのだ。その重ねた生地を切る時に、手を定規のように当て、包丁を手前に引いて切る切り方が、あたかも布を裁つように見えることから「裁ちそば」という名称となった。

南会津には、その裁ちそばを食べさせるそば屋が何軒かあるが、今回紹介する「いせや」もその一つである。国道３５２号を西に向かって湯ノ花温泉、田代山の標識がある信号を左に曲がり、３㎞ほど走ると、右手に「裁ちそば」

いわや

いせや

福島県会津市
南会津町湯ノ花 243
0241-78-2757

営業時間 11:00 ～ 14:00
不定休

というのぼりが見えてくる。ここは１９７７年に東京からＵターンしてきた店主が、当初は普通の食堂として開店したという店だ。東京では上海料理の店にいたそうで、以前はラーメンや丼物も出していたが、今はそばのみである。席は６人掛けのカウンターと、左手の小上がりに４人掛けの座卓が二つのこぢんまりとした店だ。

メニューは、裁ちそばと天ぷらそばのみ。ここはカラッと揚がった天ぷらがとてもおいしいので、いつも天ぷらそばを頼む。小鉢は日によって変わるが、取材当日はインゲン豆とナスの煮浸し、キュウリの漬け物だった。煮物と漬け物の組み合わせが多いが、初夏はフキの煮物やワラビのお浸しが出ることがある。天ぷらは、地物野菜とリンゴ。山菜の時期は、天ぷらのほとんどがタラの芽、コシアブラ、フキノトウ、シドケなどの山菜になるので、それも楽しみの一つだ。そばは自分の畑で栽培した在来種で、裁ちそばの定義のとおり十割。確かに太めで硬い。噛みしめるとそばの甘みが強く感じられる。つゆは、鰹節、煮干し、昆布で取った出汁をかえしで仕上げたやや辛口のもの。店主が、そばも大事だが、つゆが一番大事！　と力説していたとおり、出汁が良く効いたうまいつゆだ。そばを先に食べてから、天ぷらを食べる。本当は揚げ立てを食べたいのだが、天ぷらの油でそばの味が薄れてしまうのが嫌なので仕方ない。揚げてから少し時間がたっているのにサクッとした歯触りで、野菜のうま味がじわっとにじみ出てくるのはさすが。山盛りのそばと天ぷらで、お腹いっぱいになった。ごちそうさま。

いせやのすぐ近くに渓流があり、すべてが舘岩川の水系である。舘岩川は会津高原の三角山を水源とし、国道３５２号沿いに北上して伊南川に流入する阿賀野川の支流だ。舘岩川本流には２００４年から続く毛鉤釣り（テンカラ、フライ）のみのＣ＆Ｒ区間があり、その長さは10㎞と全国にある他のＣ＆Ｒ区間と比較すると長い。２０１９年の台風で大きな被害を受けて、ようやく大規模修繕工事が一区切りついたところなので、今後の回復を期待している。対象魚は主にヤマメ、時々イワナが混じる。川幅はそこそこあり、上も開けているので８ft～９ftのロッドで問題ない。Ｃ＆Ｒ区間の下流には「たのせ特別漁区」があり、区間が短いのは残念だが、いいヤマメを放流している。

店主が育てているそばが、ちょうど可憐な花を付けていた。品種は舘岩在来。この地方で昔から栽培されていたものだ

十割で打った薄い生地を何枚も重ねて細く切った裁ちそばは、噛みしめることでそばの甘みが強く感じられる。少し混ざったそば殻が香ばしい

舘岩川には、イワナが釣れる支流がいくつもあるが、湯ノ岐川と鱒沢川を紹介したい。この2本は田代山と安ケ森山を水源とする川で、どちらも透き通った、とても奇麗な水が流れていて、釣りをしていて気持ちがいい。

湯ノ岐川は、いせやの前を通る県道３５０号と並行して流れる川で、湯ノ花温泉街の中から魚は釣れるが、しらかば公園より上流が釣り場の主体。ただし、この辺りは入渓点が少なく、川に降りるのに少々苦労する。道路が支流の伯母ノ岐沢を渡る橋の少し手前から一時的に入渓が楽になるが、この辺りは堰堤が連続していて長距離の釣り上がりは難しい。伯母ノ岐沢合流の１㎞ほど上流にある堰堤から入渓することも可能だが、ここから先は道との高低差が数百ｍあり、田代山登山口近くまで脱渓するのが難しくなる。伯母ノ岐沢は合流から１００ｍほど上にある堰堤以降には堰堤らしい堰堤はなく、林道が川の脇を通っていてイワナも多いので、こちらを釣るのもいいだろう。

鱒沢川は湯ノ岐川の1本上流側の支流で、イワナが多いので人気も高い。国道３５２号から入るとすぐに未舗装路となり、行き止まりまで続く。３、４㎞走ると広場状になっている所があり、そこからは入渓も楽で、どこでも釣りができる。どちらの川も6月上旬以降がシーズンで、対象魚は湯ノ岐川下流域以外、イワナがほとんど。普通の渓流釣りタックルが釣りやすい。イワナとはいえ、舘岩川水系はフィッシングプレッシャーが高いので、シーズン初期以外は小さめのフライも必須だ。

舘岩川水系を管轄する南会津西部漁協の遊漁券は、いせやや周辺の民宿、旅館などでも購入できるが、ヤマザキショップ舘岩店は7時から開店しており、また会津田島を通ってくるのであれば、セブン-イレブンで24時間購入できる。

日帰り温泉施設は、たかつえスキー場近くの「たかつえ温泉 白樺の湯」が最も近いが、せっかく温泉街に行くのだから、源泉掛け流しの共同浴場に入りたい。特にいせやがある、湯の花温泉郷は誰でも入れて、それぞれに違った雰囲気が楽しめる共同浴場が４軒あり、２００円ですべての湯に入れるという安さだ。共同浴場というと混浴で洗面

いつもにこやかな話し好きの店主、菅家（かんけ）さん。特にゴルフの話をし出すと止まらない。南会津町の町議会議員を兼務しているので、議会開催期間中は店は休業となってしまう

天ぷらはもちろんのこと、小鉢の惣菜も山菜や地元の野菜を使ったもの。山菜の最盛期である６月頃であれば、釣りも天ぷらもそばも、すべてが存分に楽しめるだろう

堰堤上のプールで、クルージングしながらライズしていた、尺に少し欠けるイワナ。フライを何度も見切られたが、#16 のアントをタイミング良く落としたところ、反射的に食ってくれた

器も石鹸もない所が多いが、4軒のうち「湯端の湯」と「弘法の湯」は男女に分かれており、「湯端の湯」にはシャンプーも備え付けられていることもある。いずれも源泉掛け流しで、温度調整すらろくにされておらず、お湯は素晴らしいのだが、「石湯」と「天神の湯」は熱くて入れないこともあるので、自分で水道から水を注いで適温にしないとならない。泉質は含土類石膏弱食塩泉、源泉温度はそれぞれ違うが54~60度だ。共同浴場には管理者はおらず、いきなり行っても入浴できないので、いせやなど、近隣の商店や民宿で共通入浴券を購入してから行こう。

湯ノ岐川の隣、西根川のほとりにある木賊温泉には共同浴場が二つあったが、残念ながら広瀬の湯は2021年4月で営業をやめてしまった。現在は上流にある岩風呂のみ入浴可能だが、台風などで大水が出ると上屋が流されることが多く、事前の確認が欠かせない。こちらは入り口の料金箱に入湯料の200円を入れる仕掛けだ。

南会津の名産品といえば、南郷トマトとモモを始めとする農産物だろう。鱒沢川と湯ノ岐川の中間にある舘岩物産館では、南郷トマトを始め、地域の野菜や果物、お菓子、地酒などが手に入る。栃木方面から向かう場合は、通り道に「道の駅 番屋」がある。こちらは南郷トマトジュースやそば（乾麺）、味噌などの農産物の加工品を多く取りそろえている。売店で販売しているそばソフトも、ほんのりそばの味がしてお薦めだ。

いせやは民宿もやっているので、ここに泊まるのもいい。いせや以外にも、湯の花温泉郷には民宿、旅館が何軒かある。また、近くのたかつえスキー場付近にはペンションも多く、料金もリーズナブルなのでそちらに泊まるのもいいだろう。お薦めは、オーナーがフライフィッシャーのペンション「やまゆきかわゆき」である。南会津の渓流に精通しているので、ここに紹介した渓流以外にも、その日の状況によっていい川を教えてもらえる。遊漁券も販売しているから買いに行く手間も省ける。キャンプ場は、湯ノ岐川沿いのしらかば公園そばにある。料金がリーズナブルでオートキャンプ場やバンガローもあり、設備も充実している。車中泊に適した駐車場はあまりないが、騒音を気にしないのであれば、国道沿いにいくつか駐車場があって仮眠ができる。

箸休め

——阪東幸成（編者）

この本の冒頭に書いたように、そばはあまりにシンプルで素朴な、純和風の食べ物なので、好き嫌いの白黒がハッキリし過ぎる傾向がある。しっとりとしたのど越しの更科そばを好む人が、ザクザクと形容したくなるような田舎そばを食べても、おいしいとは思わないからだ。日本にそば好きを自称するそばグルメはゴマンといるが、それぞれの評価は割れがちだ。この本に限っていっても、例えば、川上が次山の勧める店に行っても「ウマイ！」と思うことはないような気がする。人は誰しも自分の感覚や能力を信じたいから、自分がおいしいと思ったそば屋が「イヤイヤ、あんた分かってないねえー」と否定されると喧嘩になる。あらゆる喧嘩、あらゆる戦争と同じように、そばを巡る主張合戦は不毛だ。キリスト教と仏教が並列して立っている巨木であるように、いわゆる更科そばと、いわゆる田舎そばのファンの間には勝者も敗者もない。それどころか、敵と思って戦っていたところが、味方だったりするほど、調べれば調べるほどに、そば業界に立ち込める霧が濃いことが分かってくる。今まさに「いわゆる更科そば」と「いわゆる田舎そば」と書いたが、そば業界にはＪＩＳ規格のような明確な基準がないため、誰かがどこかでいい出した言葉が、勝手に一人歩きをしてしまっているのだ。そんな生産者としてのそば業界の混乱に、食べる側の我々が巻き込まれてしまっているというのが、私の率直な印象だ。

　例えば、そば粉の種類をいうのに「挽きぐるみ」という言葉がある。いつこの言葉が発生したのかは分からないが、一般的には、そばの実を丸ごと挽いた粉のことを指す。ところが業界の核心部であるはずの製粉会社が「挽きぐるみ」とはそばの二番粉である、と紹介したりするから、いよいよ分からなくなる。

「二番粉？　一体全体何なんだい、それは？」と言う皆さん、この本は釣りに夢中になり過ぎて、そばは大好きなのに、実はよく分かっていない、という人のためにあります。ご安心ください。

そもそも、そばの実って見たことあるだろうか？　実は丸くない。ほぼ三角錐である。三角錐の皮は固く、色は焦げ茶。そば粉を作るには、この実を挽くわけだが、いきなり、ここで二手に分かれる。

1　そばの殻を取り除いて、実の中身だけを使って挽く。これは米でいえば、白米に相当するわけだが、一般的にこの殻を取った状態のそばの実を「丸抜き」、もしくは「抜き実」と呼ぶ。

2　そばの殻を取り除かずに、そのまま殻ごと挽く。米でいえば玄米。そばの場合はこれを玄そばと呼ぶ。「田舎そば」とうたっているそばは、この殻付きの玄そばを挽いた粉を使っているケースが大半だ。

ここまでは分かりやすい。初めから2系統に分かれていることだけを覚えておいてほしい。白米や玄米と違って、丸抜きや玄そばは、そのまま炊いて食べない。いったん粉にして、それを水などでこね、巨大なお好み焼きのようにして、その薄く平たい板状のそばを細く切ることで、調理可能な状態とする。ご存じのとおり、この一連の作業を「そばを打つ」という。そば粉と水だけで打ったそばを「十割そば」と呼ぶが、そばの粉自体に粘着力はほとんどないため、水だけでそばを打つのは手間暇と技術が必要となる。何とかもっと手早く打つ方法はないのか？　という簡便さを目指した模索から、粘度の高い小麦粉を「つなぎ」にして、そば粉同士をくっ付ける製粉方法が発明された。「二八そば」の登場である。二八の二は小麦粉、八がそば粉で、原料の割合がそのまま名称になったといわれているが、江戸時代、そばが16文だったから、二八（2×8＝16）と呼ばれ始めたという説もある。あるいは、「二と八たあ、奇遇じゃねえか、うめー具合に16文ときたもんだ」と発見した江戸っ子がいて、はやり言葉的に広まったのかもしれない。小麦粉ではなく、つなぎに布海苔《ふのり》、山芋などを使って打たれたそばも少なくない。いずれにしても、つなぎの発明により、そばのロングリーダー化が進んだのである。なんだい、そんなの知ってるよ、分かりにくくなんてないよ、と思うのはまだ早い。問題はそばの打ち方ではなく、その前段階の製粉工程にあるのだ。そば好きなら、そば屋のメニューや説明書きで頻繁に目にするだろう「粗挽き」という言葉がある。この「粗挽き」という言葉から、どんな挽き方を想像するだろうか？　一般的にはコーヒーのように、ざらっと、文字どおり粗く挽く、というイメージではないか。

ところが、そばの製法の特性上、石臼《うす》で挽くと、まずは実の中心部が細かい粉になる。その最初の粉（一番粉）だけを使ったのが、一般的に「更科」と呼ばれるそばだ（「更科」はさらに原料を吟味したそばを指す、とする説もあるが、そもそも「更科そば」という言葉には定義や基準がない）。

ともかくコーヒー豆とは逆に、そばは挽かない場合が「細挽き」となる。じゃあ、粗挽きはどうなのかといえば、さらに挽いた甘皮、殻付きであれば殻まで挽いた粉で打ったそばを指すケースが多い。いってみれば、挽けば挽くほど粗くなるわけである。これって、そもそも日本語の表現としておかしい。だって、誰も粗く挽いてないんだから。

そば屋やそば職人が、使い始めた言葉なのか、あるいは食べる方なのか分からないが、コーヒー豆とは違って、挽いた粉を網で振るって選別する実態と、言葉のイメージがズレている。食べる側を混乱させている元凶が、「粗挽き」という呼称にあるように思えてならない。本来、そば粉に粗挽きは存在しないのだ。

そば粉は、一般的に3種類あるとされる。

1　一番粉。通称「更科」と呼ばれ、そばの実を挽くと最初に粉になる中央の胚乳部のみを使ったそば粉。主成分はデンプンで色は白い。粘り気のあるタンパク質（グルテン）部分が少ないために、一番粉だけを使ってそばを打つのは難しく、そのために小麦粉がつなぎとして使われるようになり「更科そば」が発生したというのが定説である。

2　二番粉。胚乳の残りと胚芽が挽かれた粉。タンパク質が豊富に含まれる。香りの弱い一番粉と違って、そばらしい香りがある。色は一番粉ほど白くなく、新そばでは淡緑色となる。

3　三番粉。胚芽の残りとそばの実の外周を覆う「甘皮」を挽いたもの。香りも色も濃い。タンパク質も二番粉よりも多く含まれる。甘皮が薄緑色をしているために、打ったそばの色も緑色っぽく、藪そばと呼ばれることが多い。新そばがおいしいことから、緑色をしたそばがおいしいという連想が生まれ、そば屋が三番粉を使い出したとする説がある。ちなみに釧路のそばは鮮やかな緑色をしているが、あれはクロレラで色を付けている別物だ。

一般的には以上の3種類だが、末粉である四番粉を別とする説もある。ここで、最初に忘れないようにとお願いした、「そばは、まず初めに2系統に分かれる」事実を思い出してほしい。すなわち、この時点で理論上は3種類のそば粉×2系統＝6種類のそば粉があるはずなのだ。しかしながら、殻のまま挽いた粉を一番粉と認識している業界関係者はいないはずだ。一番粉というのは、あくまでも殻を取った状態で挽いた粉をいう。もし仮に、二番粉、三番粉も、一番粉同様にあり得ないとするなら、殻付きをそのまま挽いたそば粉には1種類しか存在しないことになる。それが一般的に「挽きぐるみ」と呼ばれるが、「挽きぐるみ」には殻なしもあるから、ややこしい。

そんなややこしさに反して、そばの呼び方は「更科そば」、「藪そば」、「田舎そば」という3種のみが通例で、時々「挽きぐるみ」を種類のように呼ぶ店があるから、田舎そばとの境が分からなくなる。かつ「田舎そば」が殻付きを意味するというのは、あくまでも通例の話で、殻なしのそばを田舎そばと呼ぶ店も少なからず存在し、困ったことには「田舎風そば」という亜種さえ発生している。ともかく分かりにくい。そばファンが行きたい店にたどり着けるように、そば業界も首都圏の「駅ナンバリング」のように、分かりやすい表示方法を考えれば、業界全体が盛り上がるのではないだろうか。JYが山手線で、グリーンで記されたJY17が山手線新宿駅であるように、例えば「丸抜きの一番粉」を使った山形のそば屋をM1Y25とか……、うーん、ダメだ、これじゃあ全然食べに行きたくならない（爆）。誰か、子供でも分かるような「ビッグマック」とか「フィレオフィッシュ」というようなネーミングを考えてくれないか。

栃木県

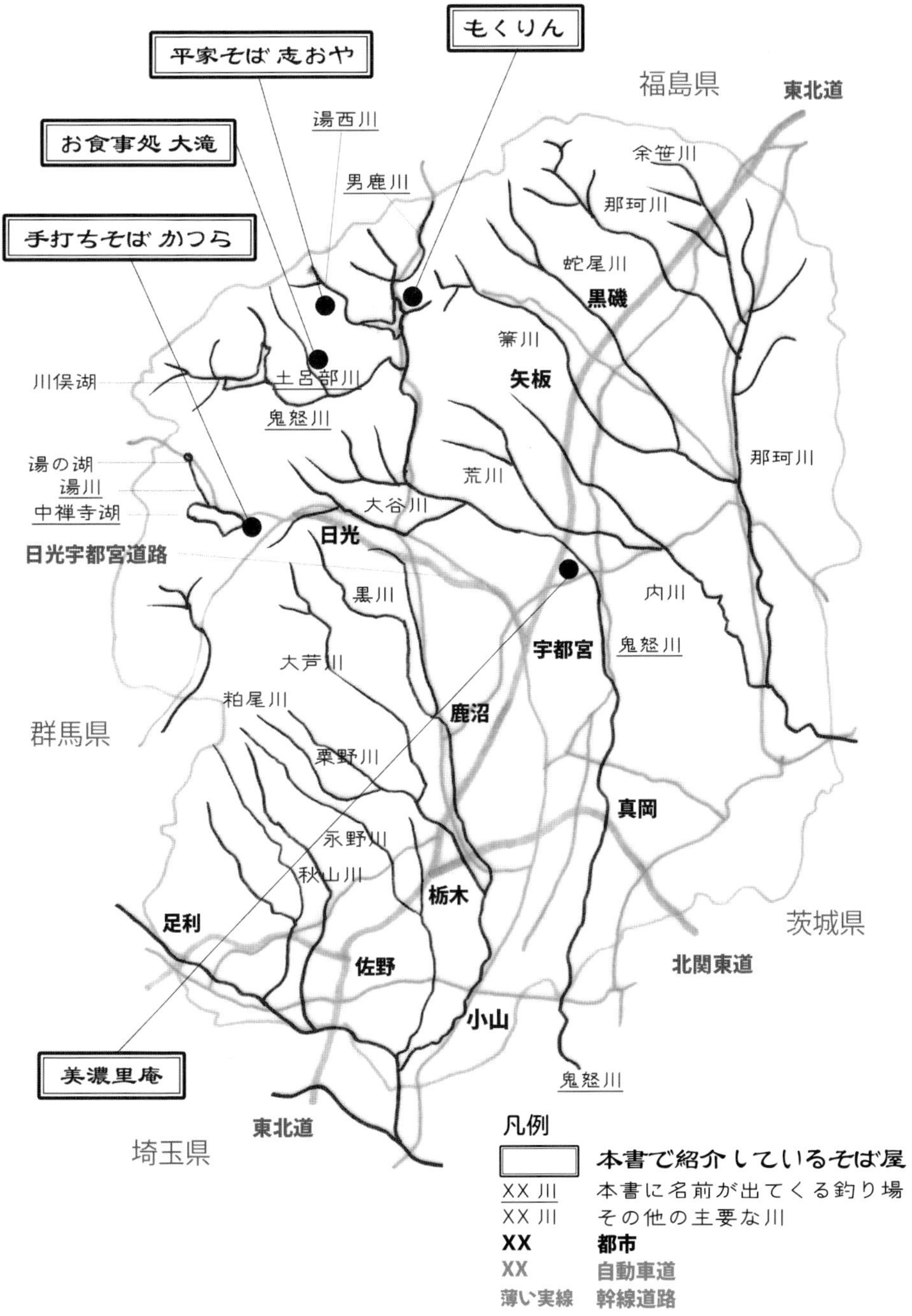

もくりん
平家そば 志おや
お食事処 大滝
手打ちそば かつら
美濃里庵
福島県
東北道
湯西川
余笹川
男鹿川
那珂川
蛇尾川
黒磯
箒川
矢板
川俣湖
土呂部川
鬼怒川
湯の湖
湯川
中禅寺湖
荒川
大谷川
日光
日光宇都宮道路
黒川
内川
宇都宮
鬼怒川
那珂川
大芦川
粕尾川
鹿沼
群馬県
粟野川
真岡
永野川
秋山川
栃木
茨城県
足利
佐野
北関東道
小山
鬼怒川
東北道
埼玉県
凡例
本書で紹介しているそば屋
XX 川
本書に名前が出てくる釣り場
XX 川
その他の主要な川
XX
都市
XX
自動車道
薄い実線
幹線道路

お食事処 大滝

栃木県日光市
土呂部 1350
0288-97-1106

営業時間 11:30 〜 16:00
定休日　水曜日・木曜日

鬼怒川上流域と「お食事処大滝」

——大野敏男

初夏、エゾハルゼミの声が響き渡る標高１０００ｍを超える渓を釣り上っていくと、右から細流が入り込んでいる所があった。細い流れは５、６ｍくらい上で涸れた滝のような岩場に突き当たり、流れが途切れている。滝壺と呼ぶには、ちょっと大げさな、言ってみれば大きな水たまり。伏流水があるのだろう、よどみもなく透明で、水中がよく見える。時折、側壁から雫が落ちている。本流の流れより、その水たまりが気になる。そっと近づいて水中をのぞき込むが、右側3分の1ほどが日影となっていて、はっきりと見えない。水深は50㎝くらいだろうか、チョロチョロと細い水流が本流へ流れ出ている。

さすがにここにはいないだろうと、あまり期待もせず義務的にフライを放り込んだ。水たまりの中央付近に落ちたピーコック・パラシュートが、ゆっくりと右へ流れていく。フライが日影に入った瞬間、水飛沫が上がった。竿を高く上げた。その瞬間にティペットが切れた。ラインを手元に引き寄せて確認してみると、フライとの結び目が切れていた。ここまで半日、合わせ切れなんてなかった。魚の姿は見えなかったけども、切れる直前の竿のしなり具合からして、いいサイズだったに違いなく、悔しさが込み上げてきた。

再びこの渓を訪れたのは、ひと月半ほど経過した晩夏のことだ。セミはミンミンゼミに代わり、渓は一段とにぎやかさを増していた。水量は前回とさほど変わらなかったが、前日の夕立ちのためか、うっすらと褐色のドロに覆われている底石が目立った。

大物をバラした水たまりまでやってきたが、前回と様子に変化はなかった。ティペットにはアント・パラシュートが結ばれている。ここまで活躍してくれたフライだから変更は不要だろう、とそのままキャストした。間髪入れずに

土呂部ミズバショウ園（見学無料）。栃木県内で唯一の自生地。見頃は４月半ばから

派手な水飛沫が上がり、ラインが引き込まれる。竿を立てたまま、歩み寄ろうとした途端にロッドが跳ね返り、ラインが宙を舞った。ティペットの先にフライはなく、先端が縮れている。ティペット切れなんて、1日に1回あるかないかだ。それなのに同じ場所で連続2回も。同じ失敗と同じ結末に呆然となった。おそらく同じ魚だ。口にフライを2個付けているかもしれない。いつの間にかセミの声が聞こえなくなっていて、生暖かい空気の中を、時折冷たい風が吹いてきた。ふと雷鳴が聞こえた。納得できない結果と後悔を引きずったまま、笹をつかんで左岸を登って廃道に出た。

幸い、雷雨は強くはならず、やがて空も明るくなった。向かっているのは土呂部《どろぶ》の「お食事処 大滝」だ。ここ奥鬼怒には県内最後の村となった栗山村があった。周囲を山々に囲まれ首都圏からは遠く、鬼怒川の上流域に当たる。土呂部は標高９００ｍにあり、冬になると関東では有数の酷寒の地となる。

土呂部ダムの少し上流の開けた所に釣り堀「大滝」と「お食事処 大滝」がある。釣りを楽しんで、おいしいそばも堪能できる、ぜいたくで秘境的な場所だ。のれんをくぐると、店内の半分は土間になっている。

時刻は13時過ぎ、そばはまだあるかと聞くと、女将は「終わってしまったけど、追加で打つので、30分くらい待てますか？」と言う。「大丈夫、望むところです！」と答える。

雷雲も去り、日が差してくると、再びセミが鳴き始めた。そばができるまで釣り堀周辺を散策してみる。森の山間にぽっかりと平坦地が空いていて、釣り堀用の池がいくつか点在している。ルアー、フライ専用の池もある。平日だったせいか、利用者は少なく、釣り堀で遊ぶ子供連れの家族が一組だけいた。ただし釣り堀は副業的なものらしく、本業は渓流魚などの養殖業ということだ。オリジナルの餌とミネラル豊富な冷水で育てられたニジマスは「日光紅鱒」として商標登録され、栃木県のブランド魚「プレミアムヤシオマス」として高級ホテルやレストランへと卸されている。もちろん「食事処 大滝」でも食べられる。

奥鬼怒の晩夏。夏を過ぎると大きなイワナに出会えるのが魅力

そば粉は通年を通して会津産を使っているということだ。主人が言うには、県内産のそば粉では思うようなそばが打てないという。自家製のそば粉とミネラルの多い天然水を利用して打たれたそばは、冷水で締められてコシも風味も良く、とてもおいしい。小鉢で出てくるコゴミのゴマ和えも箸休めにちょうどいい。隠れ家のような所で、おいしいそばに出会えると、不思議と満足感が大きい。ちなみに「大滝」の由来は、近くにある落差約10ｍの土呂部大滝からである。周囲から聞こえてくるカジカガエルの声が、何とも心地良い。また食事処「大滝」から車で2分ほど上流へ走ると、土呂部ミズバショウ園がある。栃木県内の唯一の自生地で4月の半ばから5月に掛けて咲く。シカの食害を防ぐために柵で囲まれているが、自由に見学ができる。

その日の午後は支流の上流域へ入った後、最後は本流域へ移動してイブニングを迎えようと思っていたが、暑さに負けた。栗山温泉「四季の湯」の看板の誘惑にあらがうなんてことはできなかった。

かつて旧栗山村役場があった栗山地区の中心部には黒部ダムがある。日帰り温泉施設「四季の湯」は、ダムの上流側の栗山観光ドライブインに併設されている。外湯のみの温泉施設だが、開放感たっぷりの大きな露天風呂には、加温も加水もされていない源泉が、無限に流れ込んでくる。わずかに硫黄の匂いを感じるＰＨ９・８のアルカリ性単純温泉で肌はツルツルになる。珍しく洗い場も露天なので、陽気のいい日には爽快感も半端じゃない。イブニングの釣りで遅くなった時でも、静かな山間で入浴できるなんて、実にぜいたくな体験だ。

川治ダムから川俣ダムまでは栗山漁協、川俣湖以遠の上流部は川俣湖漁協の管轄で、どちらもつりチケで遊漁券の購入が可能だ（https://www.tsuritickets.com)。

鬼怒川中流域と「蕎麦処 美濃里庵」

——関根信太郎

春先の鬼怒川本流の釣りは中下流部が面白い。昼前からヤマメのライズが始まり、2、3時間続いて終わる。そんな田園風景が広がる中に「美濃里庵」はある。看板は小さく、店は駐車場の奥まった場所にあり、国道脇にあるにもかかわらず目立たない店構え。のぼりが立っていなければ、気付かずに通り過ぎてしまうかもしれない。ただし奥に目を向けると雰囲気のいい古民家がある。

のれんをくぐると、そこは古い民家そのもの。正面に囲炉裏、その奥に調理場、右には混雑時の待合所がある。左側の上がりかまちを上がると客席だ。席は4人掛けの座卓が大小8卓。各卓間のスペースは十分にある。

店主に聞くと、この古民家は築１００年超。それを手直しして２０１５年に開店したといい、今年で開店7年目となる。

ここのそばのウリは細打ち。そばは主に常陸秋そばと福井から取り寄せたそば、そして一部、店主自身でも栽培しているものを使っているという。ちなみに常陸秋そばは、そば鑑定士運営委員会が選んだ「おいしいそば産地大賞２０２０」で第2位を受賞している。まとまる限界の粗い粉を使い、独自の打ち方で細く打つのがこの店の特徴である。配合は二八。白（抜きの挽きぐるみ）と黒（挽きぐるみ）の2種類を取りそろえているので、好きな方を選べる。白はそばの甘みを強く感じることができ、黒は玄そばの殻の荒々しさに強い香りが加わる。そばをよく見ると、大きめのそば粉の粒がそこかしこに入っていて、これがそばの味を引き立てている。つるつるとのど越しを楽しむだけではもったいない。特に白を良く噛み締めると、うま味、甘みとともに香りが口の中に広がり、そばが新たな顔を見せてくれる。白黒どちらをオーダーするか迷うこともあるだろうが、メニューには白と黒の合い盛りもあるから心配は

蕎麦処 美濃里庵

栃木県宇都宮市
松田新田町 111-4
028-680-4180

営業時間 11:30 ～ 16:00
定休日　水曜日・木曜日
そばがなくなり次第終了

ない。初めて食べる際にはこれを頼み、どちらが好みかを確かめるのがいいだろう。

　つゆは本枯節と昆布で出汁を取り、かえしで仕上げた辛口のつゆ。そばの甘みを引き立てるために、あえてかえしをあまり寝かせず、角を立たせているということだ。日光近辺のそばはのど越しを優先するためか、硬めのつるつるしたそばを、薄めのつゆにどっぷり漬けて食べるスタイルのそば屋が多いが、「美濃里庵」のつゆはそばの味を楽しめるよう、そばの先端だけを漬けて食べるのにちょうどいい濃さになっている。またテーブルには塩も置いてあるので、これを少し付けて食べるのも、そばの味がストレートに感じられて乙なものである。

　今回の取材当日は小腹が空いていたため、黒のかき揚げセットをオーダーした。タマネギと小エビのかき揚げに、ピーマン、カボチャの天ぷらが付いて３００円プラスはお得。天ぷらの具は季節によって変わり、春先にはフキノトウなどの山菜も食べられる。かき揚げがカラッとサクサクに揚がっているので、おいしく、胃にもたれない。そば湯は、打ち粉のみの軽く白濁したもの。天ぷらを食べた後に飲むと、口の中がさっぱりとする。ごちそうさま。


「美濃里庵」から鬼怒川までは、直線距離で約２km。国道２９３号を通って10分ほどで着く。この辺りに遊漁券が買える釣具店はないので、コンビニで買っていくのがいいだろう。管轄漁協は鬼怒川漁協。セブン-イレブン、ローソン、ファミリーマートなど、全国どこでも日釣り券が購入できる。年券は釣具店等（http://www.kinugawa-gyokyou.com/toriatukai/）で購入するか、漁協（http://freshrun-gomiyosi.jp/）から直接通販で購入できる。

「美濃里庵」からだと、釣り場は東北本線鉄橋前後から、上流の上平橋辺りまでが近い。この近辺は川幅が狭い所で30m、広い所では１００m以上もあり、頭上は開けているので長めのロッドがいいだろう。ラインは＃４を基本に、風などを考慮して＃３と＃５を持っていれば安心だ。

　年にもよるが、水生昆虫の羽化は春先がユスリカ、コカゲロウで＃16～20、その後、ガガンボ＃12～16、ヒラタカゲロウ＃12～14と続き、４月になるとマダラカゲロウ＃12前後が出始める。ゴールデンウィーク前ぐらいからモンカ

こちらは白。更科のように奇麗な白いそばの所々に、粗いメッシュでこした大きめの粒々が見える。これが香りとうま味を醸し出すのだ

築100年を超える古民家には、そばがよく似合う。そばは過程を楽しむ食べ物だというのが店主の持論だ。到着するまでの道のりや店の雰囲気、茹で上がりを待つ時間がそばをよりおいしくする

ゲロウ#8やヒゲナガカワトビケラ#8~6が主体となるが、マスキングハッチもあるので、簡単ではない。その後、鬼怒川中流域の釣りは、6月中旬でほぼ終了となる。

鬼怒川の中でも鬼怒川中流域は激戦区といっていい。自分もそうだが、地元民は毎日のように同じポイントへ通ってフライを流し、週末には首都圏から多くの釣り人がやって来る。本流には4月以降、放流はしないので、当然、ヤマメは日に日にスレてきて、細いティペットを使い、上流からダウン、或いはダウンクロスで流し込まないと見向きもしてくれなくなる。春先は6Xのティペットでも出てくれるが、4月中旬以降は7Xが基本。10Xまで使う人もいると聞く。オオクママダラカゲロウやモンカゲロウ、ヒゲナガカワトビケラの集中羽化があったりすれば別だが、細いティペットは準備しておいた方がいい。

春先ではないが、大物狙いでダブルハンドやスイッチロッドを振っている釣り人もいる。

「美濃里庵」から車で1㎞弱、約2分と、ごく近くにある温泉が「ほたるの里　梵天の湯」だ。こちらは、いわゆる日帰り温泉施設。付随する各種の店舗や施設も充実しており、地元の人々の交流の場ともなっている。

温泉の源泉は上河内温泉。湧出温度は約50度で、泉質はナトリウム、カルシウム、塩化物、硫酸塩温泉。透明で、さっぱりとした湯である。大規模施設なので、大浴場（内湯）の塩素投入、一部循環は仕方ないところだが、加水、加温はなく、また露天風呂など一部に源泉掛け流しの浴槽がある。露天以外にも、砂風呂、寝湯、ジェットバスなど、バラエティに富んだ浴槽があるのもここのウリである。温泉から上がったら、大広間（無料）や個室（有料）でゆっくり休める。

温泉以外に、同じ建物内にはレストランや土産物売り場もある。レストランのメニューは和食が主体。各種の定食類や丼物、ラーメン、そば、うどんなどの他、ちょっとした中華のセットものもある。湯上がりに食べるソフトクリームも捨てがたく、また車でなければ飲みたくなるような、おつまみ類も充実している。

温泉に向かって左側には地元の農産物直売所があり、季節の野菜の他に、春先はイチゴ、夏から秋に掛けてはブドウ、ナシなど、果物がお手頃価格で買える。

梵天の湯も道の駅のような雰囲気があるが、土産の種類がちょっと物足りないと思ったら、「美濃里庵」から約10㎞、東北道宇都宮インターの近くにある「道の駅 うつのみやろまんちっく村」がお薦めだ。ここは、東京ドーム10個分という広大な敷地に、各種の土産物屋、地元の農産物直売所、そして醸造所と併設されたビール園やレストラン、軽食やスイーツが食べられるフードコートに加え、温泉、温水プールに宿泊施設、散策ができる森や公園、２カ所のドッグランと、およそ道の駅にありそうなものは、すべてそろっているといっても過言ではなく、スーパー道の駅と呼びたい。

土産物のお薦めは、やはりイチゴを始めとする農産物が最右翼か。そこらのスーパーでは太刀打ちできない種類の豊富さと安さ、新鮮さは、留守番をしているパートナーに喜ばれるはずだ。また、宇都宮といえば餃子である。本当は、ここで餃子を食べながら地ビールを一杯といきたいところだが、ぐっと我慢して両方とも土産に買って帰ろう。

「美濃里庵」から約６㎞にある上平橋の上流に「高間木キャンプ場」がある。宇都宮市が所有し、管理を委託しているキャンプ場で、そのため料金が1泊テント一張り４１０円という安さ。屋根付きの炊事場と簡易トイレしかない簡素なキャンプ場だが目の前が釣り場というメリットがある。宿泊予約は下田原運動場（０２８-６７２-１０５１）へ。

鬼怒川中流部の河川敷は広く、仮眠できるスペースはたくさんあるが、火は使えないので注意が必要だ。

平家そば 志おや

栃木県日光市
湯西川 990-2
0288--98-0434

営業時間 11:30 ～ 16:00
不定休

平家そば
本家名
手打平家そば
志おや
営業中
平家落人の里
湯西川温泉

湯西川と「平家そば 志おや」

——大野敏男

前夜は虫の音を聞きながら道の駅で快適な夜を過ごした。朝はいつものようにコーヒーを飲むことによって、自分の目を覚まし、同時にやる気も起こしていく。今日も、のんびりとしたスタートだ。山岳渓流のイワナは8時を過ぎないと起きてこないから、これでいい。

入渓して早々に、瀬尻のイワナが走る。うれしい！　イワナがいる。フライはもちろんテレストリアルだ。夏の渓流はエルクヘア・アントでこと足りる。以前は見やすさ優先でエルクヘア・カディス一辺倒だったが、ある年にエルクヘアを目印にアントの背中に載せたフライを作ってみたら、曇天で日陰でも、良く見えることに気付いた。今ではこれがないと困るほど、私の定番フライである。

晴天の下、河畔林の濃い緑のトンネルの中ではイーズグリーンのサングラスでも水面が見えづらい。対岸寄りの流心脇の流れに向かって投げた2投目だっただろうか、水面に映る岩の影でエルクヘア・アントを見失ってしまった。見失ったフライを打ち返そうとしたが、ティップが戻ってこない。おや？　と思った途端、ラインが勝手に走り始めた。手元に残っていたラインがシュルシュルと音を立てて引っ張り出され、6ft半の竹竿が絞られ、ハーディ・フェザーウェイトが悲鳴を上げる。胸の鼓動が突如として高まる。本州の渓流でリールの逆転音を聞くことは少なく、まだ見ぬ魚のサイズを期待を込めて想像してしまった。予想外の展開だが私は冷静に行動した。大物らしき魚とやり取りしている私だというのに、信じられないことには、魚を釣り上げた後の計画を考えていたのだ。そうはいうものの、柔らかめの竹竿に6・5Xのティペットでは主導権を握ることができず、魚はトリッキーに上へ下へと疾走し、私は受け身のままだ。ラインと竹竿から伝わってくる魚の躍動感で、脳内がエンドルフィンであふれ返る。たぶん釣り人はこの瞬間を求めて釣り依存症となるのだろう。しかし、この日の私はとても落ち着いていた。魚がフライをくわえた場所に行きつ戻りつして、徐々に魚との距離を詰め、その少し下流でネットにすくった。夏らしく、パーマークが薄く、全身を白く輝かせた31・5ｃｍのヤマメだった。魚と対峙するハラハラ、ドキドキ感、そしてキャッチできた時の至福感は、この釣りを何年やっても慣れることない。それどころかますますハマっていく。依存症なのだから仕方ない。

ここ湯西川には年に1、2回訪れるが、こんな良型のヤマメは初めてだ。時計はまだ10時を過ぎたばかり。ファイト中に私が考えていたのは、実はそばのことだった。私はカッコイイ魚を1匹釣り上げることができれば、もうそれでいいのだ。だから今日のお昼は「志おや」に決まり。昼時まで、時間つぶしをするように釣りをして、川を上がる。一応、車に戻ってから携帯で営業時間の確認をした。ひと月前、会津方面からの帰りに「志おや」でそばを食べて帰ろうと寄ってみたら、コロナ禍による緊急事態宣言が解除されたにもかかわらず、観光客が戻らずに臨時休業していたのだ。つまるところ、湯西川へ釣りに来たのは、食べ損ねたそばへの未練でもあった。

湯西川は鬼怒川の支流である。栃木県北部を流れ、その源頭は栃木と福島の県境にある。峠を超えるとそこはもう福島の桧枝岐だ。この地域は昭和中期までは秘境と呼ばれるにふさわしい山奥で、人の往来は少なかった。平安時代、壇ノ浦の合戦で源氏に敗れた平家一族は、湯西川の温泉が湧く山奥まで逃げ延びてきたという伝説がある。源氏の追手から逃れてきた歴史から、令和になった現在も鯉のぼりを上げず、ニワトリを飼わない風習が残っているという。平家落人民族資料館には、ここに伝わった象皮製の衝立《ついたて》が残っている。古めかしく、ましてや象皮製というならば、大陸から伝わったものだろう。これが平安の都のものなら平家伝説を裏付ける証拠の一つといえるのかもしれない。そんな真偽不明の平家伝説や秘境感が楽しい。不便な山奥だからこそ残るものがあるのだ。

湯西川の老舗そば屋、「志おや」は、湯西川温泉の中心地から少し奥まった所にある。ホテル本家伴久の裏手、慈

湯西川の尺ヤマメ。顔が小さいのは本流育ちだからだろうか。こんなヤマメを釣った日は幸せで胸がいっぱいになり、また仕事を頑張ろうという気にもなるよ

光寺の隣だ。慈光寺は平家の菩提寺とされ、また明治から大正時代には本堂が湯西川小学校の校舎として利用された。境内はちびっ子たちが走り回っていた校庭だったんだなと思いながら、山門の階段に座って「志おや」の開店を待った。

店内の土間にはテーブルが四つと、座敷にテーブルは三つ。土間の席が空いているならウェーディングシューズのままでも、それほど気を遣わず利用できる（初めて訪問した際にウェーディングシューズの了解を得ていた）。開店を待っていたのは私だけだったので、夏のウェット・ウェーディングスタイルで入店させてもらった。「志おや」のそば粉は、うま味、甘味、香りの強い南会津産の「会津のかおり」を使用。玄そばを石臼で引いた田舎風で、つややかさの中にホシが表れ、そばの太さは割りばしと競うほどの極太。コクとキレがある辛めのつゆと極太のそばは、噛めば噛むほど、そばの甘みが立つ相性が私好み。のど越しを期待するのではなく、噛み応えを楽しむそばである。

初めて訪問するそば屋なら、まずは「もりそば」か「せいろ」の冷たいそばを食べたい。夏でも冬でも変わらない。そばそのものの味を楽しみたいからノリもいらない。箸を付けた時から置くまで、飽きることなくそばを楽しむためには、そばとつゆとの相性が大切だと思う。そば湯を注いだ、つゆのお替りをしたくなるのは、そばとつゆの相性がいいと証拠だと思っている。そば湯がおいしく感じられず、飲めない時もある。これまで「志おや」でそば湯を残した記憶はない。夫婦二人で営んでいるが、主人が奥の厨房から出てきたことはない。客側には忙しそうに働く女将だけが見えている。夫婦仲はどうあれ、夫婦二人でやっているそば屋には外れがないというのが私の見立てだ。

以前に「志おや」で見た印象深い光景がある。午後1時を回った昼下がり、客は私一人。しばらくすると年配の男性が来店してきた。席を選ぶ風でもなく座敷に上がり、慣れた口調で「とりぬき」と「どぶろく」を注文した。ただそれだけのことだが、その自然さがうらやましかった。しかし「とりぬき」って何だろう？　品書きを見て「とりそば」の「とり」抜きと思ったが逆だった。「ぬき」は酒のさかなとして、そばより先に具（とりや天ぷら）を出すことで、そのことを私は知らなかったのだ。男性は「とり」をさかなに酒を飲み、しばらく後でかけそばを食べて、私より先に帰って行った。地元の常連だろう、そば前というのはこういう姿をいうのだろう。カッコ良かった。

エルクヘア・アント。夏には欠かせないフライ

「志おや」のもりそばは、割り箸並みの極太だ。噛めば噛むほどに、そばの甘みが感じられ、香りが鼻を抜けていく

慈光寺と並んで少し高台にある「志おや」から階段を下りた所には、「会津屋豆腐店」がある。ひなびた温泉地には豆腐店が残っていることが多い。以前訪れた山形の銀山温泉にも1軒の豆腐屋があり、玄関先で豆腐一丁を食べたことがある。春や秋の寒い日には、店内のコタツに入りながら豆腐を食べてのんびりするのもいい（酒も飲める）。この会津屋豆腐店の豆腐は、巷のスーパーで売られている豆腐とは違う。大豆の味が濃く、大きな冷奴や湯豆腐で食べるとおいしい。店の前には湯西川が流れ、豆腐を買う際にも自然と視線の先で魚を探してしまう。

そばを食べ、午後は本流か、支流か、しばし迷った。湯西川は、２０１２年の湯西川ダムの完成によって激変した。昔の湯西川を知る人は、今の変容に驚くだろうが、さらに近年、上流域にもう一つダムができたからか、土砂が多くなった感が拭えない。湯西川へ来る目的は、釣りなのかそばなのかと問われれば、その両方と答えるしかない。いい魚が釣れたら、お昼は必ず「志おや」に行こうと思い、天気が悪かったり、釣果が思うようでなかった時でも、「志おや」のそばを食べて帰る。湯西川は私にとって、豊かな自然を味わい、かつおいしいそばを食べられる秘境的な土地なのだ。

美しい渓流魚がいて、おいしいそば屋があるからといって、それだけで満足して帰路を急いではならない。秘湯といわれる湯西川温泉はｐｈ９・３のアルカリ性単純温泉で、肌の角質を溶かしてスベスベにする美肌の湯である。付近の各旅館でも立ち寄り湯ができるし「湯西川　水の郷」では、イブニングで遅くなっても入浴ができる。「道の駅湯西川」には地下ホームの野岩鉄道　湯西川温泉駅があり、階上には日帰り入浴施設「湯の郷」がある。あるいは釣り人には不要な情報かもしれないが、全国でも数が少ない水陸両用バスツアーの発着所もあり、家族連れなら湯西川の自然と温泉を楽しむことができる。道の駅で売られている川俣産の「山椒魚のくんせい」は、深山ならではの珍味。「熊の爪」や「熊の牙」などのアクセサリーも秘境っぽい。

「湯西川 水の郷」の足湯。水の郷には日帰り入浴施設や食堂がある

確かに魔物も怖がる鋭さではある

そば処 もくりん

栃木県日光市
独鈷沢 48
090-1556-7655

営業時間 10:00 ～ 14:00
不定休（月曜日の休業が多い）

味自慢
この地区は独鈷の湧水でも知られて居ります。
よりそば 街道加盟の店
湧水で打った手打そばを味わって下さい。
店主
新型コロナ対策
推進宣言

男鹿川と「そば処もくりん」

——関根信太郎

鬼怒川の上流に向かって国道１２１号を走ると、川治温泉で鬼怒川と別れ、支流男鹿《おじか》川沿いに北上することになる。この道は会津西街道とも呼ばれ、日光から南会津に抜ける主要道路。かつては狭く曲がりくねっていて「酷道」とも呼ばれていたが、近年は拡幅化やトンネルにより、かなり走りやすくなった。現在、単身赴任中の日光から、会津地方の渓流、遠くは山形の置賜地方へ行くにも便利だ。この１２１号を北上した五十里《いかり》湖辺りから中三依《なかみより》温泉駅辺りまでが「みよりそば街道」と呼ばれ、国道沿い、もしくは少し横道にそれた所にそば屋が８軒ほど立っている。湯西川を越え、五十里湖のバックウォーターから更に北上して男鹿川沿いを走るようになると、すぐ右手に見えるのが、今回紹介する「そば処 もくりん」である。この辺りの男鹿川は、２０１０年からＣ＆Ｒ区間が設定されて、大型のヤマメやイワナが釣れたものだが、残念ながら２０２０年に廃止され、現在は主にアユの釣り場となっている。

そば屋というと「蕎」の字を使った屋号が非常に多いが、こちらはちょっと材木屋を思わせるような珍しい名前。店主に聞いてみると、開店前によく訪れていた長野のペンションの名前をいただいたものだとか。そのペンションの居心地がとても良く、同じように居心地のいいお店にしたいと思ったのがきっかけだという。約20年前に店を始めた当初は「お休み処」と冠し、軽食も出していたそうだが、次第にそばだけに特化したお店になっていった。宇都宮や茨城、千葉から通ってくる常連客が多く、そばを楽しみに来てくれるお客さんに、いつも同じ味のそばを出すのは難しいが、それが生き甲斐だと81歳の店主がにこやかにいう。

のれんを上げて店に入ると、すぐ右手が小さな調理場となっていて、店主の奥さんが天ぷらを揚げているのが見える。ここで今日の天ぷらの材料を見るのも楽しみの一つ。客席はすべて椅子席で、８人掛けの長いテーブルが一つと

入り口を入って右手の小さな調理場で、女将が野菜、山菜、キノコ、イワナなどを下ごしらえして、天ぷらを揚げていた。今日の天ぷらの具は何かな？

店主が誇る細打ちのそばと、女将が揚げた天ぷらが来た。まずはそばの繊細な香りと味を楽しみ、その後に香ばしい天ぷらを食べることにしている

4人掛けのテーブルが三つある。一番奥のテーブルは見事な杢《もく》が出ている1枚板で、ウッドクラフトの材料にしたいなぁ、といつも思ってしまう（笑）。場所柄か、釣り人も多いそうで、壁には奇麗な風景写真と共に、瀬畑雄三氏や佐藤成史氏の写真も飾られていた。そばの調理場は正面奥にあり、娘さんが忙しそうに動き回っているのが見える。

メニューにあるのは、もりそば、かけそば、とろろそば。サイドメニューに季節の天ぷら（大小）とイワナのから揚げ。取材時はちょうど昼時で、お腹が空いていたので、もりそばと天ぷら（小）を頼んだ。ここは、そばもさることながら、天ぷらもうまい。春はフキノトウ、コゴミ、コシアブラなどの山菜、時にはハリギリなど、珍しいものある。秋はキノコで、天然のものが手に入れば、惜しげもなく揚げてくれる。なお、1人前だと小がお薦め。大は何人かで分けるか、若者でないと食べ切れない量だ。先付けの漬け物を食べながら、ほうじ茶を飲んでいると、しばらくして天ぷら、次いでそばが来た。ここのそばの特徴は、何といってもその細さだ。会津下郷産のそば粉を中心に、日光産のそば粉も混ぜた二八のそばだが、他ではほとんど見たことがないほど細い。鰹節と宗田節で出汁を取り、寝かせてまろやかになったかえしで仕上げた濃いめのつゆに、少しだけ付けて食べると、のど越し良くツルツルと入っていく。のど越しだけでなく、しっかり噛み締めても、つゆとそばの甘みがマッチしていて、とてもおいしい。そば湯は、打ち粉のみの透明なもの。おいしいそばと天ぷらでお腹いっぱいになった。ごちそうさま。

最も近い釣り場はもちろん男鹿川である。かつてのC&R区間にも少し渓流魚は残っているがフライでは狙いにくく、一般的には上流へ行き、上三依《かみみより》水生植物園より上がフライフィッシングの釣り場だろう。チャラ瀬も多いので、深めのポイントだけを叩いて距離を稼ぐ釣り方が向いている。下流域には、増水時に川通しでは歩けない場所もあるが、そんな時にはすぐ脇を国道が通っているので、巻いて上流に向かうといい。植物園から4kmほどで不動滝にぶつかり、さらに2kmほど上流で男鹿川が国道から離れる。国道の左側にある示現神社の先から右に入り、横川の集落を通って突き当たりの「ワイルドフィールズおじか」というキャンプ場までが一般車の入れる区間。この間は道が細く、

80歳を超えてまだまだ元気な店主の櫻井さんだが、そば打ちは重労働だ。健康維持には気を付けているというが、いつまでも夫婦共々元気で、おいしいそばと天ぷらを食べさせてほしい

男鹿川の下流部はチャラ瀬が多いので、深みを探してたたき上がるのがいい。びっくりするような大物が泳いでいるのを見ることがあるが、私のフライを気に入ってくれたことはない

駐車スペースも集落近辺以外には少ない。上流へ行くなら、キャンプ場のすぐ手前に車を止められる場所がある。解禁は3月21日。ドライフライで狙えるのは雪代が終わる4月下旬以降で、5、6月が最盛期だろう。ほぼ全域がヤマメとイワナの混棲だ。上流部はイワナが主体で、夏でも釣りになるが、アブには注意が必要だ。入渓しやすい釣り場で、シーズン中盤以降はスレてくるので、小さめのフライが効くことが多い。

　男鹿川を管轄するおじか・きぬ漁協管内には、Ｃ＆Ｒ区間が2カ所ある。一つは川治温泉の周辺で、ここは3月21日の解禁から翌年2月末まで釣りができる。釣り方はルアー、フライ、テンカラのみ、対象魚は主にニジマスで平均サイズは30～40㎝ほど。50㎝オーバーも放流されている。区間は4㎞以上とそこそこ距離があるので、温泉街周辺を除けばさほど混雑せず、快適に釣りができる。冬期でも日和が良ければライズがあるので、沈めるフライだけでなくドライも持っていくといい。なお月に一度、五十里ダムの放水がある。この日は釣りができないので、事前に漁協のホームページで確認した方がいい。もう1カ所は２０２1年から始まったＣ＆Ｒ区間で、三依地区を流れる支流入山沢の、そのまた支流の見通沢に設定されている。ここはテンカラのみでフライフィッシングはできないが、大型のヤマメ、イワナがたくさん放流されているので、テンカラをやる方は一度訪れてみるといい。なお、こちらは一般区間と同じく9月19日で禁漁となる。おじか・きぬ漁協の遊漁券は「もくりん」で購入できるが、開店が10時なので朝早くから釣りをしたい場合は、ＦＩＳＨＰＡＳＳや全国のコンビニ端末で購入するといい。年券は「もくりん」を始めとする沿道のそば屋、食堂、キャンプ場の「ワイルドフィールズおじか」などで購入できる。なお年券には、冬期（10～2月）の川治Ｃ＆Ｒ区間でも使えるものと、解禁期間のみ（川治、三依Ｃ＆Ｒ区間を含む）の2種類ある。冬期Ｃ＆Ｒにも使える券は6回、解禁期間のみの券は4回で元が取れる。

　この辺りには日帰り温泉施設が多く、上流部で釣りをするなら、中三依温泉駅近くの「男鹿の湯」、川治Ｃ＆Ｒ区間であればすぐ近くに「薬師の湯」がある。男鹿の湯は加温循環、塩素消毒なので汗を流すにはいいが、源泉掛け流しに入りたい場合は、「道の駅 湯西川」に併設された「湯の郷」か「薬師の湯」がいい（どちらも加温掛け流し）。男鹿の湯はカルシウム、ナトリウム硫酸塩泉で源泉温度は25度。浴槽は内湯のみ。薬師の湯は弱アルカリ性低張性単純泉で源泉温度は36・3度。内湯に加え、混浴露天風呂と貸切風呂がある。露天風呂は混浴のうえ、外から丸見えなので、入るにはちょっとばかり勇気がいる。湯の郷はアルカリ性単純泉、源泉温度は41・7度。こちらは内湯と露天風呂、岩盤浴（別料金、混浴。休止中）がある。なお川治温泉には日帰り入浴できる旅館、ホテルがたくさんあるので、時間帯にもよるがそちらを利用するのもいいだろう。

三依地区、川治温泉共に名産品や土産の種類は多くない。三依地区ではワサビや農産物、川治温泉では温泉まんじゅうぐらいか。その他、奥日光周辺のお土産などについては、２２７ページに掲載されている「道の駅 湯西川」を参照のこと。

宿に泊まるのであれば、中三依、上三依地区にそれぞれ民宿が1軒ある。また、10㎞ほど走ると塩原温泉郷があるので、そちらに泊まるのも悪くない。探せば案外安い価格で泊まることができる宿もある。湯西川温泉や川治温泉にもホテルや旅館がたくさんあるが、こちらは若干値段が高めだ。キャンプ場は男鹿川上流域に、前述した「ワイルドフィールズおじか」の他に、「ナラ入沢渓流釣りキャンプ場」、「こころのもりキャンプ場」がある。利用料は人数やテントサイトにもよるが、最低料金はワイルドフィールズが最も安価で、ナラ入沢が最も高い。ワイルドフィールズとナラ入沢は家族連れが多く、休日は賑やか。「こころのもり」（休業中）は静かだがテントサイトが小さく、人数制限が掛かることがある。川治温泉では、薬師の湯の隣に「薬師の湯キャンプ場」がある。こちらは温泉が近くていいのだが、市の施設の割に使用料が高いのが玉に瑕《きず》。また、周囲は温泉街なので、雰囲気がイマイチだ。仮眠できそうな駐車場は、上流部の横川パーキング、あるいは各ダム湖の周囲か。

手打ちそば かつら

栃木県日光市
中宮祠 2482
050-5485-1299

営業時間 11:00 ～ 15:30
無休

本手打ち
蕎麦
そばがきセット
1,620円

中禅寺湖と「手打ちそば かつら」

——大野敏男

腕時計を見ると7時過ぎ。阿世潟から上野島に掛けて、山腹に陽が当たるこの時間になると、遠くから「ギーキョン・ギーキョン・ギギギギギー」という（私の耳にはそう聞こえる）独特なエゾハルゼミの合唱が始まる。1カ所で始まったセミの合唱は、日が高くなるにつれて、湖畔に伝染するように広がっていく。5月半ば頃から始まるこのハルゼミの声は、中禅寺湖のトップシーズンの通奏低音となって、釣り人の耳の中に響き続ける。

岬状の岸際の石の上に立って湖面を見つめていると、ワンド状になった左側の浅いかけ上がり付近で大きな波紋が広がった。すかさずサイドキャストでライズを狙う。フライは黒いボディにラバーレッグを付けた、センブリ・フライだ。

水面を凝視していると、ごぼっ、という低い音と共にフライが吸い込まれた。合わせたい気持ちをぐいと抑え込む。湖のドライフライ・フィッシングで早合わせは厳禁だ。ラインの先端が沈み、手元にしっかり手応えがあるまで待たないとすっぽ抜ける。そんな失敗をたくさんやらかして、後悔は数知れず、しかしようやく冷静に待てるようになった。ロッドに魚の躍動感が伝わってきた瞬間に合わせを入れると、たちまちハーディのリールが逆回転を始めた。しかしながら逃げる魚にはそれほどの勢いがない。大したサイズではないかなと、気持ちに余裕を持ちながらラインを巻き取り、魚を水面に浮かせる。さほど抵抗せず、魚は水面に浮上してくる。湖水を通して黄土色の魚影が見えた。ブラウントラウト、しかも予想に反した大きさだ。そう認識した途端だった。そのブラウンは先ほどまでのおとなしさがウソだったように、猛烈な抵抗を始めた。8ftのロッドがバットから深く曲がっている。バーブレスフックの掛かり具合を確認しながら、右に左に魚の動きとは反対方向にロッドを倒す。少しでも油断すると逃してしまうから、一

中禅寺湖。5月後半から羽化し始めるモンカゲロウは、エゾハルゼミ同様にフライフィッシャーが待ちわびているプライムシーズンの象徴だ。正面は男体山

新調ロッドはこの特大ブラウントラウトによって魂が入った。私の自己新記録が更新された瞬間だった

時も気が抜けない。新調したロッドが、与えられた初の試練に耐えるように魚を寄せた。魚は最後は素直にネットに滑り込んできた。年がいもなく、お決まりのガッツポーズ！　素晴らしいコンディションだ。大物とのやり取りに慣れることはないが、この緊張感はどこかしらクライミングに通じていると思っている。写真を撮り、体力の回復を待って、丁寧にリリースする。

　これが私自身のレコード更新となった60㎝後半のブラウントラウトで、「中禅寺ドライフライ・スペシャル」に入魂した記念すべき日だった。このロッドは大分のバンブーロッドビルダー、宮崎公一さんのブランド「トラウトマンロッド」特別仕様の8ftモデルだ。それまでは8ft半や9ftのロッドで釣っていたが、初夏のベストシーズンになると、湖畔の樹木は枝葉を大きく広げているし、湖の水位も高く、背後や頭上にスペースが少ない。竿の取り回しと瞬時のライズ狙い打ちを考えて、8ftの長さにしてもらったのだ。バンブーロッドは竿の断面が六角形のものが一般的であるが、この中禅寺ドライフライ・スペシャルは五角形である。ガイドが取り付けられたフラットな面の反対側には、5角柱の頂点がある。その合わせ目が背骨となり、キャストのブレを軽減させるという説もある。どうだろうか、今のところ私にはその実感はない。

　入魂に成功したロッドは調子に乗ったのか、続けざまにもう1匹のブラウンを掛けてくれた。もう満足だ。新調したロッドが思惑どおりに働き、記念すべき大物による充実感で、胸がいっぱいだ。カップ麺をすすって、昼寝を決め込んでもいいが、やっぱりそばが食べたい。歌ヶ浜の立木観音の前、船宿オカジンの隣にある手打ちそば「かつら」が頭の中に浮かんでくる。

　昼食時をだいぶ過ぎてしまった。駆け付けるとちょうど店主がそばを打っているところだった。まだ大丈夫であることを確認して、2階への階段を上る。店の雰囲気は昭和50年代のレトロな感じ。1階にはガラス張りのそば打ち部屋があり、店主が毎日そばを打つ。

　階段を上がった2階からは、中禅寺湖と男体山の眺望がいい。我々釣り人にとって、この景色はややマンネリ感が

「かつら」の一合そば。日光の水で仕立てた本格的なそばが、中禅寺湖畔で食べられるのがいい

昭和 43 年まで日光駅前から馬返まで走っていた路面電車。愛称は「日光電車」。現在、東武日光駅前広場に展示されている

あるから、風景よりそばに集中できる。そば粉は、石臼挽きの外一。外一とは、そば粉とつなぎの小麦粉の割合が10対1のことである。鰹出汁の効いたそばつゆで、打ち立てのそばを食べる。

その昔、東武日光駅から馬返駅（いろは坂入口）まで路面電車が走っていたことを知っているだろうか？　東武鉄道が運営していた日光軌道線である。「日光電車」という愛称があって、大正時代から昭和40年代まで、東武日光駅から古河電工の前を抜けて、終点の馬返駅までの路面を走っていたのだ。馬返しの標高は８３８ｍだから、恐らくは日本で最も高所を走る路面電車だったのではないだろうか。さらに馬返しから明智平までは鋼索鉄道、いわゆるケーブルカーもあった。現在の明智平ロープウェイ乗り場のレストハウスの窓から外を見下ろすと、崩れかけたケーブルカー駅のホームを見ることができる。いろは坂の開通によるマイカーやバスの台頭によって消滅した。

中禅寺湖での釣りを終えて、いろは坂を下り、市街へ向けて走ると「えー、こんな急な坂を路面電車が走ったの!?」と驚かないわけにはいかない。映画で見るサンフランシスコの坂を走る路面電車のような光景だったに違いないが、そんな路面電車の軌道跡が少しだけ残っている所がある。日光金谷ホテルの入り口、赤い神橋のたもと脇にはブロック壁が、また旧田母沢御用邸前の国道１２０号の橋の真ん中には、錆びた路面電車用の鉄橋がある。そして車両は東武日光駅前広場に展示されている。

魚は釣れた、次は温泉だ。湯ノ湖の先にある、奥日光湯元温泉には数軒のホテルや旅館があり、その一番奥まった所に温泉寺「薬師湯」がある。正式名称は「日光山温泉寺」といい、東照宮のある日光輪王寺の別院である。「薬師湯」は17時までなので、こんな幸運な日にしかタイミングが合わない。

湯元温泉は日光開山の祖である勝道上人が、男体山に登って山の上から発見したと伝えられる。勝道上人が薬師堂を建て、薬師瑠璃光如来を奉ったのが湯元温泉の始まりだ。「薬師湯」は、含硫黄、カルシウム、ナトリウム、炭酸水素塩温泉、いわゆる硫黄泉である。温泉好きなら誰もが好きな硫黄の匂いがプンプンし、乳白色をした温泉だ。源泉のままでは熱過ぎるので、やむを得ず加水している。源泉はグリーン系の白濁色だが、加水すると真っ白になる。また源泉から硫化水素が混じるので、浴室の窓は少し開けておかないとならない。この一帯はかつて霊場であったため、明治以前には管理をしていた中禅寺上人と日光奉行の許可を得た限られた人しか入れなかったという。今は誰でも「薬師湯」に入れるし、日本で４番目に濃い硫黄泉とメタケイ酸も豊富な湯だ。温泉好きは誰しも成分表を見るものだが、私は中でもメタケイ酸やメタホウ酸の有無が気になる。「薬師湯」のメタケイ酸の数値は１００以上。つまり温泉１kg中に１００㎎以上含まれているということだ。メタケイ酸は、肌の新陳代謝を促進し、保湿や美肌へ導く成分である。お堂にはもちろん奇跡の薬師瑠璃光如来が奉られている。薬師如来は、病気を治す医薬の仏である。霊験あらたかな薬師湯に浸かった後には、「健康でいつまでも釣りを続けられますように」という祈願を忘れずに！

気分のいい釣りができた日にはパートナーや恋人への土産のことを思い出そう。日光の定番、湯葉やたまり漬け以外にも、日光カステラや日光プリンなどのスイーツがある。

また奥日光の戦場ヶ原にある三本松茶屋は、明治時代に鉱山夫などを相手に始まった老舗茶屋だが、今は戦場ヶ原の天然水で作られたクラフトビールを売っている。自宅で釣った魚を回想しながら楽しむのもいいかも。このクラフトビールは、日光街道の「道の駅 日光」でも販売している。まさか中禅寺湖のディープでクレージーな釣りに家族を連れてくる釣り人もいないだろうが、もしもの場合は、近くに人気の日光珈琲や日光天然水のかき氷屋などがある。

中禅寺湖の釣り券は「民宿　越後屋」と「大島商店」でしか購入できない。しかも当日分の販売のみなので注意が必要だ。早朝から釣りたいという人のために午前３時から開いているが、トップシーズンにはその前から釣り人の行列ができている。

群馬県

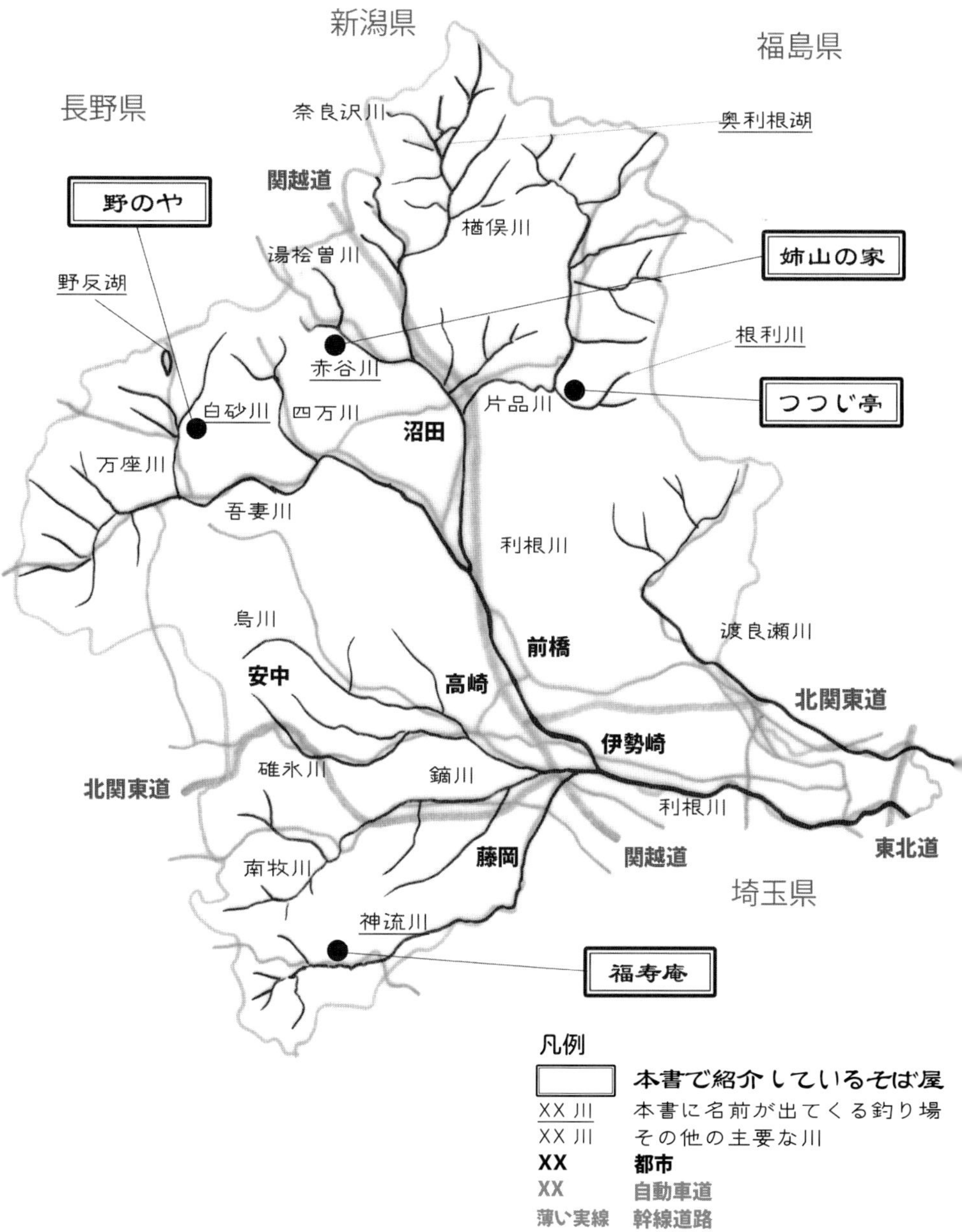
新潟県
福島県
長野県
奈良沢川
奥利根湖
関越道
野のや
楢俣川
湯桧曽川
姉山の家
野反湖
根利川
赤谷川
つつじ亭
白砂川
四万川
片品川
沼田
万座川
吾妻川
利根川
烏川
渡良瀬川
前橋
安中
高崎
北関東道
伊勢崎
碓氷川
鏑川
北関東道
利根川
東北道
藤岡
関越道
南牧川
埼玉県
神流川
福寿庵
凡例
本書で紹介しているそば屋
XX 川
本書に名前が出てくる釣り場
XX 川
その他の主要な川
XX
都市
XX
自動車道
薄い実線
幹線道路

野のや

群馬県吾妻郡中之条町
大字入山 1899-3
0279-95-5478

営業時間 11:00 ～ 15:00
定休日　水曜日、木曜日
（1 月～ 3 月は不定休）

野のや
そば処

白砂川、野反湖と「野のや」

——川上潤司

群馬県の北西部、かつて六合《くに》村と呼ばれたエリアは、現在の地域区分でいえば中之条町ということになる。その地に構える目的のそば屋に到着すると、県外ナンバーの車がすでに2台あり、11時の開店を待っていた。腕時計に目をやると、まだ15分ほどある。とりあえずエンジンを切って外に出て、山の空気を胸いっぱいに吸い込みながら伸びをした。入口近くの様子を見に行くと、案内待ちの受付用紙があったので記名する。やはり私は3組目らしい。

ライズ攻略にしくじり、少なくとも4、5分は間を置こうと心でつぶやく場面と同様に、こうしてのれんが出るのを待つ時も、不思議と時間は遅々として進まない。今朝方、カメラを忘れて引き返した際には、大した距離でもないのにあっという間に30分をロスしたはずだ。地球は気まぐれに自転しているに違いない。

道路を挟んで向かいにある豆腐店が目に入り、のぞきに行った。壁に「買ってぐべぇ」との木札が掛かり、脇には豆腐や厚揚げなど、お持ち帰り商品を記した短冊が並んでいる。「豆腐アイス」というのが気になって、家族への土産に買い求めた。この夏、自分の一存で飼い始めた子猫の世話すべてを一任してきたのが、心の隅に引っ掛かっていたのだ。

「お待たせしました、どうぞ中へ」

女将の澄んだ声と共に「野のや」は開店した。せっかくの秋晴れなので、道路に面したオープンエアの席にする。すだれがうまく使われており、日差しと人目を適度に遮りながら、風がそよそよと抜ける心地よい空間だ。

本当は、渓流釣りを兼ねて、もっともっと早い時期に訪れるはずだった。ところがコロナ禍が長引いて、お店は長いこと休業。10月からやっと再開予定とのうわさを耳にして、直後の週末に車を飛ばしてやって来た。だからこそ、店前に客の姿を認めた時は先を越されたとはみじんも思わず、無駄足にならなかったことを確信して安堵《あんど》した。9月20日をもって渓流が禁漁期に入ってしまったのは残念だが、せめて来シーズンに向けた情報を仕入れよう。

テーブルにあった、リングアルバムのようなメニューを広げると「きのこ三昧そば」が見開きで迫る。一番のお薦めなのだろう。右ページには写真も掲載されていて、確かにうまそうだ。天ぷら付きで１２００円。早朝に出発してから、大したものを食べていなかったこともあって、迷わず注文した。

それはドーンと運ばれてきた。やや細めに感じる手打ちの二八そばを熱々のつけ汁で食べるスタイル。中にたっぷり入っているマイタケやシメジに、やや甘めの汁がよく絡む。そばを堪能するなら、まずは何も付けずに食すべしという人がいて、それも一理あると思うのだが、これはどうしても最初から汁にくぐらせたくなる。だって、うまいんだ。

トレーの上で最初から存在感を放っていたマイタケの天ぷらもまた素晴らしかった。香り高く歯応え十分……なんて書くと平凡過ぎて何も伝わらない。スーパーで見かけるのとは全く異なるそれを、何と形容すべきか。苦し紛れに思い付いたのは「ヒレピン」だ。あのヤマメやイワナのピンと伸びた大きな尾びれのように、大自然に磨かれた特別なもの。釣り人は、しばしうっとりし、心は舞い踊る。

元々はキノコに注力する農家だったという。高地で栽培する高品質で天然味あふれる地のマイタケは周囲の温泉宿などに卸されることはあっても、市場にはなかなか出回らない。そんな逸品を、道行く人にも食べてもらいたいとの思いで「野のや」が開かれた。２００８年のことだ。以来、徐々にうわさが広まり、「ヒレピンマイタケ」に魅せられた人々がひっきりなしに通う店になった。

近くを流れるのは白砂川。利根川水系吾妻川の支川だ（管轄するのは吾妻漁業協同組合）。上越国境の上ノ倉山から白砂山付近を源とし、南へと流れ、長野原町で吾妻川に合流する。昔は「須川」と呼ばれていたらしく、それは「酸

香りも歯応えも実にしっかりした「ヒレピン」のマイタケは絶品だ。その天ぷらがセットになった「きのこ三昧そば」が当店のお薦め。手打ちの二八そばを熱々のつけ汁で食べる

6 ~ 7ft のショートロッドでないと難儀する白砂川の支流。クモの巣を引っ掛けることもしばしばで、ここぞというポイントではティペットが劣化していないかのチェックが欠かせない

川」に由来する。辺り一帯は温泉地であり、その強めの成分が流れ込んでいるのだ。魚がすめない川として、釣り人が振り向かない時期が長く続いたという。

ところが近年はひと頃と比べて水質が変わったのか、支流を中心にヤマメやイワナの姿があるといううわさだ。大きな本流より山岳渓流、とりわけ藪沢なんかが好きな身としては、実際はどうなのかが気になっていた。すでに禁漁期でロッドを振るわけにはいかないが、近況を知りたい。

実は「野のや」の店主が詳しいという話を人づてに聞いていた。会計を済ませる際に、かくかくしかじかで近くの川のことを伺いたいのだが……と女将に申し出た。すると厨房の奥から店主が登場してきた。山釣りがこよなく好きで、この周辺の情報を求めていることを告げると、表情が和らぎ、さらに一歩身を乗り出してきてくれた。

レジ近くにあった会計伝票の一片を裏返し、ボールペンでおもむろに沢の名前を書き始める。「ここなんかいいね。あ、ここも知り合いがいい釣りをしたんだ。でも、ここも捨て難いなぁ……」。こんなシーンで同志が打ち解けるのは早い。ふと見ると、店内は満席で、外には待ち行列ができている。さすがにこの状況で釣り談義を続けるわけにはいかず、体よく切り上げようとするも、矢継ぎ早にあれこれと情報を提供してくれるのだった。

向かいの豆腐屋の主人も釣り好きだという。ムフフな話にムフフとなって、いざ車に乗り込んで店を後にする時も、恐らく口元が緩んでいたはずだ。よし、来年は絶対に来よう。前乗りで現地入りして早朝から渓に立つ。そして、そばが「売り切れ御免」となる前に、再びマイタケ天を堪能しながら釣果報告することが目標となった。

せっかくなので野反湖まで足を延ばそう。距離にして15㎞ほどであり、スマホから車内に流すヒットチューンを口ずさむこと、数曲のうちに青い水面が視界に現れた。標高１５００ｍとあって周囲は高山植物の宝庫だ。個人的には、生まれ故郷の北海道の風景にも重なるダケカンバと笹原の組み合わせが懐かしく感じる。

最初に目にすることとなる建物、野反峠休憩舎では、うどん、そば、ピザやサンドイッチ、焼きおにぎりなど多彩な食事が楽しめるとあって、トレッキングやドライブでやって来た人々で常ににぎわっている。天気に恵まれれば、遠くに富士山をも眺望できる絶景スポットだ。何気なく注文したコーヒーが、ことの外おいしくて驚いたので、書き記しておこう。

　駐車場に車を止めて湖畔まで降りる途上、若いフライマンに出会った。かつては渓流オンリーだったけど、ここ数年は湖にもはまっているという。

「誘われてデビューした際、ハコスチ（ニジマスとスチールヘッドを掛け合せた群馬発の遊漁用トラウト）を釣っちゃったんですよ。あの引きやジャンプ、一度でも味わっちゃったらやめられませんね」

　長いロッドと大きなランディングネットが対象魚の大きさを物語っていた。遊漁期間は5月1日~11月10日。管理は中之条町となる。

　平成の大合併では、全国各地のなじみある地名が消えた。六合村もその一つで２０１０年に中之条町に編入合併となった経緯がある。今のところ、日本で最後に消滅した村だ。１９００年に六つの集落が一緒になって村として独立したという。だから「六合」と書くのは分かるにしても、「くに」とは、なかなか読めるものではない。古事記や日本書紀に、国を意味するものとして六合なる言葉が登場しており、そこから取ったのではないかという説がある。当時、人々にとっての世界観は東西南北と天地とであり、その6面で構成されるのが支配の範囲、すなわち国なんだとか。

――お医者様でも草津の湯でも惚れた病は治りゃせぬ。

　裏を返せば、医者と肩を並べるほどの名湯として名高いのが草津温泉であり、その上がり湯などと称されるいくつかの温泉が六合地区に湧いている。草津の泉質は強酸性といわれ、その刺激を和らげるために入るのが上がり湯だ。温泉としては控えめでありながら、湯も人も当たりが穏やかなことで記憶に刻む。尻焼温泉、花敷温泉、応徳温泉、京塚温泉、赤岩温泉……いずれも温泉界の名バイプレーヤー的存在であり、それぞれに趣がある。温泉マニアは、こ

群馬県と長野県の県境付近にある上信越高原国立公園内に位置する野反湖。周囲を2000m級の山々が囲み、高原植物も豊富だ。11月下旬～4月下旬は冬季閉鎖となる

「道の駅 六合」の敷地内にある応徳温泉「くつろぎの湯」は、写真の建物の入り口で料金（400円）を支払い、そのまま突き抜けた先の裏手にある。源泉掛け流しで、湯は見た目以上に熱い

れこそが正統派というかもしれない。

　例えば尻焼温泉は川底から湯が湧き、周囲の石に腰を下ろせば文字どおりに尻が焼かれるというのが由来だ。今なお、川自体が露天風呂になっている野湯「川の湯」がある。京塚温泉「しゃくなげの湯」（休業中）は白砂川沿いにある露天風呂。元々は地域の人々が利用していたが、今は一般にも開放している。前出、「野のや」向かいの豆腐店「㐂久豆腐店」か、その近くの宿「くじら屋」で料金を支払うと鍵を渡してくれるシステムだ。

「道の駅 六合」には応徳温泉「くつろぎの湯」がある。敷地内には他に宿、食事処、足湯、物産センターといった施設があり、一帯の観光拠点だ。裏手の方にある温泉は、脱衣所とロッカー、そして浴室という極めてシンプルな作りで、地域に根付いた共同湯のような雰囲気。ほのかに硫黄の香りが漂う。野反湖畔を随分と歩いたので汗を流すことにした。うっすらと白濁した源泉掛け流しの中に黒い湯花が踊る。熱いが、じっくりゆっくり入っていたくなる湯だ。館内には、天皇陛下が皇太子の頃に白砂山に登り、その後に休憩した際の写真が飾られている。

　物産コーナーには、花インゲン豆や赤岩のそば粉を始め、地場の特産品が並ぶ。ちょっと珍しいものとしては、スゲでなった縄で編んだ「こんこん草履」や、この地に伝わる赤松木地の曲げわっぱ「入山めんぱ」などがある。

　予定を終えた帰り道、白砂川に沿う道を南下してくると、ＪＲ吾妻線をくぐった先で国道１４５号線に突き当たる。そこが新須川橋交差点だ。「死の川」とまで呼ばれた、かつての「須川」の名称が残っているのは、おそらくこの交差点ぐらいなものだろう。

　白砂川の遊漁券はＦＩＳＨＰＡＳＳ（https://www.fishpass.co.jp/news/）、野反湖は、野反湖キャンプ場管理事務所で購入可。野反峠休憩舎には券売機もある。

根利川と「つつじ亭」

大野敏男

その年も連日の猛暑が続き、お盆を過ぎても暑さは収まらず、首都圏はほとんど熱帯と化していた。残暑とは名ばかりの9月初頭、涼を求めて、友人と根利川へ行った。根利川は群馬県赤城山の裏側を流れる利根川の支流である。平地の暑さから逃れるために、一気に標高１３００ｍを超える支流の上流域へ入渓。ところが、早朝の涼しさはどこへ行ってしまったのか、8時を過ぎた頃には、既に額から汗が流れ落ち、サングラスが曇ってしまう始末だ。それでも、ベストの左胸に結んだ速乾性タオルで顔を拭いながら、ひたすらエルクヘア・カディスを投げ続けた。

タオルで額の汗を拭っていると、ウシアブが身の回りに集まり始めた。テリトリーへの侵入者を威嚇するかのような激しい羽音に、酷暑の中で凍り付く。キャストに集中できない。ふと見上げた上空には、無数のトンボが飛んでいて、秋の気配があるというのに、地上2m以下は残暑真っ盛りだ。

友人と交互に釣り上がっていく。この流域のイワナは体側のオレンジ斑が美しく、上流へ遡るほど彩りがさえてくる。二人とも、そこそこ釣れているだけに、上り時が難しい。帰路に利用する廃道まで、地図上でもかなりの高低差がある。急峻な側壁が続き、登ることができそうな斜面を探しながら釣りを続けた。魚は釣れるし、上がる所もなく、そのまま惰性で上流を詰めた。

午後も遅くなり、日が陰ると、暑さにも力がなくなってきた。沢が左へ回り込んだ所で、杉林の緩い斜面が現れた。上に廃道があるはずだ。本日終了ということで、ラインをリールに巻き入れた。フェルールを抜き、2ピースとなった竹竿を握り、ずり落ちたゲーターを引き上げてから、斜面を登り始めた。下草もなく、見通しのよい杉林の尾根を登り始めると、前方20mくらい先の木立の隙間から、大きな黒い物体が見えた。私は、友人に向かって言った。

つつじ亭

群馬県沼田市利根町
日陰南郷100

しゃくなげの湯内
0278-20-0011

営業時間 11:00 〜 20:00
定休日　第1、3木曜日

ふれあいの駅
南郷温
しゃくな

片品川水系の根利川源流域。渓相も険しく、携帯電話も圏外となるため、クマ対策を含めた準備は万全に

「なんで、あそこに牛がいるんだ？」

二人で目を凝らして観察するが、友人は目が悪い。私はもう一度しっかりと黒い物体に焦点を合わせた。「違う、クマだ」という私の声が聞こえたのか、尻を向けていたクマは振り向きざまに歩き出し、斜面を登っていった。

いやはや、デカかった。今までも何度かクマを見てきたが、あれほど大きな個体は初めてだった。だから私の脳はクマと認識せずに、黒い牛が何かを食べているのかと思ったらしい。冷静に考えれば、山奥の杉林に牛がいるはずがないのに、暑さと疲れで思考が狂っていたらしい。

友人は生まれて初めて、釣り場で野生のクマを目撃して、やや興奮気味だったので、20分ほど間を空けてから、クマが登っていった斜面を登った。廃道までは十分視界が利く杉林だったので、クマに警戒しつつも、友人には「全然、大丈夫！」と気休めの言葉を掛けて、気を楽にさせた。翌年も、そして次の年も、この渓流に一人で釣りに入った。この川でクマを見たのはそれが最初で最後だが、東日本大震災以後、クマと出会う回数が多くなった気がする。


片品川水系や根利川水系は、渓相も美しく、頭上が開いた渓が多く、フライフィッシングに向いたフィールドである。所々の堰堤やダムなどのコンクリートには興ざめするが、豊かな森からあふれ出す水が、たくさんの渓流魚を育んでいる。ところが、最近の台風や大雨で崩れた林道の手入れが行き届かず、通行止めのまま上流域に行けないのが残念だ。

根利川の上流域には、農産物直売所はあっても食堂はない。下流に行くと、唯一といっていい施設、南郷温泉「しゃくなげの湯」がある。この辺りはかつての利根村、現在は沼田市で、「しゃくなげの湯」は市営の日帰り温泉施設である。そして、この温泉に併設している「つつじ亭」で十割そばが食べられる。

そば好きな私には、実はしばらく前まで「そばは、そば屋で」というこだわりがあった。だから近年まで「つつじ亭」に入ったことはなかった。それに加えて、沼田市街へ戻る国道１２０号は、「とんかつ街道」と呼ばれるほど、豚カツ屋が軒を連ねていて、釣り終えて、腹ぺこの私を誘惑してきたのだ。

けれども、ある年の夕刻、釣りの帰りに施設の前を通り過ぎてから「十割そば」ののぼりが何となく気になって、ふとUターンする気になった。我ながら、勘はさえていた。この件以後、「そばは、そば屋で」のポリシーは捨てた。

そば粉は、利根町産の地粉を使った十割そば。やや太めで香りと食感が良く、著名そば屋に負けないほど、おいしかった。また来たいと思った。


「しゃくなげの湯」は、強アルカリ性単純温泉の源泉掛け流し。ｐｈ９・４は肌に優しくトロリとした感触で肌もすべすべになる。スギとヒノキをふんだんに使った木の香りが漂う明るい建物で、公営の温泉施設で掛け流しは珍しい。「十割そば」と「源泉掛け流し」はどちらも私の嗜好にぴったりだ。温泉スタンドもある。20ℓあたり10円と格安。軽トラに大きなタンクを積んだ地元の人をよく見掛ける。

国道１２０号には「道の駅 白沢」があり、白沢高原温泉「望郷の湯」が併設されている。露天風呂の眼下に広がる、片品川流域や赤城山、榛名山の展望は素晴らしい。ｐｈ９・８のアルカリ性単純温泉に入浴すれば、ここもつるつるの湯で、浴後の肌が10年若返る。土産には地元の新鮮農産物がいい。


南郷温泉「しゃくなげの湯」の向いには、入館料１１０円で見学できる茅葺き屋根の「南郷の曲屋」がある。曲屋とは伝統的な家屋の建築様式の一つで、地域によって曲家、曲り家、曲がり屋などと呼ばれる。家屋が長方形の直屋《すごや》に対して、家屋と厩《うまや》（馬屋）がL字形になって一体化していることから、曲屋と呼ばれる。雪国や東北地方によく見られ、家族同様に大事な馬と一緒に生活してきた歴史がある。

この「南郷の曲屋」の鈴木家の先祖は、当地に熊野神社を建設するために、神官として紀州から来村、定着して、代々

「つつじ亭」の十割そば。南郷温泉しゃくなげ湯では掛け流しの温泉と十割そばの両方を楽しめる

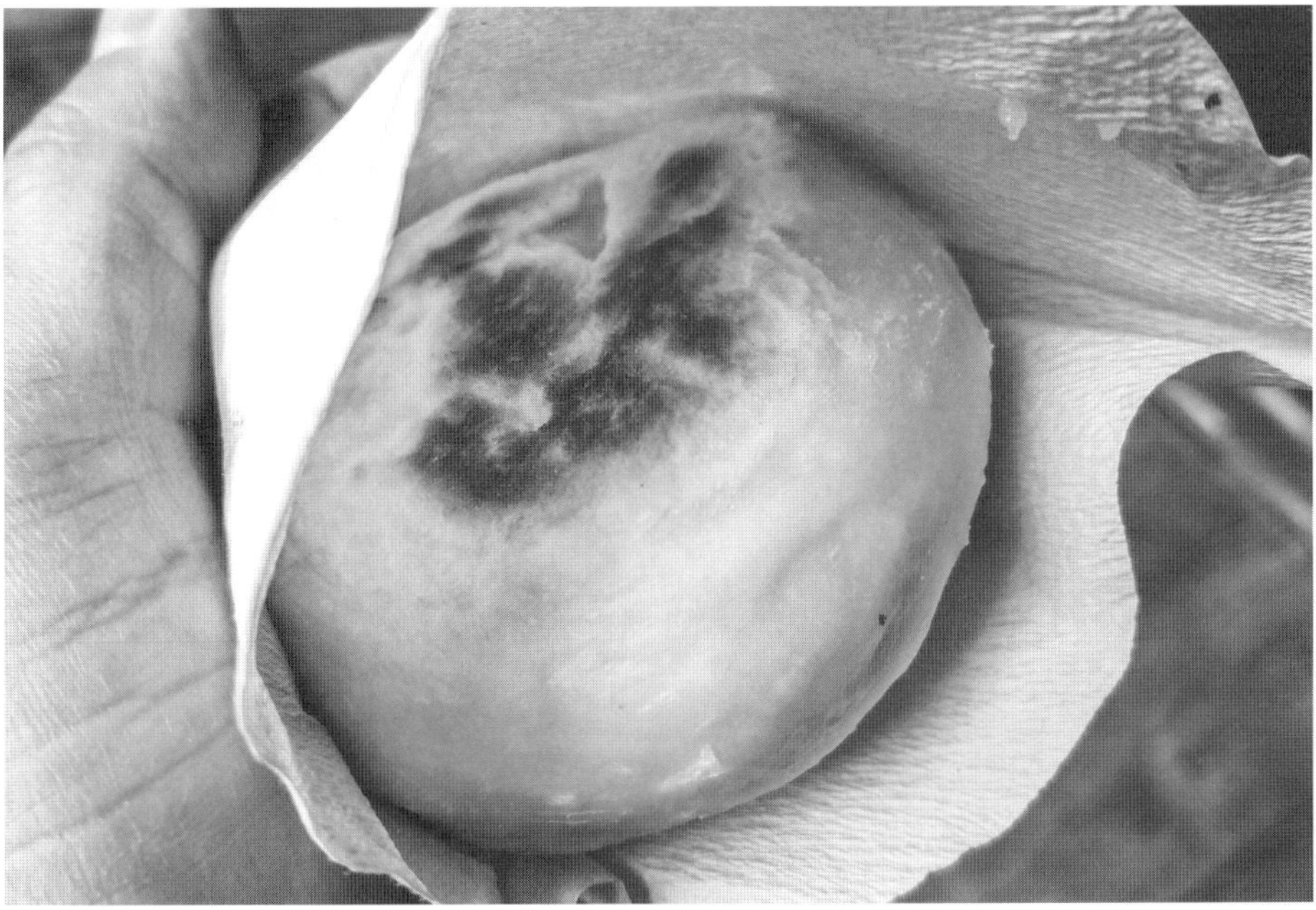

おやき。皮はそば粉。中身は、味が濃いめの野沢菜がいい

の名主を務めた。会津や山形、岩手辺りで見る曲屋とは違い、内部は武家が好んだ書院造りで、西の文化様式は上州はもとより関東でも珍しい。曲屋は敷地内にある稲荷神社の資料から天明5年（1785年）に竣工されたと推察されている。江戸時代には検地に来村した役人や賓客などが逗留したらしい。明治以降には、生糸で財を成し政治家をも輩出してきた名家で、現在は「南郷の曲屋」として市の重要文化財に指定されている。根利川を挟んだ向かいには日向南郷がある。日影南郷は広く平らな土地が広がり、大きな屋敷を建てやすい。ここは真田家の支配下にあった沼田城下から赤城山麓の北側をぐるりと回る、沼田往還と呼ばれる日光の裏街道にあたる。見学コースの最後には「しゃくなげの湯」から引かれた足湯があって、水車のきしむ音を聞きながら、やっぱり思い出すのは、今日イチ（今日一番の大物）というわけだ。

　根利川の遊漁券は沼田のフライショップ アングラーズ・パラダイス、セブン-イレブンであれば沼田インター店、戸鹿野店、片品須賀川店、群馬みなかみ店、老神温泉入口店、みなかみ布施店、上久屋店、沼田栄町店などで購入できる。

赤谷川と「姉山の家」

——川上潤司

こんな所に住まいがあるのだろうか？　ネット上の衛星画像とにらめっこしつつ、人里から距離を置く一軒家に目星を付けて実際に訪ねてみる、という人気テレビ番組があるが、何だか、そのワンシーンを再現しているような気がした。

関越自動車道を月夜野インターで下り、赤谷川に沿う国道17号を走る。やがて左手に見える人造湖を反時計回りにぐるりと半周ほどしてたどり着くのが猿ヶ京温泉だ。中心街をやり過ごした郵便局の先、「三国街道」とある標識を頼りに脇道に入ってしばし行くと、目的のそば屋が左手にあることを示す看板があった。

その案内どおりに来たつもりだが、川に掛かる橋を渡った辺りから、心細くなってきた。山をぐねぐねと上がる道は幅をぐっと狭め、対向車が来たらお手上げだ。源流釣りじゃあるまいし、これはやっぱり間違えたかな。Ｕターンできそうな場所があれば引き返そうとつぶやきながら、でも、そんな都合よく事が運ばないものだから、そろりそろりと車を走らせ続けた。するとやがて拍子抜けするように急に視界が開けて、目の前に大きな古民家が現れた。入り口に「姉山の家」とある。まさに山の中にポツンと存在するそば屋だ。

その日は、足腰が弱って家にこもりがちな義母を外に連れ出そうと、妻共々３人でのドライブだった。うわさに聞くおいしいそばを食べつつ、釣り場を新規開拓する下見ができれば、というのが私の魂胆である。

首尾よく最初の目的地に到着したはいいが、すぐには歩が進まなかった。その大きな建物の外観をよくよく眺めると、かつて養蚕を生業にしていたであろう古い農家のたたずまい。当然、バリアフリーなどにはなっていない。既に

姉山の家

群馬県利根郡みなかみ町
猿ヶ京温泉613
0278-66-0618

営業時間 11:00 ～ 15:00
定休日　水曜日

客室に使われている奥座敷から縁側越しに外が見える。足腰の弱い義母はここから入れてもらった。
建具は隅々まで掃除も手入れも行き届いているのが印象的。ここでは時間がゆっくりと進む

入り口すぐの土間には朝採りの野菜が並べられており、買うこともできる。奥には古い生活道具が
並べられた一角があり、一つひとつが興味深い。使い込まれた黒光りの美しさが際立つ

何組か入っている客の居場所から推察するに、土間から入って奥座敷へ進まなければならないようだ。ミスチョイスだったか……。

介添えしながら３人で立ち尽くす姿が目に映ったのか、店の女性が駆け寄ってきて、縁側から直接入ってはどうかと助言してくれた。奇麗に並んだ鉢植えの花をわざわざ横に移動させて案内してくれる一方で、中にいた先客が手を貸してくれて、義母はすんなりと卓に着くことができた。皆、なんて優しいんだろう。

「家族経営なもので、都合で急にお休みにして、お客さんに迷惑を掛けることもあるんですよ。開けている時ぐらいお力にならなくちゃ」

改めて正規の入り口をくぐって礼を述べた私に、先の女性がほほ笑みながら答えてくれた。上がりばなに座って、何やら手仕事をしているお婆さんが大女将で、切り盛りしているのが娘たちなのだろう。男衆は林道の手入れに出ているとのこと。土間には、朝採りの野菜や自家製の梅干しなどが並べられていた。

片隅には「山里を守ってくれた道具たち」というコーナーが設けられ、代々引き継いできた大鋸や背負子、糸車、各種の農機具などが並べられている。ちょっとした郷土資料館の趣だ。聞けば建物は築１５０年近くになるらしい。

上がりばなから奥に続く座敷が、客室になっている。畳敷きの広い空間に大きな座卓が八つ。最近はどこへ行ってもテーブル&チェアなので、あぐらをかいて食べるスタイルがかえって新鮮だ。品書きには、もりやとろろ、天ざるなどオーソドックスなものが並ぶ。ここのところ、もりそばばかりなので、自分なりの変化球として冷たいとろろそばを頼んだ。妻は、季節ものとして張り紙にあった温かいきのこそば。そして一品料理コーナーに目をやり、そばねじっこと揚げ茄子の味噌かけを追加した。食が細くなった義母は、我々のを少しつまむだけでいいという。

番茶と共に、先に出されたのは「おやき」とお新香。この地で焼き餅とも呼ばれるおやきは、いわば郷土料理の粉もの系スイーツなのだろうが、野沢菜なんかが入っている信州のそれとは方向性を異にする。作り方を尋ねようかと思ったけれど、次第に店内が混んできたので、はばかられた。ややもしてサイドメニューの、そばねじっこと茄子味噌が運ばれてきた。

　正体を知らずにオーダーしたのだが、そばがきに味噌や砂糖、白ごまを和えたものが、そばねじっこらしい。甘みの奥にそばの味が広がる。これは辛口の冷酒にとても合いそうだ。我が家は夫婦共に運転好きだが、共に正覚坊《しょうがくぼう》ゆえ、どちらか一方だけが飲むなんてことは許されない。品書きの左下に「日本酒（2合）550円」とあるのは先刻承知だったけれど、ぐっとこらえた。

　さて、メインのそばがやってきた。麺はコシが強めで、太さが不ぞろいなのは手打ちの証か。鰹出汁のつゆも上々だ。驚いたのは、とろろの粘り強さ。箸で持ち上げようとすると、卵の黄身も刻み海苔もまとったまま宙に浮きそうだ。当然、食べ応えがある。そう、この店は、総じて食べ応えがあるのだ。妻が注文した「きのこそば」もそうだった。自己増殖しているんじゃないかと思うほど、食べても食べても、ナメコやシメジが減らない。隣のご夫婦が注文した天ぷらもまた、器から大きくはみ出していて目を見張った。どうやら、客を歓待する気持ちが量に表れるらしい。丹精込められた一つひとつが極うまゆえに、つい食べ過ぎてしまうのが「姉山の家」だ。

　店までの往路、橋を渡るとすぐに急峻で細い山道に変貌したと書いたが、その橋の下を流れるのが「西川」だ。利根川水系に属する支流に赤谷川があり、さらにその支流という位置付けだ。三国峠辺りに端を発し、いくつかの沢が集まりながら相俣ダムの人造湖、赤谷湖の西側へと注ぐ。

　赤谷川（管轄は利根漁業協同組合）については、黒岩八景と呼ばれるエリアの前後を始め、湖より下流部には何度か足を運んだことがある。時期にもよるのだろうが、私が立ち寄ったのは雪代が落ち着いた後だったためか水量がかなり少なくて、いずれも貧果に終わった。そもそもの腕のせいというのが有力説とはいえ、ここではいったん棚に置いておく。そこでたまたま出会った地元の釣り師に、次回は西川や、湖から上の赤谷川（例えば川古温泉辺りなど）

私が注文した冷たいとろろそば。太さがまばらな手打ち麺は見た目とは裏腹につるっとした上品な歯触りだ

妻が注文した温かいきのこそばは、秋限定の季節メニュー。ねっとりとしたナメコやシメジが麺や汁と絡んで絶品だ。とにかく具だくさんで、客をもてなす気持ちが器からあふれ出ている

を狙ってみたらどうかといわれたのが頭から離れず、今回は前者を偵察しようと思っていたのである。

　そばを食べた帰り道、橋の脇に車を止め、ラバーブーツに履き替えて西川のほとりに降り立ってみた。落ち込みと瀬が繰り返す、いわゆる渓流域の景観だ。澄んだ水が滔々《とうとう》と流れていて釣りには申し分ない。ちょっと行くと、足元から番兵イワナが走ったかに見えた。初めての渓を目の前にした釣り人は、客観的な分析より期待値の方が上回って、脳裏に舞う魚影を現実に重ねてしまうらしいから、真偽のほどは定かではない。でも、あれは型こそ小ぶりだけど、きっとイワナだ。小一時間でいい、少しだけロッドを振ってみたい気持ちが湧き起こった。最低限の道具はいつも車のラゲッジルームに放り込んである。

　そんなセリフを上手く引き出せないか、あれこれ企みながら車に戻る。

――私たち、法師温泉辺りまでドライブしてくるから、その間、釣りでもしてたら？

「素晴らしい渓相だよ」

　と、感嘆符が三つくらい付く演技と共に、強めのテレパシーを送ってみた。映画『リバー・ランズ・スルー・イット』のブラッド・ピットのように、バックに伸びるラインの軌跡を目で追う自分の姿が一瞬見えた気がした。

　以心伝心で思いは伝わったようだ。しかし……、

「あ、ごめん！　車椅子を積む時に邪魔だったから、釣り竿は玄関の傘立てに置いてきたよ!?」

　淡い期待は露と消えた。そうだよな、予定外の釣りに興じたところで、ろくなことにならないよ。黄金色のイワナたちよ、待っていたまえ。釣り人は言い訳、いや、自分にとって都合のいいストーリーを紡ぐことに長けた、めでたい人種なのであった。

　猿ヶ京の温泉街に戻る道すがら、「いこいの湯」という看板が目に止まった。地元の人々が利用する公衆浴場という位置付けらしい。午前10時〜午後10時の営業で料金は大人３００円。外観もレトロだが、中をのぞいてもレトロだ。

従業員はおらず、券売機で買うチケットを木箱に入れて入館する。ロッカー、飲料の自動販売機、休憩用の小上がりと、館内は至ってシンプル。大きな湯船は源泉掛け流しでかなり熱そうだ。何しろ、一帯では無色透明で50度台半ばの源泉が沸々と湧き続けているという。釣りの後に汗を流すとしたら、個人的にはこんな場所が好みである。

その他、関所跡のすぐ横にある農家民宿の「はしば」、大衆演芸場も併設する「まんてん星の湯」など、温泉街ゆえに湯を楽しむ選択肢には事欠かない。ちなみに、かつて三国街道を行き来する人々が峠越えの疲れを癒やす宿場町として栄えたのが猿ヶ京だ。命名の由来をたどると、エピソードには戦国武将、上杉謙信も出てくる。江戸時代ににぎわったという一角は、昭和になってのダム建設で赤谷湖の底に沈んだ。

中山道や、そこから分岐する街道沿いを旅する時、往年の街並みや人々の営みに思いをはせるのもまた楽しいものである。帰宅後に、改めて地図を見直したり、歴史本で復習すると、決まって新たな発見がある。点と点がつながって、上州（＝群馬県）全体へと興味が広がる。次は法師温泉や川古温泉、はたまた湯宿温泉に足を延ばしてみようか……。そんな起点となるのが猿ヶ京だ。赤谷湖のほとりを抜け、国道17号を右手に川が沿うのを見ながら下って、しばらくすると湯宿温泉の交差点がある。そこを右に折れると、中之条方面へと抜ける道は何度か蛇行しながら急斜面を上がっていく。その先で空が急に広くなる所にあるのが「道の駅 たくみの里」だ。

３３０haという広大なエリアに観光案内所や売店に加え、竹細工や草木染、コンニャク作りなど体験型の工房がいくつも点在している。２０２０年のリニューアルを経た施設全体は、昔の宿場町をモダナイズしたような雰囲気だ。桑の木をくり抜いて作る急須や名入れもできる革製品など、個性あふれる店の数々を見るのは飽きない。釣行の土産はいつも地の農産物になってしまうという向きに、新風を吹き込んでくれることは間違いない。

「一日めぐるしかったけれど、また、ゆっくり来たいところね」

すっかり出不精になっていた義母は帰路の車の中で、そう呟いた。

赤谷川の遊漁券は沼田周辺の主要コンビニで購入可能。赤谷湖畔のボート乗り場にも取り扱いがある。

福寿庵

群馬県多野郡上野村
大字勝山 1095
0274-59-2267

営業時間 11:00 ～ 15:00
定休日　水曜日、木曜日
（1 月～ 3 月は不定休）

福寿庵
福寿庵本店
原材料費の高騰により、
4月1日より一部メニューの
料金を値上げいたします。
大変申し訳ございませんが、ご了承の程よろしくお願い申し上げます。
新型コロナウイルス感染拡大防止
のため席数を減らしております。
入店に関する注意事項
上野村漁協年券特
50円引き

神流川と「福寿庵」

――川上潤司

　群馬県の西南端に位置する上野村。県内どころか、島しょ部を除けば関東地方で最も人口が少ないという自治体は、周囲に１０００～２０００m級の山々が連なる典型的な山村集落で、中央には清冽《せいれつ》な神流川が流れる。

　幹線道路となる国道２９９号沿いにある「道の駅 上野」は、県内第1号の道の駅として１９９４年にオープンした、地元では息の長い観光拠点だ。２０１９年のリニューアルによってモダンに生まれ変わり、車、バイク、自転車など、この地を訪れる人々が一息入れるのに格好の場となっている。

　その道の駅から国道を挟んだ反対側の高台に「福寿庵」がある。初めて訪れたのは、随分前に「キャッチ・アンド・リリース・フォーラム」という上野村漁業協同組合が主催する交流イベントに参加した時のことだった。午前のプログラムが一段落してフリータイムとなった際、「昼は、やっぱりあそこですかね」と、フライフィッシング界の著名エキスパートを始め、この地を良く知る人々の満場一致で行き先が決まったのが印象的だった。それ以来、上野村に釣りに来る際は、時間繰りが許す限り、「福寿庵」に立ち寄るのが習慣となっている。

　そばの名店といえば、ひっそりたたずむ、趣のある和風家屋や職人気質で寡黙な店主……といったイメージがあるかもしれないが、「福寿庵」はその範疇《はんちょう》には属さない。雇用促進と産業振興を目的として２０００年に開業した店は、自治体でやり繰りしている、いわば村営のそば屋なのである。外観はといえば、店も広いし駐車場も広く、郊外で見る和食レストランっぽい雰囲気だ。

　だからといって、そばが大作りというわけではなく、むしろ逆で繊細だし、気合が入っている。上野村産を中心に、その時々で一番と思われる地場のそば粉を使用。入り口ののれん脇に「石挽蕎麦」とうたっているとおり、丁寧な手

上野村産を中心に据えつつ、出来のいい地場のそば粉で手打ちするそば。仕事の丁寧さが端々に見て取れる。道の駅の向かいということもあり、村営の店舗はいつも賑わっている

天ぷらの具材は季節によって異なるが、必ず入っているのが地元産のシイタケだ。「きのこセンター」で最新の栽培技術で生産されるそれは肉厚でジューシー。今や村の特産品である

作業によって挽き立てを手打ちしている。朝方には、窓越しにその様子を見ることもある。

もりそばが６５０円。麺はよく打ち込まれていて歯応えがある。出汁が効いているつゆは、やや甘めだろうか。メニューを見ると、天ぷら付きや五目ご飯付きなどがあって、空腹時は迷うこと必至だ。接客担当の女性たちにお薦めを尋ねると、いつも口をそろえたように「十石そば」と返ってくる。これは、マイタケの煮付けと地元産のシイタケが載ったかけそばで、冷、温のどちらも選べる。２度ほど食したけれど、確かにうまい。

マイタケやシイタケが推されているのは、山深い地域ならではということもあるし、今では栽培技術も発達して安定供給しやすくなったという背景もある。特にシイタケについては、村内に２０１５年に設立された「きのこセンター」の貢献が大きい。肉厚で香りが高く、刺し身（湯通しして氷水で締め、ワサビ醤油）でもいけるというシイタケは、今や村の特産品だ。

そばもサイドメニューも香り立ち、店にたどり着くまでの澄んだ空気や深々とした山の風景とのシナジー効果もあって、目の前に出された料理は量がやや多いかなという印象とは裏腹に、たちまちにして胃袋の中に消えることとなる。満足して会計を済ませ、常にテキパキと動き回っている女性陣に元気な声で送り出されると、「また来よう」という思いが毎度湧き上がるから不思議だ。

冒頭で、関東で最も人口の少ない村と触れたが、その数は１１００人余りで、約５７０世帯が暮らしている。こぢんまりとしたこの規模は「村民が全員知り合い」といっても過言ではないだろう。私も北海道の片田舎の出身なので実感するが、放っておけば若者は村を離れ、やがて限界集落となることが目に見えている。

そんな危機感を持っている自治体はチャレンジングだ。貪欲に情報収集し、外の声に耳を傾け、できそうなことはまずは実践してみる。卑近なところでは移住支援やふるさと納税に始まり、村民との交流を深める「田舎のしんせき村」制度や、木工後継者の育成を図る技術研修生受け入れ制度など挙げればきりがない。森林資源の地産地消を目指すバイオマス関連では、広葉樹林を25年サイクルで再利用すべくアクションを起こしている。旗印は「挑戦と自立の村」だ。

釣り場を管理する漁協も例外ではない。神流川は１９９９年という早期にＣ＆Ｒ区間を設けた先駆けの釣り場だ。実現までの課程においては、レジェンド故・西山徹氏も縁あって、積極的にアドバイスしたことが知られている。その延長線上では、フライとテンカラを対象とした完全予約制の毛鉤釣り専用区もできた。またオフ期には「ハコスチ」なるパワフルな遊漁用トラウトを目玉に冬季釣り場を展開。トライ・アンド・エラーを繰り返しながら、魅惑的で持続可能な釣り場を目指してきた神流川の知名度は既に全国区である。

首都圏のような人口密集エリアから日帰り釣行できる川は、必然的に釣り人のプレッシャーが高い。そんな地域に住むアングラーにとって、先行者との遭遇は慣れっことはいえ、できれば避けたいのが本音だ。普段の仕事だったら絶対にあり得ない早朝にぱっちり目を覚まし、渋滞が始まる前の高速道路をくぐり抜け、やっとたどり着いた林道ゲートに既に何台もの車が止まっているのを目の当たりにするとさすがに気分が萎える。ここぞというポイントで頭ハネされようものなら、なおのことだ。

そんな悩める民に福音をもたらしたのが「毛鉤釣り専用区」だ。事前予約することで区内にいくつかあるブロックの一つが割り当てられる。そこそこの距離がある渓を独占できるのだ。ルールは午前（９～13時）は予約ブロックのみ、それ以降は釣り上がりを基本に、どのブロックにもロッドを出せる。元々、人数が制限されているので、ストレスフリーの釣りが約束されるわけだ。

ヤマメ、イワナのコンディションもすこぶるいい。放流ものもいるが、自然再生しているネイティブも少なくないので、思わずうっとりする美形が目を楽しませてくれることもしばしばだ。渓相は、いわゆる山岳渓流が中心で、所々にあるプールではライズの釣りとなることもある。

もちろん、神流川の一般区間も十分に楽しめる。ヤマメやイワナを対象とするフライ、テンカラ、ルアー、エサ釣

上野村漁協は「毛ばり釣り専用区」を２カ所を設けている。本谷にある管理棟には「ヤマメたちにとってすみ良い環境は人間にとっても住み良いはずだ！」という故・西山徹氏の言葉が掲げられる

「川の駅 上野」の裏手に広がるエリアは通年のC＆R区間。期間限定で予約制を取り入れるなど様々な試みがなされている。豪快な引き味の遊漁用トラウト「ハコスチ」も人気だ

りの他、６月半ばからは鮎釣りもスタートする。常識に捕らわれず、様々な試みをいとわない漁協なので、これからも多彩なゾーンを設けながら発展していくことだろう。そうした活動を支えるのも釣り人の役割だ。なお、年券を購入すると、村内の多くの施設で割引サービスがあるのでお得感がある。年券が返礼されるふるさと納税があることも書き添えておこう。

釣りを堪能したなら、汗を流してリフレッシュしたいところ。お薦めは浜平温泉「しおじの湯」だ。浜平の鉱泉にはかつて、奥多野館という一軒宿があった。釣り人やサイクリストなど、知る人ぞ知るといった趣で、同志が集って情報交換する場として存在感を示していた。残念ながら１９９６年に廃湯。その名を冠して２００６年に村営として開業した日帰り温泉施設が「しおじの湯」である。泉質の説明文には、メタケイ酸を豊富に含み、飲泉できるとある。大浴場と露天風呂と構成はシンプルで、他に食事処や休憩室が用意される。

泊まりとなれば、「ヴィラせせらぎ」や「やまびこ荘」があるし、旅館や民宿もある。全長２２５ｍ高さ90ｍの大吊橋「スカイブリッジ」のほとりにあるキャンプ場やコテージで、星空を仰ぎながらくつろぐのも一考だ。

十石みそや木工品、猪豚、キノコ、山菜など地場の名物は多々あり、それらは前出の「道の駅 上野」だけでなく、西部エリアの観光拠点「川の駅 上野」などでも入手できる。川の駅は主に四つの建物からなる複合施設で、その中の「ふれあい館」に漁協が本拠を構えながら、全体の運営管理を担っている。遊漁券を購入したり、川の近況を聞いたりと、釣り人にとっては何かと世話になる要所だ。

ちなみに特産品の十石みそは、農地面積が少なくて稲作に適さない土地柄で暮らすかつての村民が、主食の麦を無駄なく使うために知恵を絞った伝統食である。麦麹《こうじ》を用いて、厳選した国産原料を昔ながらの手法で天然醸造しているのが特徴。ＪＡの工場の外壁にある「無添加手作り」の文字が誇らしげだ。道の駅には十石みそソフトクリームなんてのもある。

上野村を満喫した翌日は、十石峠かぶどう峠を越えて長野県に入り、千曲川水系なんかをのぞいてみようか、とトラウトバム諸氏の中にはそんな欲張りなプランを立てる人もいるだろう。しかし２０１９年の台風19号による災害で、２０２０年と２０２１年は、どちらの峠も通行止めだった。計画時には要確認だ。

上野村に滞在中、どの施設を訪れても心地良いのは、スタッフである地元の人々の気さくで温かい対応があるからだ。村一丸となったホスピタリティーを感じるといってもいい。地域が永続的に発展していくには、村のことをもっともっと知ってもらい、ひいては多くの人に気に入ってもらうことが礎になるという意識が高いのかもしれない。

小さな村に通底する、そうした波長が合うならば、誰しもファンになってしまうこと請け合いだ。神流川を訪れて、たまたまいい釣りを味わったならばことさらである。何を隠そう私もその一人である。一人、また一人と顔馴染みができると、さらに愛着が湧く。この好循環によって、「福寿庵」のそばの味もまたうま味が増すのである。

神流川の遊漁券はＦＩＳＨＰＡＳＳ（https://www.fishpass.co.jp/news/）や「川の駅 上野」などの観光拠点で取り扱っている。

新潟県

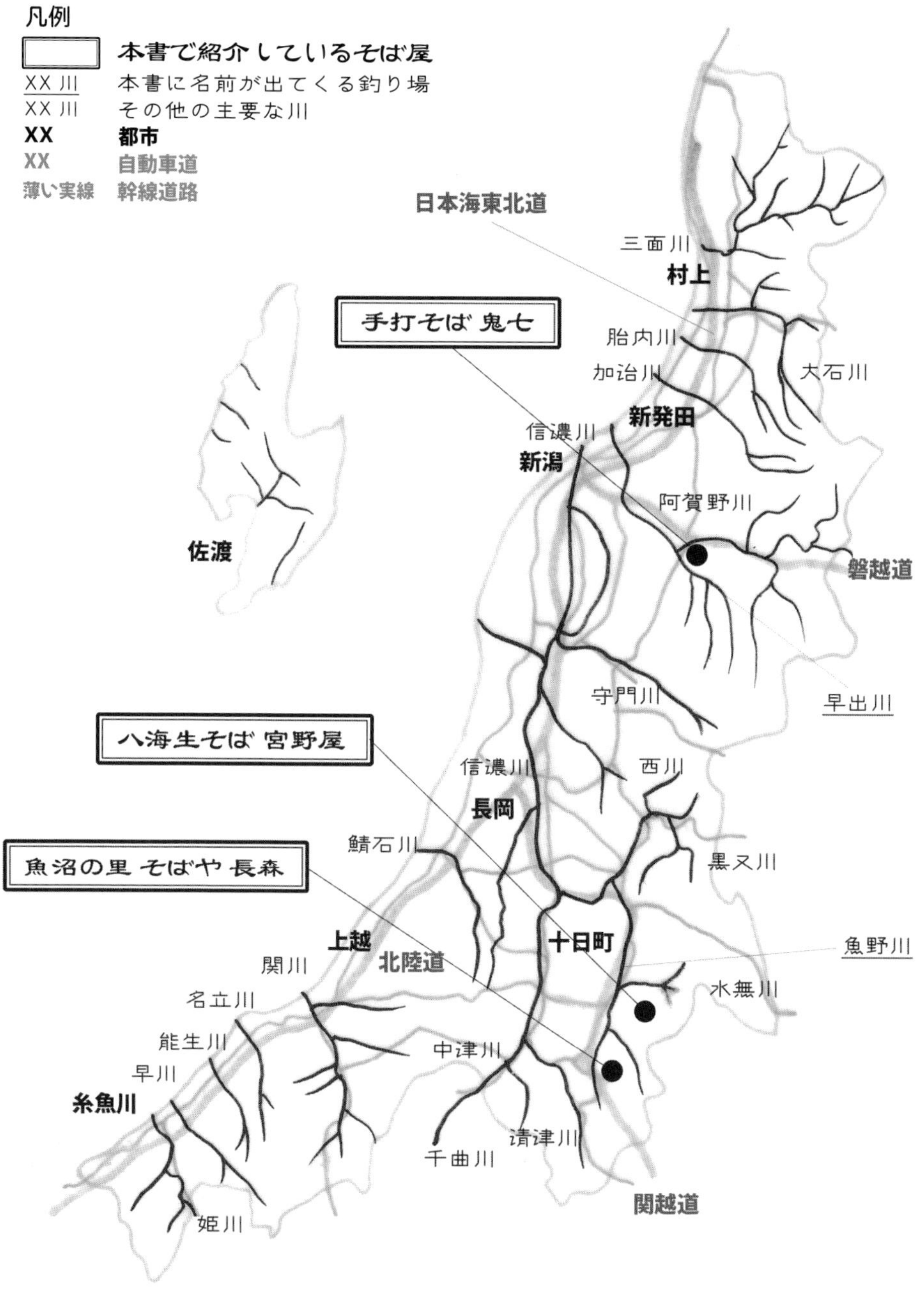
凡例
本書で紹介しているそば屋
XX川 本書に名前が出てくる釣り場
XX川 その他の主要な川
XX 都市
XX 自動車道
薄い実線 幹線道路
日本海東北道
三面川
村上
手打そば 鬼七
胎内川
加治川
大石川
新発田
信濃川
新潟
阿賀野川
佐渡
磐越道
守門川
早出川
八海生そば 宮野屋
信濃川
西川
長岡
鯖石川
黒又川
魚沼の里 そばや 長森
上越
北陸道
十日町
魚野川
関川
水無川
名立川
能生川
中津川
早川
糸魚川
清津川
千曲川
関越道
姫川

営業中

魚沼の里 そば屋 長森

新潟県南魚沼市
長森 415-23
025-775-3887

営業時間 月〜金・祝 11:00 〜 15:00
土日　11:00 〜 17:00
定休日　元旦のみ
そばがなくなり次第終了

魚野川本流と「魚沼の里 そばや長森」

——大野敏男

「雪代イワナ」を知っているだろうか？　雪解けの季節に、雪代を遡ってくる大イワナのことである。魚沼産コシヒカリで知られる魚野川の本流には、そんな雪代イワナがいる。魚野川の源頭は群馬と新潟の県境がある上越山地。数多くの遭難事故で知られる谷川岳が聳《そび》える豪雪地帯である。春ともなれば、雪代と呼ばれる青白い雪解け水で、流域の水量が2倍3倍と膨れ上がる。そんな増水が始まった3月から4月に掛けて、大イワナが堂々と魚野川を遡る。私は解禁直後のタイミングを狙って繰り出す。雪代初期はまだ濁りも少なく、水量もそれほど多くない。しかしゴールデンウイーク前後ともなると、本格的な増水で川に近づくこと自体が危険な状態となる。

この時期に魚野川本流を泳いでいるイワナは40㎝以上が珍しくなく、大物ともなれば60㎝を超える。大イワナといっても、海を往来する北海道のアメマスとは違い、川に居着きのイワナである。この大イワナを、釣り人は敬意と憧れの思いを込めて雪代イワナと呼んでいるのだ。雪代イワナは広大な魚野川の流域にあっても、それほどの数がいるわけではない。生態系については、まだまだ謎の部分が多く、雪代が収まるにつれて不思議なことに姿が見えなくなる（釣れなくなる）。初夏、たまに上流域で釣れた話を聞くこともあるが、まれなことである。どこへ行ってしまうのだろう。不思議だ。

私は高速を利用せずに、国道17号で三国峠を越えていくが、群馬側では春を感じさせた陽気が、三国トンネルを抜けると、吹雪に変わっていることもある。まさしく「国境の長いトンネルを抜けると雪国であった」の世界だ。道路状況を考慮した万全な装備の他、川までのアプローチにも特別な装備が必要となる。生活道路以外の除雪はなく、魚

雪代イワナを狙って巻いたストリーマーは、アクアマリーン・グリーンのアレンジバージョン

外道と呼ぶには忍びない９寸ヤマメ。本命ではないから複雑な心境だった

魚野川の３月はまだ雪国の真っ只中である。歩くにはかなりの体力が必要ではあるが、上越や越後の美しい山々を眺めながらの釣りは楽しい

野川の土手も、河原もまだ雪原状態だ。毎年流れが変わるので、シーズン初めはポイント探しで歩き回ることが多くなる。早朝なら雪が締まって歩きやすいこともあるが、新雪の直後となると股下くらいまで潜る。さらに、早朝は締まって歩きやすかった雪上も、日中は汗ばむような気温になって、雪が緩み、帰路は膝や股下まで潜ってしまう。解禁直後の運動不足もあって、行きはよいよい、帰りはつらい、状態となる。潜る雪の中を30m歩いては休み、また30m歩いては休んでしまう。ここでは冬山経験は何の役にも立たない。

そこである年に、スノーシューとストックを準備してアプローチしたら、劇的に改善した。土手や河原の雪原を、魚沼のシンボルである越後三山や、山容の大きい巻機《まきはた》山など、純白の山々を眺めながらのスノーシューハイクは思いの外、楽しい。時には地元のカジカ捕りのオジさんから、冬の間の雪や川の様子を聞くのも、また楽しい。

しかし、雪代イワナはそう簡単には釣れない。釣れないから、また行ってしまう。通えば通うほどハマってしまう、そんな魚釣りの王道的な魅力がある。で、せっかく来たのだから、もう1日だけとなる。これもまた釣りの王道である。

この時期の早朝の外気は零度前後。車中泊に問題のある気温ではない。ペットボトルへ沸かしたお湯を入れて、ソックスを履かせれば、即席の湯たんぽになる。昔、遠征したアラスカの山でもシュラフの足先や股下に即席湯たんぽを入れて寝たが、マイナス30度でも快適な夜を過ごすことができた。

しかし、2日目になっても釣れない。外道で9寸超えのヤマメを釣っても、まるで物足りない。そこで、当然のように「もー、全然釣れないから、そばでも食べに行くかぁ」となるわけだ。

越後三山の一つ、八海山の麓に「長森」はある。銘酒「八海山」で知られる八海醸造直営のそば屋である。南魚野を見下ろす小高い丘に建ち、旧家の一部を移築した古民家風のたたずまいが美しい。

頭を下げてくぐり戸を入ると、まず板の間と囲炉裏が眼に入ってくる。その奥には天井の高い開放的な大広間。ガラス戸から外を眺めることができる廊下の席がイチオシ。

そば粉は北海道産のキタワセ。ちなみにキタワセは同じ北海道産の牡丹そばから派生した新品種である。ワセ（早生）の名のとおり、早期の収穫が可能であることから主流品種となり、現在では北海道の作付面積の9割以上がキタワセである。風味が強く、香りと食感のバランスが取れているのが特徴で、黒っぽい田舎そばにぴったりのそばだ。

水は「雷電様の清水」を使って打つ。「雷電様の清水」とは、高倉山の麓にある巨岩から湧出する超軟水の清水だ。近くにトチの大樹があり、繰り返し雷に打たれたため、雷電様を祭ったところ、それ以後、落雷の被害がなくなったと伝えられる。「雷電様の清水」は八海山からの伏流水であり、銘酒「八海山」の仕込み水でもある。おいしい酒やそばに欠かせない水源なのだ。

「長森」の冷たいそばは3種あり、初めてだと迷ってしまうかもしれない。魚沼地方のそばは、つなぎとして「布海苔」や「オヤマボクチ」を使うのが一般的である。「もりそば」は江戸前の細打ちで、のど越しのよい二八そば。「田舎そば」は挽きぐるみに、つなぎの布海苔を使った、コシの強い太目の魚沼らしいそば。「十割そば」はそば粉十割で風味と歯応えが強い太打ちそば。どれもおいしくて、いつも行く度に迷いに迷う。

さらに、そばつゆも2種類あり、辛めの「江戸前」と甘めの「田舎風」から選ぶ。どちらとも試してみたければ、二つとも頼むことができる。無料である。私は「十割そば」を、風味に負けないコクがある「江戸前」のそばつゆで食べることが多い。ワサビの風味がそばを一層引き立ててくれるから、ワサビのお代わりをすることも多い。

シーズンに1度の訪問では足らない。魚野川への釣行時には、気が付けば車は「長森」へ向かっている。そばだけでは腹持ちしないという人には、ニシンの山椒漬けと単品ご飯がお薦めだ。ニシンの山椒漬けが、会津から奥只見を越えて、上越までやって来た想像が楽しい。本場のコシヒカリは、そば汁とご飯だけ食べてもおいしい。魚沼ではどの食堂でもラーメン店でも、「ライス」は間違いなく、おいしいことになっているのだ。食べる度に、さすが魚沼の米はおいしいと再認識しないではいられない。

この日は十割そばと江戸前汁をチョイスした。そば粉十割の風味、歯応え、のど越しの３拍子がそろった味わいだ

旧家を移築した「長森」の中は、雪国らしく梁も柱も立派である。天井も高く、店内は広々として明るい。お好きな席へどうぞ！

廊下席は外を眺められる特等席。春は雪景色や桜、夏は新緑と青空、秋はそば畑に咲く白い花と紅葉。そばを食べながら季節ごとの風景を楽しめる

そば湯を飲みながら、ガラス戸から春には桜、初夏は青空と木々の緑、初秋にはそばの花を眺める。「長森」の店内には、とてもゆったりとした時間が流れている。そば屋としては構えも大きく、スタッフも多いが、いつ訪問してもその対応に感心する。ロケーション、店構え、サービス、そして肝心のそば、そのすべてに手抜きがない。私の中ではトップ・ランクの1軒である。

がつがつと釣りをして、そばが食べられなかった時は、新潟ならではの「へぎそば」を買って帰るのもいいだろう。「道の駅 南魚沼 雪あかり」なら種類も豊富だし、また米どころならではの銘酒、そして最高級米「塩沢産コシヒカリ」が手に入る。日本全国のコシヒカリの生産量は７５０万t前後らしいが、その中でも最高級とされる塩沢産は1万t。たったの０・1％強である。水が豊かな所は、米も酒もそばもおいしいのである。

雪代イワナを狙う季節は、太陽が西側の山に隠れてしまうと急激に冷えてくる。暗くなる前に、道脇でフキノトウを見つけて土産にしよう。そして国道17号に面した「湯らりあ」に立ち寄って、冷えた体を温めて帰る。六日町温泉の公衆浴場「湯らりあ」は源泉掛け流し。ナトリウム、塩化物温泉（低張性弱アルカリ性高温泉）の、ちょっと熱めの天然温泉だ。

あるいは越後湯沢まで戻ってからでも、駅の近くに単純硫黄泉の湯元共同浴場「山の湯」、そして塩化物泉の下湯沢共同浴場「駒子の湯」（川端康成作『雪国』に登場する駒子にちなんで名付けられた共同浴場）がある。スキー客や観光客が多いだけに、なかなか充実している。ぽかぽかに温まった私は、雪代イワナへのリベンジを誓って、三国峠を越えて帰るのである。

魚野川水系の遊漁券はつりチケ（https://www.tsuritickets.com）で。

ふきのとう。誰もが知る春の山菜。家族には、やはり天ぷらが好評なので、釣りの帰りに見つかれば、頃合いのつぼみを採る。春は爪に泥が入った手で運転することもしばしばだ

八海山大崎口
宮野屋

八海生そば 宮野屋

新潟県南魚沼市
大崎八海山大崎沢口 3742
025-779-2145

営業時間 11:00 ～売り切れ
定休日　木曜日

魚野川支流群と「八海生そば宮野屋」

――関根信太郎

日本一の長さを誇る信濃川の代表的な一次支流である魚野川は、イオ（魚、新潟県では特にサケを指す）の川が語源であるという説もあるほど、今でもサケやサクラマスが遡る川である。魚野川には10を超える二次支流が流れ込み、最も長い支流である破間川《あぶるまがわ》は、延長40㎞近くに及ぶ。他にも延長10㎞を超える支流が5本も流れ込んでいて、それぞれにイワナ（ニッコウイワナ）やヤマメ、アユ、カジカ、ウグイなどがいる。もちろん魚野川本流には大型のイワナやヤマメ、ニジマスなどがいて、関東や中部、北陸の釣り人がひっきりなしにやって来る。

特に、3月1日の解禁から雪代が収まるゴールデンウィーク開けまで釣り人を魅了するのが、「雪代イワナ」と呼ばれる大型のイワナで（前項「魚野川本流と「魚沼の里 そばや 長森」に詳しい）、この時期はダブルハンドのフライフィッシャーやルアーアングラー、餌釣り師らが目の色を変えている。30㎝後半から40㎝前後がアベレージで、50㎝超が年に数匹、60㎝を超える超大物も数年に1度釣られている。また、本流狙いの釣り人を魅了するもう一つの魚がニジマスだ。元々は放流ものではあるが、魚野川で大きく育ち、ワイルドレインボーと呼ぶにふさわしいヒレピンの60㎝オーバーが釣れる川として、魚野川の名を全国に知らしめている。そして夏以降は、ニジマスに加えて居着きや戻りの大ヤマメが狙えるようになる。イワナやニジマスはダブルハンドに分があるが、ヤマメの時期は水量も減り、シングルハンドのウェットでも釣りになる。

支流に目を移すと、そこはイワナとヤマメの楽園。半日も歩けば二桁は普通に釣れ、場合によっては二つ抜けや三つ抜け（かつて渓流師たちは20匹、30匹をそう呼んだ）で最後には飽きてしまうこともあるほど。尺を超える大ヤマメは少ないが、尺イワナは珍しくなく、時に35㎝を超えるイワナも釣れる。遊漁券は決して安価とはいいがたいが、

GW 明けのベストシーズンに魚野川の支流で釣れた、尺を優に超えるイワナ。この時期は、日が高く昇ってから雪代が出るまでの２時間ほどが、ドライフライの短いプライムタイムだ

下流域で釣れた７月の尺イワナ。場所柄、放流魚と思われるが、ヒレはきれいで３番ロッドを満月にしてくれた。この時期にはうれしい昼間の１匹

これだけの釣果を約束してくれる放流量を維持するには、仕方ないことなのかもしれない。

魚野川が流れる魚沼、南魚沼地区は山岳信仰が盛んな場所でもある。特に八海山、駒ヶ岳、中岳のいわゆる「越後三山」は霊山としてあがめられ、古くから山伏の修行の場とされてきた。その一つ、八海山は弘法大師が頂上で密法修行をしたと伝えられ、その麓、大崎口登山道の入り口にある八海山尊神社の境内では、今でも地域の人々によって山伏の修行であった火渡祭や夏山登拝、大寒の滝行が行われている（令和3年のこれら行事は、コロナ禍の影響で関係者のみで開催された）。

また、境内の一角には手水舎《てみずや》があるが、これは八海山二合目半にある金剛霊泉の清水を分水したもので、新潟県名水にも指定されており、地域の人々がくんでいく姿が見られる。なお、八海山尊神社では、出雲大社や弥彦神社と同様、二礼四拍手一礼が正式な参拝方法である。

その八海山尊神社の奥、大崎口登山道との間にあり、山伏の食事の場、宿泊所として、店主の曾祖父が約１００年前に開業したのが、今回紹介する「八海生そば　宮野屋」である。かつては現在の位置よりも登山口寄りにあったそうだが、47年前に現在の場所に移転したということだ。

のれんをくぐってガラス戸を開けると、上がりかまちがあり、正面のレジの奥には、かつて使われていた大きな一枚板の掛け看板が見える。客席は４人掛けの座卓が６卓と、椅子卓が2卓。また、混雑時の利用や大人数での宴会も可能な2階席もある。

座卓に座ると、まずそば茶と小鉢の先付けが出てきた。今回の取材時は、小鉢にはミョウガとキュウリの酢の物、ミニトマト、そうめんカボチャ（金糸瓜）の酢の物が載っていた。先付けをつまみながら、そば茶をすすっていると、間もなく注文したざるそばが運ばれてきた。ちなみに、ここのざるそばには海苔が掛かっていない。一般的に呼ばれる「もりそば」である。新そばの時期は、香りを楽しみたいから、メニューにざるそばしかないとがっかりするが、ここでは心配無用だ。

つやがあり、見るからにコシがあって、のど越しが良さそうな、「宮野屋」のざるそば。期待にたがわず、つるつるとのどに入っていく

地元の野菜を使った、季節ごとの先付けも手が込んでいて、仕事に丁寧さが感じられる。山菜の時期にも訪れてみたい

開店後47年もたっているとは思ほど奇麗な店内だ。磨き込まれた柱や机のつやが歴史を感じさせる

曾祖父が100年前に始めた「宮野屋」を継いだ４代目の店主、米山さん。７歳の時に初めてそばを打ったという。うまいそばの種類、挽き方、打ち方を追求し続ける、若き情熱家である

そばは小千谷や津南の粉を主体に、店主自身で栽培しているそばも使っている。割合は二八と一般的だが、ここのそばの特徴は、つなぎに海藻の布海苔と、オヤマボクチ（アザミの一種で、一般にヤマゴボウと呼ばれる山菜）を使っていることだろう。つなぎに布海苔を使うというと、同じ新潟のへぎそばを思い出す人が多いだろう。ツルツルしていてのど越しを楽しむのに適しているつなぎだ。一方オヤマボクチは信州で使われることが多い。そば粉をまとめやすく、強いコシが出ながらも、小麦粉のように匂わないので、本来のそばの香りを邪魔しない。この2種類のつなぎを使った「宮野屋」のそばには、その狙いどおりの香りとのど越しがある。

つゆはやや濃く、香りは一般的な鰹出汁とは異なる。カタクチイワシの煮干しで出汁を取っているからだ。この付近は、今でこそ、日本一おいしいといわれるコシヒカリの栽培や、スキーやスノーボードを始めとするアウトドア客でにぎわっているが、かつては貧しい山村であった。そのうえ、鰹の産地から遠いこともあって鰹節が手に入りにくかったため、出汁には煮干しを使うのが一般的だったのである。そばにしてもつゆにしても、開店からの約１００年間、ほとんど変えていないということで、地域の歴史を感じさせるそばとなっている。

なお「宮野屋」では、周辺で採れる山菜も魅力の一つで、天ぷらやお浸しなどが楽しめる。昨今は保存方法も発達し、ほぼ1年中山菜が食べられるのがうれしい。そば湯は、少しそば粉を溶いた濃いめのもの。濃いめのつゆとのマッチングが良く、お腹いっぱいになった。ごちそうさま。

「宮野屋」から近い釣り場といえば、北から、佐梨川水系、水無川、宇田沢川、三国川《さぐりがわ》が挙げられる。いずれも魚野川の支流で、雪代が出る前と終わった後が主なシーズンとなるが、早期はドライフライでは厳しい。佐梨川水系は主にイワナ、水無川はイワナ、中下流域では時にニジマスとヤマメ。宇田沢川と三国川はヤマメとイワナがフライフィッシングの対象となる。いずれの川も、下流域が放流魚、上流域が天然魚や野生魚が多い水域となっている。川幅も水生昆虫も違うので、それぞれ釣り方もタックルも変える必要がある。水無川の頭首工《とうしゅこう》より下流域は川幅も広く、初心者でも釣りやすい。長めのロッドが十分振れるが、人が入りやすいためイワナがスレているので、ティペットは太くしない方がいい。フライはハッチに合わせて選択することになるが、やはり人が多いために、小さめの方がいい結果が出ることが多い。雪代が終わる5月から7月ぐらいまで、主に放流のイワナが釣れるが、ヒレは奇麗で引きも強く、バカにできない。宇田沢川、三国川、佐梨川支流の折立又川も川沿いに道があり、頭上が開けている所が多いので釣りやすい。宇田沢川では釣りであまりいい思いをしたことはないものの、景色は抜群である。水無川上流域や三国川ダム上は6月以降がフライフィッシングのシーズンで、良型のイワナが釣れる。

魚野川周辺では、温泉に事欠かない。日帰り温泉施設だけでも、六日町の「湯らりあ」、三国川にほど近い「さくり温泉」、小出の「見晴らしの湯 こまみ」、湯之谷の「ゆ～パーク薬師」、大湯の「ユピオ」などがあり、日帰り入浴ができる旅館やホテルを入れると数え切れない。泉質も、アルカリ性単純温泉、中性単純温泉、単純硫黄泉、単純放射能泉（ラジウム温泉）などとバラエティに富んでいる。せっかく温泉に入るのだから、ここは混雑する日帰り温泉施設ではなく、源泉掛け流しで、かつ空いている旅館などでゆっくり汗を流したいところ。お薦めは、三国川の近くにある「五十沢温泉元湯」（11時～19時）だ。ここは五十沢温泉の源泉で、有名な「ゆもとかん」や、さくり温泉のお湯はここから引いている。泉質はアルカリ性単純温泉で、やや硫黄臭がある。源泉は50・3度。湯船は岩風呂で決して大きくはないが、もちろん加温、加水、循環なしの本物の源泉掛け流しである。宿の女将も人当たりが良く、心の底からゆったりできる温泉だ。現在は素泊まりのみの宿泊が可能で、三国川の釣りには最適だ。魚沼地区には他にもいい温泉がたくさんあるので、好みの温泉を探してみるのも一興である。

自分が好きだからか、土産といえば、やはり日本酒となってしまう。有名どころでは、八海山（八海山醸造）、鶴齢（青木酒造）、緑川（緑川酒造）、高千代（高千代酒造）あたり。それぞれの酒造を訪ねるのも風情があっていいが、酒屋や道の駅で見比べながら選ぶのも楽しい。

「宮野屋」から約13㎞、15分ほどと少し離れているが、関越道小出ICの少し先に「道の駅 深雪の里」がある。ここでは八海山、鶴齢、緑川それぞれを数銘柄ずつ、特に八海山は10銘柄以上を取りそろえていて、目移りしてしまうから困る。また、新潟限定ビールや地ビール、地ワインなども置いてある。漬け物や栃尾の油揚げ、菓子類など、一般的な中越のお土産はもちろんあるし、燕三条も近いためか刃物専門店が出店しているのも面白い。大きめの道の駅だけあって、食堂や農産物直売所も併設されており、取材当日は直売所にスイカがたくさん並んでいた。

この地域は冬に首都圏からスキー、スノーボードのお客さんがやって来るので、宿泊には事欠かない。有名旅館に泊まるもよし、ペンションや民宿に泊まるもよし。キャンプなら、「宮野屋」の裏手の「大崎ダム公園キャンプ場」、三国ダムの下にある「わらびのオートキャンプ場」、佐梨川の「越後三山森林公園キャンプ場」（雪のため6月以降オープン、無料）など。各河川の河川敷に車中泊ができる公園や駐車場がある場合もあり、水無川の上流域へ行くなら舗装道路の行き止まり、千之沢小屋の駐車場で仮眠程度ならできるだろう。

魚野川本流と支流ほぼ全域を網羅する魚沼漁協の遊漁券は、ネット（つりチケ）とコンビニで購入できる。

手打そば
鬼七

手打そば 鬼七

新潟県五泉市
赤海 1-4-27
0250-42-5834

営業時間
11:30 ～ 14:30
18:00 ～ 20:30
定休日 月曜日、第４火曜日
祝日は営業、祝翌日は休業

のれんに書かれた「鬼七」のシンボルマークは、実は店主の似顔絵だとか。聞いた時、つい吹き出してしまったほど似ている。店名は名前の喜七をもじったもの

早出川と「手打そば鬼七《きしち》」

関根信太郎

新潟市から会津若松に抜ける国道49号線は越後街道とも呼ばれ、新潟県内では磐越自動車道と並行している。かつては会津と新潟を結ぶ街道であったが、現在はいわき市まで延び、日本海側と太平洋側をつなぐ重要な路線となっている。

その49号線と並行して流れるのが阿賀野川。南会津に源流を持つ阿賀川が新潟県に入ると阿賀野川と名を変え、新潟市の北の端で海に注ぐ。江戸時代までは河口付近で信濃川に合流しており、山から土砂を運んで信濃川と共に越後平野を形作った立役者である。また、明治時代までは会津と新潟を結ぶ水運が盛んで、長さ23ｍの大揚川船《おおあがわぶね》と呼ばれる帆船が、行きは会津から米を新潟へ運び、帰りは新潟から塩を会津に運んだという。会津側の玄関口として栄えた港が、新潟県阿賀町に津川河港跡として今も残っている。当時はここに１５０隻ほどの船が出入りして、大勢の人夫でにぎわい、近くには番所、米、塩等の蔵や物産問屋が立ち並んでいたという。現在は古い町並みに一部を残すだけで、阿賀野川も頭首工やダムで分断されてしまい、行き来はできないが、遊覧船の川下りで当時の名残を楽しむことはできる。

阿賀野川は福島県と栃木県の県境である荒海山に源を発する、流域面積７７００平方㎞を超える大河川である。尾瀬から流れ出る伊南川は只見町で只見川と合流し、奥只見湖から流れ出るその只見川も田子倉湖を通って山都で合流する。その阿賀野川の新潟県内最大の支流である早出川が合流する五泉市に「手打そば 鬼七」がある。

春先、イワナが水面に興味を示すのは11時過ぎからだと勝手に思っている。そこで川に立つ前にそば屋へ寄ることも少なくない。「鬼七」は川まで少し距離があるが、釣りの前に腹ごしらえをするにはちょうどいい距離だ。夜も18

時から21時まで営業しているので、釣り終わった後に立ち寄ることもある。

県道４３６号線から狭い住宅街の路地に入り、少し行くと左に広い駐車場がある「鬼七」が見えてくる。門を入って、のれんをくぐると、奥が厨房だ。靴を脱いで左へ行くと客席である。席は４人掛けの椅子席が3席と４人掛けの座卓が5卓。この店は店主が開店以来、21年間掛けて作り上げてきた日本庭園が素晴らしいので、なるべく庭が正面に見える座卓を選びたい。特に5、6月の青葉の時期と、禁漁期ではあるが紅葉の10月頃、そして雪景色が見られる真冬の庭園は、わざわざ見に来るだけの価値がある。

夜の営業もあるためかメニューは豊富で、冷たいそばと温かいそばが数種類ずつ、冷たいそばにはぶっかけもある。住宅街なので、夜、酒を飲みに来る人もいるのだろう、ビール、日本酒に、焼酎はそば、麦、芋とそろっている。また玉子焼きやそばがきなど、一品料理も充実している。冷たいそばは田舎と更科の2種類が選べるので、私は田舎を選ぶことが多い。田舎といっても、真っ黒で太いそばではなく、殻が適度に混ざった二八の細いそば。香り高く、そばのしっかりした味が楽しめる田舎そばだ。そば粉は店主の修行先、北海道から4種類を取り寄せて、そばに合わせた配合で使っているということだ。また天ぷらは衣が薄く、カラッと揚がっていておいしいので、時々注文する。春にはフキノトウなどの山菜天ぷらが入るのも、季節感があってうれしい。

取材当日は、これまであまり食べたことのなかった更科を注文した。しばらくして出てきたのは、更科の割には若干色が濃いそばだった。店主に聞くと、香りを高めるために、更科粉だけでなく通常のそば粉も少し混ぜているそうだ。そのおかげで、のど越しと共に甘みや香りも楽しめる更科になっている。つゆは枯節、鯖節、宗田節を、出汁を取る直前に削って、かえしと合わせているとのこと。修業先の親方につゆの大切さを叩き込まれたそうで、出汁の香りも良く、細いそばに良く合うつゆだと思う。そばの量は多めだが、のど越しがいいのであっという間に食べてしまった。そば湯は少し白濁した濃いめのもので、タイミングを見計らって出してくれる。うまいつゆに、熱いそば湯がうれしい。ごちそうさま。

更科ながらも、やや色の付いた鬼七のそば。そばの甘みを強く感じる。そば殻が適度に混ざった香ばしい田舎そばと、どちらにするか迷ってしまう

北海道でそば修行をしたという店主の樋口さん。そば自体が大事なのは当然だが、おいしく食べるためには、つゆが重要だと力説した

「鬼七」にほど近い早出川の本流、支流で釣りができる。本流は県道17号線をひたすら南下し、「鬼七」から10㎞少々行った、東光院辺りから上流が釣り場である。イワナが主体でヤマメが混じる。県道沿いでどこからでも入脱渓には困らないが、その分スレるのが早いのは仕方ない。そのまま早出川ダムに向かうと、衣岩の上流辺りから川が道から離れ、高低差もあるので脱渓が難しくなる。その辺りまで釣り上がったら、支流に移動した方がいいだろう。この区間はふれあい公園以外には駐車できる場所が少ない。道路脇や橋のたもとにある空き地に、交通の邪魔にならないように気を付けて止めよう。ダム上は道路がなく、山岳渓流をへつり、高巻きで遡行しなければならない。渓で1泊して上流部へ行くと大イワナが釣れるらしいが、行ったことはない。

支流では仙見川と杉川だろう。仙見川は、新潟県では珍しくアマゴが釣れる川として知られているが、もちろん自然分布ではなく、かつて漁協が放流したアマゴが数十年間にわたって世代交代を繰り返し、定着しているものである。釣り場は夏針集落上流の早出川キャンプ場辺りからで、一部を除いて川幅が10ｍ程度と広く、頭上も開けている。林道を上って、杉川方面に抜ける道と別れる辺りが門原。その下流1㎞近くはゴルジュになっていて遡行が難しいので、壺滝辺りで一度脱渓するのがいいだろう。門原を右に入って少し行くと橋がある。この辺りもいい釣り場で、橋上の深みにアマゴやイワナが浮いているのをよく見る。ここから上流はゴルジュとなり、へつり、高巻き、時には泳ぐことが必至なので、楽に釣りができるのはこの辺りまでだ。橋を渡って1㎞ほどの車止めに車を置いて遡行を続けるとイワナがよく釣れるらしいが、遡行が困難な上、夏場はヒルやアブが猛烈なので、十分に対策して入渓するべきだろう。

仙見川の上流で早出川に合流するのが杉川。ここは主にイワナの川で、合流から５００ｍぐらい上流からが釣り場。途中、堰堤が1カ所あるだけで、増水時以外は特に難所もなく、市営のキャンプ場「チャレンジランド杉川」までが一般的な釣り場である。車でチャレンジランドを抜け、８００ｍほどで車止めに突き当たり、ここから山道を1時間ほど歩くと上流域の釣り場となる（らしい）が、行ったことがない。仙見川と同様、ヒル、アブが多い（らしい）。

仙見川の車止め上流部。膝を痛めている私には遡行が困難なので、ドローンでパシャリ

小さいイワナは表情がかわいい。大きくなってからまたね、と願ってリリースするが、願いが叶えられたことは、ほとんどない

これまで紹介した釣り場は、いずれも上空がほぼ開けていてロッドが振りやすいので長めのものまで使える。基本はブラインドのたたき上がりの釣りなので、フライも#12~14ぐらいの大きめのものがいいだろう。

「鬼七」から車で10分ほど、早出川の近くに日帰り温泉施設「さくらんど温泉」がある。泉質はナトリウム、塩化物温泉、源泉温度は38・7度と低めなので、大浴場と露天風呂は加温、循環しているが、小さめながら源泉掛け流しの浴槽もある。午後5時半以降は料金が安くなる。ここも悪くはないのだが、お薦めは咲花温泉。「鬼七」から車で15分ほど、かつ今回紹介した川とは別方向に走らなければならないが、エメラルドグリーンのお湯で泉質は抜群だ。単純硫黄温泉で源泉温度は50・2度。旅館の日帰り利用となるが、それぞれの旅館に特色があり、私は柳水園（9時~20時半）をお薦めしたい。柳水園の名は、尾崎士郎が柳都新潟と阿賀野川の柳と水のイメージから名付けたものといわれ、眺望は良くないが、浴室のひなび具合と泉質は私の好みに合っている。なお、咲花温泉には「湯巡り手形」という回数券のようなものがあり、1枚で好きな3軒の旅館の温泉を楽しむこともできる。

新潟の土産といえば日本酒。五泉市には、近藤酒造と金鵄盃《きんしはい》酒造という二つの蔵元がある。また、阿賀野川に近い阿賀野市や阿賀町には、下越酒造、麒麟山酒造などもある。私は下越酒造の「蒲原」が好み。これらの日本酒を買えるのが、咲花温泉から対岸に渡った「道の駅 阿賀の里」だ。ここの物産館「夢蔵」では、日本酒の他に、阿賀野市のヤスダヨーグルトや各種の菓子類、五泉市の特産であるニット製品なども購入できる。また食堂もあるので、小腹が空いたら軽食が食べられる。この道の駅の一番の特色は、何といっても阿賀野川ライン下りである。屋形船とジェット船の2コースがあり、1時間に1本ずつ、道の駅裏手にある船着き場から出航する。40~50分ほどの船旅だが、新緑の時期に緑の木々を映す阿賀野川と日本百景の渓谷美を眺め、在りし日の川舟を思いながらのんびり舟に揺られるのも、釣りだけではない、旅の楽しみ方の一つであるといってはおく。

さくらんど温泉は、男風呂がさくら、女風呂が黄金。いつも「逆じゃないの？」と突っ込みたくなる。素っ裸で金はやっぱり男でしょう（笑）

真っ昼間、抜けるような大空の下で、露天風呂に漬かるほど開放感が強い体験はない。たとえ午前中の釣果が思わしくなかったとしても、心機一転、イブニングに賭ける気力が湧いてくる

咲花温泉は磐越西線の咲花駅が最寄り駅だが、磐越西線といえばＳＬばんえつ物語。1日1往復なのでタイミングが合わないと機会を逸するが、乗るも良し、撮るも良し。さくらんど温泉には温泉施設内に物販コーナーと食堂があり、併設された物産館「よりね家」では、地域の野菜、果物や山菜などを購入できる。

宿に泊まるなら咲花温泉、というか、近くの宿はそこしかない。キャンプ場は早出川に「東光院河川ふれあい公園」、仙見川に「仙見川ふるさとづくり河川公園」、杉川に「チャレンジランド杉川」がある。なお、「東光院河川ふれあい公園」や「仙見川ふるさとづくり河川公園」（及び上流の早出川キャンプ）は、キャンプ場として運営はされていないが、五泉市が管理する土地で、仮設や常設のトイレもあり、キャンプが許可されている。ただし炊事場はない。車中泊で仮眠できるのは上記の公園や早出川沿いの駐車場程度だ。仙見川や杉川沿いの道路は狭く、スペースがあってもすれ違いに使われるため、車中泊は避けるべきだ。

早出川とその支流は、阿賀野川漁協の管轄となる。遊漁券は、五泉市内や阿賀町内のセブン-イレブン、ファミリーマートなどで購入できる。その他の遊漁券販売所は若干分かりにくい。釣行前に漁協のサイトで確認しておこう(http://www.aganogawa.jp/otori/)。

長野県

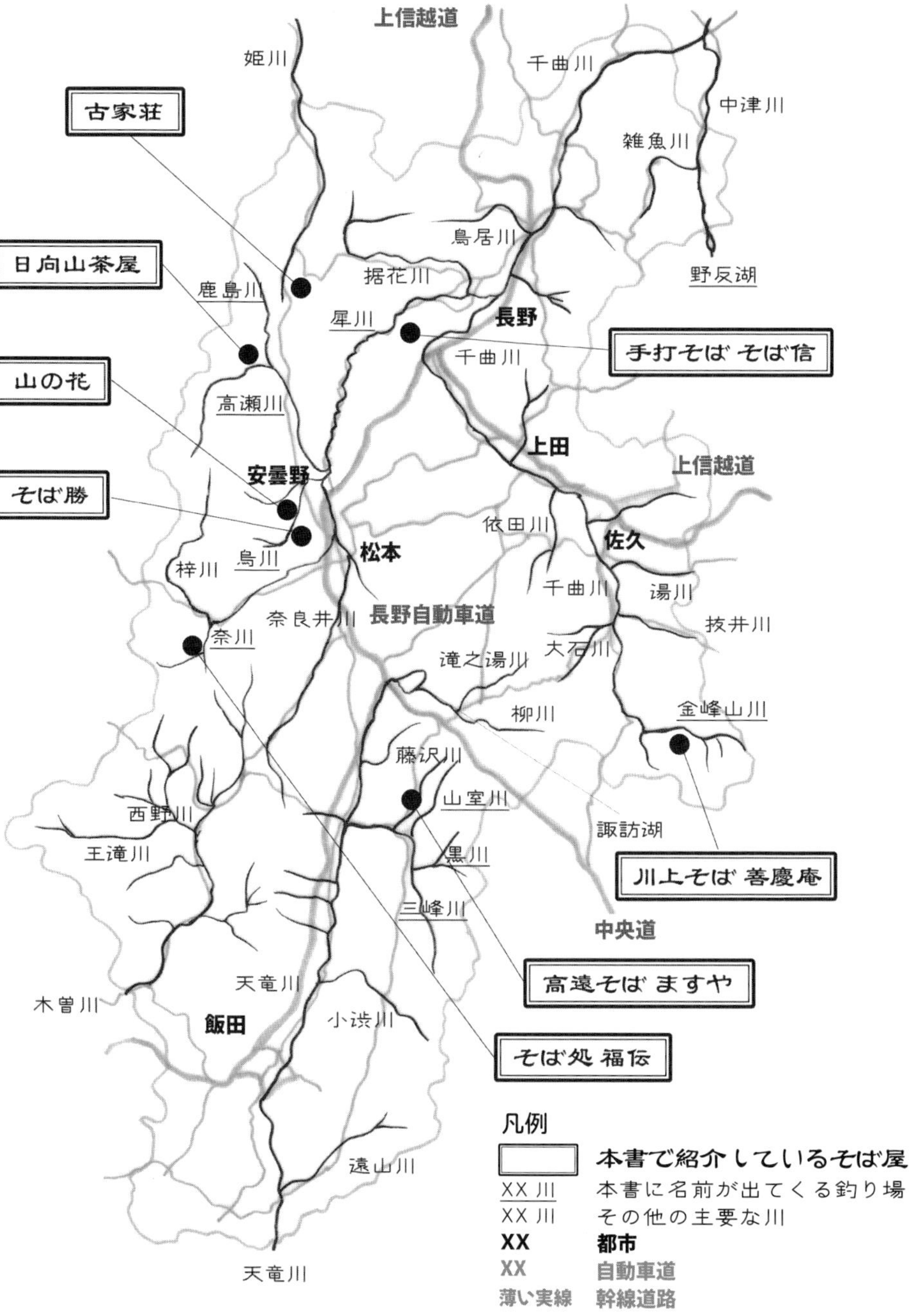

上信越道
姫川
千曲川
中津川
古家荘
雑魚川
鳥居川
日向山茶屋
据花川
野反湖
鹿島川
犀川
長野
手打そば そば信
千曲川
山の花
高瀬川
上田
上信越道
安曇野
そば勝
依田川
佐久
松本
梓川
烏川
千曲川
湯川
奈良井川
長野自動車道
抜井川
奈川
滝之湯川
大石川
柳川
金峰山川
藤沢川
山室川
西野川
諏訪湖
王滝川
黒川
川上そば 善慶庵
三峰川
中央道
高遠そば ますや
天竜川
木曽川
飯田
小渋川
そば処 福伝
凡例
本書で紹介しているそば屋
XX 川　本書に名前が出てくる釣り場
XX 川　その他の主要な川
XX　都市
XX　自動車道
薄い実線　幹線道路
遠山川
天竜川

手打そば
そば信
茶

手打そば そば信

長野県長野市
信州新町水内 4619
026-262-2788

営業時間 8:30 ～ 17:00
定休日　元旦及び棚卸日の年２回

犀川本流と「手打そば そば信」

――大野敏男

犀川の下流域（犀川殖産エリア）の晩秋が好きだ。華やかだった紅葉の時期も過ぎ、対岸の光景が次第に色あせていく。日一日と日差しは弱くなり、空気の透明感が増していく。時には鋼色の空から、冷たい雫が落ちてくる。そんなモノトーンに塗りつぶされた大河の流れに立ち込んで、リールからラインを引き出すと、物音が消えた静寂な谷間に、クリック音が響き渡る。先行者のいない、朝一番のチャンスには、期待と不思議な安堵感に包まれる。この風景と感覚が、私の遠い記憶を呼び覚ますのだ。数年間ではあったが、カナダはブリティッシュ・コロンビア州のフレーザー・リバーの上流域へと通った。時にはひと月のうちに2度も。周囲から狂ったのかと言われたが、私は至って冷静だった（狂っている人は、自分では狂っていることに気付かないらしいが）。そんな私のスチールヘッド時代を彷彿《ほうふつ》とさせる懐かしさが、ここにあるのだ。犀川の規模はフレーザー・リバーの10分の1程度だとは思うが、晩秋まで季節が進むと朝は氷点下となり、ラインに触れる指先が痛くなる。犀川の風景と指先の痛みが、夢中になったスチールヘッディングの日々を強く思い起こさせるのだ。

　私の犀川での基本スタイルは、シングルハンドとフローティングラインだが、12月に入るとシンキングリーダーを付けることもあるし、フライもドライとウェットの両方を使うようになる。スチールヘッドを釣っていた頃はダブルハンドの釣りをメインにしていたが、最近ではシングルハンドの釣りが楽しい。ただシンクティップラインや、大きめのフライを付けるとなると、やはりダブルハンドロッドが有利で、犀川での出番は少なくない。犀川本流のニジマスのフライへの反応は、北米のスチールヘッドとさして違いはないように感じる。ただブラウントラウトは不思議な魚で、スイッチが入ると簡単に釣れてしまうが、スイッチが入っていない時は、頭上にフライを流しても出てこない。

自分より年季の入ったレナード・ロッドで、いにしえのアングラーたちの感覚を楽しんだ

犀川に関していえば、オンオフの時合いのある魚種のように感じる。フィールドは広大で、地形、水量、水温、濁りなどの変化を見極めてポイントを選ぶことになる。自分の知識と経験を総動員させて釣り上げた時の満足度は大きい。そしてコンディションのいい魚を釣り上げたならば、次はお腹を満足させないとならないわけだ。

　長野は昔の言葉でいうと信濃国、いわゆる信州である。信州の食は？　と問えば、かなりの人が「信州そば」と答えるだろう代表的な郷土食である。そんな伝統食だけに、長野にはたくさんのそば屋があるし、ハズレも少ない。善光寺周辺などの観光地は、人が集まるために競争が厳しく、結果的においしいそば屋だけが残っているらしいが、私は犀川詣に忙しくて、善光寺まで足を延ばしたことはない。いつでも、どこでも、機会さえあれば、行ったことのないそば屋にチャレンジしたい私だが、犀川の釣行となると、行かないと気持ちの収まりが付かないそば屋がある。「手打そば　そば信」である。「道の駅　信州新町」にあるそば屋だ。「そば信」では、主に左右《そう》高原地産のそば粉を使う。店内で玄そばを石臼挽きして三立て（挽き立て、打ち立て、茹で立て）を提供している。そばつゆも市販ものではなく、寝かせたかえしに数種類の鰹節をブレンドした店のオリジナルである。道の駅だけに、昼時ともなれば大行列となるが、スタッフの手際がよく、普通のそば屋より早く出てくる。すべてがセルフサービスだが、とてもリーズナブルな価格がうれしい。私は昼過ぎの少し落ちついた頃を狙って訪問することが多い。

「そば信」のそばは、やや太めで、強めのコシがあり、風味がはっきりしている。ひと口食べると、思わず「うまい！」と発したくなるそばだ。朝8時半から夕方5時までの営業。晩秋の犀川釣行の帰りに、十分間に合う。お昼に食べに来られなかった時は、帰りに寄ることが多い。

「そば信」では、そば屋のスイーツなる「蕎麦茶プリン」も人気だ。店主の祖母にあたる女性が、以前左右高原で営んでいた民宿で出していた、そばようかんをアレンジしたものらしい。左右高原の秋のそば祭りでは、民宿前で販売していたそばようかんが大人気だったという。そばのプリンは2種類あって「そば信」でも、道の駅の売店でも購入

道の駅で挽き立て、打ち立て、茹で立ての３立てを食べられるのは贅沢かもしれない。セルフサービスのため、価格もリーズナブルだ

「そば信」のざるそばは、間違いなくウマい。そば湯はカウンターにあるので、それもセルフで

「蕎麦茶プリン」はかつて、「そば信」の店長の祖母が営んでいた民宿で作られていた「蕎麦ようかん」のアレンジ。香ばしくあっさりしたプリンだ

できる。
「道の駅 信州新町」には、信州の野山の幸である旬の山菜やキノコを始め、農産物や加工品のお土産がたくさん並んでいる。また信州ならではの郷土食のおやきのファンも多い。おやきと呼ばれながらも、焼きタイプの他に蒸しタイプがあるが、ここのおやきは焼きタイプ。外皮がパリッとしていて、味付けが濃いめの具材と相性が良く、とてもおいしい。

犀川沿いの国道19号は別名「ジンギスカン街道」と呼ばれるほど、道路沿いにはジンギスカンの看板を掲げるお店が多い。そば栽培と同様に、新町の左右高原エリアでは昭和初期から、めん羊飼育が始まり、現在は主にサフォーク種（顔には毛が生えずに頭が真っ黒なヒツジ）が育てられている。実は私は、釣り旅にジンギスカン用の鉄板を携行するほどのジンギスカン好きでもあって、帰路にはそばか、ジンギスカンか、いつも迷ってしまう。

犀川沿いには柿の木が点在していて、秋が深まるほどにオレンジ色が輝く。晩秋の釣り人の目を楽しませてくれるし、季節のすすみ具合の参考にもなる。この地域の柿には2種類あって、ふっくらと大きく、先が尖っているのが蜂屋柿で、まんじゅう型のへん平な柿が平核無《ひらたねなし》である。どちらも干し柿用の渋柿で、「道の駅 長野市大岡特産センター」などで購入できる。この辺りの柿の生産と干し柿作りは、犀川沿いに発生する朝霧と昼夜の寒暖差が鍵らしい。おいしいそばを栽培するための気候と同様である。私も犀川産の柿を使って、干し柿作りを楽しんでいる。私の住む埼玉辺りでは、寒い冬ほどうまい干し柿になり、暖冬の年は失敗しやすい。

晩秋の夕暮れは早い。冷えた下半身と指先を癒やしに向かうのは大岡温泉。聖山の中腹、標高８００ｍの高台に建ち、北アルプスの五竜岳から鹿島槍ヶ岳を正面に、さらに爺ヶ岳や蓮華岳の後立山連峰が一望できる。そして眼下に広がる棚田の風景はどこか懐かしい。メタケイ酸含有の単純温泉は、肌に優しく湯冷めをしない温泉。秋の露天風呂では虫の声を聞きながら、ススキの穂の向こうに稲刈り後の稲架《はさ》掛けの里山風景と北アルプスが遠望できる。秋は新雪と紅葉、春は残雪と新緑のコントラストが美しい。犀川の遊漁券については次項を参照のこと。

そば
営業中

古家荘

長野県大町市
美麻新行 13967
0261-23-1713

営業時間 11:00 ～ 売り切れまで
定休日　水曜日、第 3 火曜日

犀川水系と「古家荘」

――川上潤司

そばの名所があちこちにある長野県だが、いざ、どこかに出向こうとなると行き先を決め切れずに迷ってしまう。日本三大そばの一つといわれる戸隠なんか魅力的だが、地図を眺めると「ちょっとばかり遠いかなぁ……」という思いが頭をかすめる。『私をスキーに連れてって』（原田知世主演）のスキーブームの頃は、妙高なんて毎週のように通っても苦にならなかったのに、いつの間にか帰路の運転のことが気になる年になってしまった。

遠くに出掛ける非日常感にあふれながらも、苦にならない距離のバランスを勘案すると、目下のところは信濃大町周辺が絶好のポジションにある。そば&釣りだけなら直行するのも一考だが、ここではオフ期の家族孝行も視野に入れてプランニングできるのがいい。

中央自動車道を走り、まずは諏訪湖サービスエリア辺りで小休止。続いて、岡谷ジャンクションからは長野自動車道へと進む。天候に恵まれれば、塩尻北ICを過ぎ、奈良井川を渡った先の辺りで、前方に北アルプスの美しい眺望が目に飛び込んでくることだろう。思わず息を飲むが要注意だ。道路脇の標識が「運転に集中せよ！」と注意しているように、誰しも風景に見取れている可能性がある。

安曇野ICで下りたなら、昨今人気の観光拠点「大王わさび農場」を目指す。なぜなら、この施設内にあるクラフト雑貨ショップ「安曇野がった工房」の主人K氏は無類のフライフィッシング愛好家であり、犀川やその支流の近況を知り尽くしているからだ。同行の家族に買い物の時間を提供して点数を稼ぎつつ、近く一人で来るであろう川の最新情報をしっかりと仕入れる、さらに店は自分たちが呼び水となって、人が寄ってくる。釣り人として極めて重要な戦術であり、これを三方よしという。

そこから一路、北に向かって信濃大町へと車を走らせる。距離は30㎞ぐらいだろうか。北部の青木湖、中綱湖、木崎湖のいわゆる仁科三湖辺りのドライブもいいけれど、まずは腹ごしらえだ。というわけで、そば所の美麻エリアを目指す。緑の中の長野大町線は所々にチェーン着脱用のスペースが設けられており、冬ともなれば、日によって相当量の雪が降ることが分かる。射撃場やらモンキードッグ活動中やらの看板をやり過ごし、「木崎湖、長野、小川、信州新町」の分岐を示す標識が見えた先で、カーナビが目的地周辺だと告げる。

新行《しんぎょう》集落だ。標高９００ｍの中山高原は北アルプスを一望できる絶景の地である。稲作には向かない痩せた土地だったこともあり、昔からそばが栽培されていた。春は菜の花で黄色く染まるが、夏から秋は一面が白くなる。

昭和の初期、ここになだらかなスキー場がいち早く造られて、体験合宿に訪れる学生や家族でにぎわった。そば農家は民宿も営み、来訪者の受け皿となりながら、もてなしに尽力。そのそばが評判を呼んだこともあって、後に何軒かの農家兼民宿がそば屋を始めたという。「古家荘」、「美郷」、「山品」、「ヨコテ屋」などが今なお、この地の伝統的な味を継いでいる。スキー場は人気の陰りや雪不足で廃業。現在は、４駆やオフロードバイクの愛好家が集う施設としてリニューアルされている。

この日は「古家荘」に向かった。店の前が先客の車で埋まっていたが、裏手にも広い駐車場があるので安心である。客間の座敷に案内され、慣れないあぐらをかきつつ何を食べるかに悩む。ちょうど新そばの時期で、品書きは真新しかった。ざるそば、なめこおろしそば、おろしそば。温かいものとしては、天ぷらそば、山菜そば、月見そば、かけそばがラインナップされている。

やっぱりここは、ざるそばだろう。注文するとすぐに、付け合わせの漬物3種とそば茶が運ばれてきた。漬物はその時々のものが出てくるのだが、ショウガの入った野沢菜を始め、キュウリやニンジンなど、この日も絶妙の組み合わせだ。思わず白米が欲しくなる。ややもして、ざるそばが運ばれてきた。かつてこの辺りを何軒か巡った記憶から、

新そばの時期に食べた「古家荘」のざるそば。白みが強い細切りは、見た目のとおりに上品な口当たりをしている。つけ汁も付くが、そばの風味だけでも十分に食べ続けられる

根強いファンがいるという付け合わせのお漬物。この日はショウガの入った野沢菜、キュウリ、ニンジンの３種だった。お茶を飲みつつ、箸を付けて、そばがやって来るのを心待ちにする

太めの田舎そばをイメージしていたが、対極的な細切りで白味が強いそばだ。見た目が上品で端正なたたずまいである。そばの実はすべて自家栽培だそうだ。

つけ汁は甘辛どちらにも傾かず、中庸的。そばそのものが味わい深いので、汁にくぐらせなくても、どんどんいける。一人だと会話でワンクッションを入れることもできず、わしわしと食べてしまった。じっくり吟味したい気持ちとは裏腹に、あっという間に、ざるだけが残り、少しばかり気恥ずかしい。

新そばの時期には、大町のそば屋が連携して「ぐるっとそば処スタンプラリー」が開催される。２０２１年の場合は、10月1日～11月30日の2カ月間。訪れた店舗の数に応じて、色々な地場の品がプレゼントされるという趣向だ。地域一丸となった取り組みは、この地のそばを知らしめたいとの思いにあふれており、それがまた一層、味を引き立てることとなる。

釣りは犀川だ。一口に犀川といっても、日本一の長さを誇る信濃川の支流だけあって、こちらもかなりの長さだ。管轄する漁協も平ダム辺りを境に、上流側が犀川漁業協同組合、下流側が犀川殖産漁業協同組合と分かれる。全体的には、滔々と流れる大河であり、釣れる魚もそれに見合って総じて大きい。対岸に渡渉することは、ほぼ不可能である。

犀川殖産漁協のエリアは、ニジマスを対象に通年の遊漁が可能とあって、昨今は特に人気が高い。年間を通して定期的な放流があるし、自然繁殖したニジマスも交じる。長野市大岡「大八橋」から信州新町「更科橋」に掛けてはC&R区間が設けられているのも魅力的だ。かつてはヤマメやイワナもしばしば釣れたと聞くが、最近はそういった話を聞かない。むしろ、いつしか居着いたブラウンを見ることが多い。

犀川本流は下流に向かうほど、山に沿った深みが多くなる傾向にあり、そうした強い流れに鍛えられた体躯《たいく》の持ち主はパワフルで手強い。50アップが突っ走ると誰だってアドレナリンが噴出する。やっと浮かせてネットインした暁には、思わずガッツポーズすること必至だ。ちなみに、ニゴイを掛けてロッドを折った釣友もいる。

入渓場所を絞り切れないなら、釣り人の拠点ともなっている「道の駅 長野市大岡特産センター」にまずは行ってみることをお薦めする。ここは、前記のC&R区間のちょうど真ん中辺りに位置し、ひと目でそれと分かる同志の姿を確認することができる。裏手に回れば、すでにロッドを振っている様子も見えるだろう。臆することなく話し掛ければ、その日の状況なり他のお薦めポイントなりの情報が得られるはずだ。このエリアに足繁く通う釣り人は、他のアングラーと川でかち合うのが前提であり、悠然としている。そんな人ほどフレンドリーに接してくれるものだ。「川の駅さざなみ」も同様に、釣り人がよく利用する施設である。

もっとも、日頃から渓流域や藪沢をメインとしている向きには、犀川はいささか広大過ぎてつかみどころがないと感じるかもしれない。正直、自分もそのタイプであり、先の新行に赴いた折は、すぐ近くの流れに足が向く。例えば土尻川。「道の駅 ぽかぽかランド美麻」にほど近い辺りはチョロチョロだが、東の小川村方面に向かうほど水量が増す。青具交差点近くで分かれる沢も、かなり小規模だが魚影が走る。この辺りはヤマメやイワナだ。ちなみに、その交差点の近くには、国の重要文化財に指定されている「旧中村住宅」がある。県内で最も古い民家であり、一見の価値があるので、余裕があれば立ち寄るのもいいだろう。その他、金熊川《かなくまがわ》上流や当信川《たにしながわ》上流もターゲットとなる。いずれも犀川殖産漁協の管轄だ。

先の「道の駅 長野市大岡特産センター」のほど近く、といっても犀川を挟んで反対側なので道をぐるっと回ることになるが、「信州不動温泉さぎり荘」という宿がある。当信川沿いにある名景「不動滝」辺りに源泉があり、当館まで湯を引き込んでいる。滝の脇に不動明王像があることが名の由来らしい。広めの内湯が一つあり、漬かりながら手ですくって鼻先に寄せれば、ほんのりと硫黄の香りが感じられる。泊まりでなくとも、５００円で日帰り入浴できる。

この辺りから信州新町方面に向かう国道19号線は「ジンギスカン街道」とも呼ばれており、独特のタレに漬け込んだ羊肉を楽しめる店が何軒か集まっているので一目瞭然だ。「さぎり荘」もそ

大八橋辺りから見た犀川。地図を見ると遠く感じるが「古家荘」のある新行集落からだと車で20 ～ 30分も走れば犀川殖産エリアにアクセスすることができる。本流の大物釣り場だ

「道の駅 ぽかぽかランド美麻」にほど近い土尻川の上流部。本流域より渓流や藪沢が好きという向きにおあつらえの場所も探せばあるものだ。金熊川や当信川などの上流部も候補に挙がる

「道の駅 長野市大岡特産センター」は、犀川殖産漁協エリア、特にC＆R区間で楽しむアングラーにとって格好の拠点となっている。すぐ裏も好ポイントだ

信州新町にある温泉宿「信州不動温泉さぎり荘」。泊まりでなくとも500円で日帰り入浴ができる。サフォーク種の羊肉を使ったジンギスカン鍋も人気グルメだ

の一つで、サフォーク種の羊肉を堪能できるのが自慢だという。手打ちそばの用意もあるので、ゆっくり泊まってグルメ三昧という案も検討の価値がある。

美麻辺りで汗を流すなら、「道の駅 ぽかぽかランド美麻」の温泉だろうか。大浴場、露天風呂、サウナなど、スーパー銭湯並に充実している。目を引くのは、特別天然記念物に指定されている「北投石」と呼ばれる鉱石を使った湯だ。秋田県の玉川温泉付近から産出された石を使っているそうで、その効能の説明書きを読んでから入ると、確かに温まった体が長く続く気がする。ここには宿泊施設もあり、数日にまたがる遠征の際には少しばかり贅沢なベースとなること請け合いだ。

「道の駅 大岡」と「道の駅 美麻」、どちらの道の駅も土産物には事欠かない。野沢菜はもちろん、地粉で作った昔ながらのおやき、山菜やキノコ、蜂蜜など、信州定番の品がそろっている。シーズン中、度重なる釣行計画の承諾を得るのに苦慮している釣り人は少なくないはずだ。キャスティングやタイイングのスキルを磨く以上に、土産物を選ぶセンスを身に付けなくてはならないことを肝に命じておこう。

犀川の遊漁券は、記事中にある「長野市大岡特産センター」や「信州不動温泉 さぎり荘」で取り扱っている他、「道の駅 ぽかぽかランド美麻」近くの小林商店、セブン-イレブン信州新町店などで手に入る。

そば勝
そば
營業中
ひる 11:30~14:00
よる 17:30~21:00
定休日 月曜日（祝日営業）
入口
IN

そば勝

長野県安曇野市
穂高柏原塚原 3670-1
0263-82-5507

営業時間
11:30 ～ 14:00
17:30 ～ 21:00
定休日 月曜日

山の花

長野県安曇野市
穂高有明 3499-19
0263-83-8688

営業時間 11:30 ～ 16:00
定休日　木曜日

そば・甘味
山の

烏川と「そば勝」、「山の花」

——川上潤司

松本盆地の西側に沿うように、塩尻市から安曇野市へとつながるのが長野県道25号線だ。安曇野市内の区間は「山麓線」や「山麓通り」などと呼ばれる。中心街から遠く離れており、魅力が乏しく思われがちだが、実はそうでもない。車で走っていると、個性を主張するショップや食事処が目に留まるし、カフェやギャラリーなどが集まる瀟洒《しょうしゃ》なエリアも増えた。観光バスや県外ナンバーが、ひと頃よりぐっと目立つようになった気がする。

もちろん、通りに沿ってそば屋も点在する。南側から順に列挙するならば「そば勝」、「大梅」、「あさかわ」、「石松庵」、「双葉」、「山の花」などがメジャーどころだろうか。いずれもにぎわっており、さしずめ「そば切り街道」だ。もっとも、運転しながら店を選ぶ即断力や決断力が欠如している私の場合、行きつ戻りつしながら結局は端に位置する「そば勝」もしくは「山の花」のどちらかに入ることが多い。

「そば勝」は、烏川に掛かる橋のほど近くに店を構える。「駐車場 奥に有ります」という案内板に従い、建物の脇をすり抜けた先の空きスペースに駐車して車を降りると、目の前に入り口がある。つまり、道に背を向ける格好で店が立っている。それでも、表通りに面して「安曇野 そば勝」の大きい看板があるし、「営業中」、「手打ちそば」といったのぼりも立っているので、ドライブの途上でも探しやすいだろう。

紫色ののれんをくぐって歩を進めたすぐには、5人分ほどのカウンター席があり、その奥の広い空間にテーブル席がある。梁《はり》がむき出しになった古民家風の店内を見渡すと、額装された油絵が壁の高い位置にずらりと並んでいる。アルプスの山々を描いたものが目立つが、花をモチーフとしたものもあり、ついつい見入ってしまう。ちょっとしたギャラリーだ。

席に座ると反射的に「天もりそば」を頼むのが常だが、改めて品書きに目を通してみた。見開きの右には、もり６００円、きのこおろし８５０円、追加1枚５００円とバリエーションが並ぶ。左には、ソースカツ丼や天丼、カレーなどのご飯物、そしてそばとのセットメニューなど。実用一点張りで、余計なことは一切書いていない。

地元のなじみ客が通う店のようだ。ふらりと一人やって来て、カウンターに座るやいなや缶ビールが差し出され、しばらくしてから「いつものもらおうかな」といった、アイコンタクトのようなやり取りが、ごく自然に繰り広げられている。常連客同士、あるいは店主も交えて会話する様子はない。そば好きがのど越しを楽しんでいるかと思えば、すぐ横に大盛りの丼をワシワシと食べる姿がある。それぞれが居心地良さそうだ。

気取らないし、気負いもない、ざっくばらんな店ではあるが、出てくる品はどれも端正であり、とりわけそばは、打ち手の丁寧な性格が伝わってくる。歯応えがありながら舌触りは意外にも滑らかだ。ぎゅっと詰まっているがために、それだけでも十分に味わえるし、甘さを抑えた、つけ汁との関係もうまくいっている。天ぷらは歯に当たる端から、崩れるような揚げ方が絶妙だ。本当は、ソースカツ丼とのセットなんかも魅惑的なのだけれど、ペロリといける歳ではなくなってしまった。

「山の花」は、比較的新しいそば屋だ。なぜか、ここに行く日は必ずといっていいほど雨が降っており、それが影響しているのか混雑している印象はない。ただし友人は、待ち行列に並んだことがあるといっていたので、日によって差があるのだろう。靴を脱いで店内に入るスタイルで、客間は木の香りと清潔感にあふれている。ちょっとした花がいつも飾られていてセンスの良さがにじむ。もり（８００円）、天もり（１４５０円）などの他、白樺の樹液を使っ

常念岳の麓で育ったものを中心に使うという「そば勝」のそばは、ややざらっとした感じの舌触りが特徴だ。定食メニューも充実していて、中でもソースカツ丼が人気だという

「山の花」のやや白みがかったそばは、細めながらもコシがある。白樺の樹液で打つという「白樺そば」は数量限定の人気メニューで、口に含むと奥にほんのりと甘みが広がる

て打つという「白樺そば」（１３００円）がある。数量限定での提供となるが、他店にはない品を好む向きにはお薦めだ。注文すると、小さな器に注がれた樹液も付いてくる。口に含むと、ほんのりとした甘みが感じられる。そばは細めに仕上がっているのが特徴だ。色が薄めで弱々しく見えるが、しっかりとしたコシがある。つけ汁は前面に出過ぎることなく、控えめに落ち着いているのがいい。毎度のことながら、ちまき（時期によって焼きおにぎり）２個セットに目がくらんでしまう。

「そば切り街道」にある店は、ほとんどが売り切れ次第クローズとなる。おおむね14～15時ぐらいだろうか。ずるずると釣りに興じていると、お目当てのそばには、なかなかありつけない。顔なじみとなった幾人かの店主には「夕方以降に的を絞って営業すれば、釣り人が吸い寄せられるように押し掛けますよ」と進言しているのだけれど、残念ながら今のところ、ほとんど聞く耳を持っていないようである。

烏川《からすがわ》は信濃川水系に属する一級河川。北アルプスの蝶ヶ岳の麓に源頭があり、何本かの支流を集めながら東へと向かう。視界が開け安曇野が見渡しやすくなるのが前出「そば勝」の辺りだ。ここで川は北東へと向きを変える。さらに行くと、ＪＲ大糸線の穂高駅と有明駅との中間地点付近で穂高川へと合わさる。地図で見る限り、延長は15㎞近くありそうだ。

下流のフラットな区間ではニジマスも混じるが、「そば勝」の辺り、つまりは「国営アルプスあづみの公園（堀金、穂高地区）」辺りから上はイワナが中心となる。管轄は犀川漁業協同組合だ。烏川橋から須砂渡キャンプ上の先ぐらいまでを釣ったことがあるが、日によって当たり外れが激しい気がする。漁協の放流タイミングによるのだろうか。緑まばゆい季節になると釣り人の姿も多くなるので、そのプレッシャーの影響もあるのだろう。

途中、「長野県烏川渓谷緑地」を始めとして、観光に来た人の姿を見ることも珍しくない。人目を気にせずに釣りに集中することにしているが、ある時、強い視線を感じて見上げたら、サルと目が合って驚いたことがある。もっと上流を攻めたいという気持ちが湧き起こり、一度行ってみたが、思った以上に険悪な個所が多いし、支流筋も車を止めてからかなり歩くことが分かって、以降は足が向いていない。釣れない場合は、烏川橋より下流のマレットゴルフ場の脇辺りを探ってみるのもありだ。

もっと大胆に場所を変えるなら、犀川本流やその支流がターゲットとなる。例えば、御宝田《ごほうでん》遊水池の近く、高瀬川と穂高川が犀川へとつながる「三川合流」は有数のポイントだ。そこからすぐの観光拠点「大王わさび農場」の周辺は、まるで水郷のようなたたずまいで、万水川《よろずいがわ》などはなかなか楽しめる。ちなみに、もう10年ぐらい前のＪＲのテレビＣＭで、吉永小百合がペダルを漕いでいた小径はこの辺りだったはずだ。また、黒澤明のオムニバス作品に出てくる水車小屋もある。遠くに望む北アルプスと、すぐ目の前の澄みきった流れが素晴らしく、やはり、最高のロケーションだ。

生坂ダムまでの犀川や、松川エリアの高瀬川などは大物が顔を出すとあって人気が高い。川の規模が大きいために、情報なしで行くとポイントを絞るのはなかなか難しい。季節や水量、天候等によって魚の付き場所が頻繁に変わるらしく、たまにしか来ない釣り人には、そこで粘るべきなのか、見切りを付けるべきなのかの判断が付かない。犀川に通い詰めている、本書のライターＯ氏のような人物に、詳しい情報を聞いてから出掛けるべきだろう。

「安曇野しゃくなげの湯」は、２０１６年にオープンした大型日帰り入浴施設だ。県道25号線と３０８号線が交差する近くにある。中房渓谷から引湯する露天風呂に加え、大きな内風呂やジェットバス、サウナと、まるでスーパー銭湯のようだ。休憩ラウンジもあるし、食事の施設も完備している。20時まで営業しているので、イブニングを欲張らなければ、釣りの後に汗を流すこともできる。もう少しこぢんまりとした趣ある湯が好みなら「松柏」はどうだろう。穂高温泉郷にある湯宿だが、日帰り温泉も受け入れている。源泉掛け流しの魅力に加え、ヒノキを贅沢に使った湯船

大王わさび農場の近くに、万水川（よろずいがわ）と蓼川（たでがわ）が並んでゆっくりと流れる。下見でロッドを持っていない時に限ってレインボーがゆらっと現れるから不思議だ

「国営アルプスあづみの公園（堀金、穂高地区）」エリアの烏川。イワナが釣れるが、渇水傾向にある時はなかなか厳しい。途中、長野県烏川渓谷緑地などがあり、盛期は観光客の視線を浴びる

の香りがかぐわしい。時間にさほど余裕がない場合は足湯という手もある。「しゃくなげの湯」の裏手にあるのが「八面大王足湯」だ。以前は、穂高温泉郷の松林に囲まれたロータリーの角にあったように記憶しているが、２０１８年に移設されたらしい。地元を守った正義の英雄など、諸説ある鬼のモニュメントの回りに熱い湯が注がれており、腰を掛けてゆっくりと足を温めることができる。無料なのもいい。

地元の農産物を土産に買い求めるなら「Ｖｉｆ穂高」という直売所がある。これも「しゃくなげの湯」のすぐ隣で、移動の手間がない。「有明カボチャ」や「穂高インゲン」など、この地の農家が持ち寄る旬の新鮮野菜がいつも並んでいる。その他、ジャムやワイン、菓子などもあり、気に入ったものがあれば、通信販売でリピートオーダーすることも可能だ。併設する食事施設「味彩館」のそばもなかなかいける。

道の駅を巡るのが好きだということであれば、「アルプス安曇野ほりがねの里」がある。物産センターは広大で品数が多く、地元の人たちの姿も多い。６月から９月くらいまでは朝７時から営業しており、午前中は特に活気があふれている。年間30万人が利用するというこの観光拠点は、農業に携わる女性たちが、採れ立て野菜を持ち寄ることで評判となった朝市がルーツだという。建物の中には今なお、朝市時代と同じ明るい声が響き渡る。施設内の「かあさんのおむすびの味」も客波が途絶えることがない店で、私はいつも「おにぎり定食」に心引かれる。

そういえば、観光案内のパンフレットなどが置かれている建物の入口近くに、やたらと大きな「ドラえもん」の張り子人形が置いてあるのが前々から気になっている。以前、友人と釣りに来た時もその話題となり、彼が帰途の助手席でケータイ片手に調べてくれたけれど、手がかりは見つからなかった。その延長で、なぜ「えもん」だけが平仮名なのかとか、安曇野は「あずみの」じゃなくて「あづみの」だとか、とりとめのない会話を延々続けたのを覚えている。あれは、ちょっとばかりいい釣りをしてハイになっていた夏の日だった。

遊漁券は犀川全般なら明科のセブン-イレブンなど、烏川に絞るなら堀金の須砂渡食堂で購入できる。

奈川と「手打ちそば 福伝」

川上潤司

「昔はもっと良かったんだけどなぁ……」。各地を釣り歩いていると、地元の釣り人が遠い目をして語るのを見聞きすることがままある。恐らく、もう少し魚影は濃かったし、渓を取り巻く環境も豊かだった、ということなのだろうけれど、当時を知らない、よそ者には真偽のほどは分からない。だが確かに、人々の営みを最優先に様々な合理性を追求してきたひずみが、今になってあちこちに出始めているような気がする。手入れが行き届かずに荒廃した山林を目の当たりにしたり、放流ものの「ヒレまる子ちゃん」しか釣れなかったりすると、誰でも心が曇る。

この複雑な思いは、なかなかやり場が見つからない。サステナブルやエシカルなど耳障りのいい言葉がはやるものの、大局的なこと、中長期的なこと、眼前のことをうまくバランスさせるのは簡単ではない、と我々は肌身で感じているからだ。だからこそ「○○沢の奥に行くと地付きのイワナが綿々と命をつないでいる」なんて話を聞くと素直にうれしくなるし、絶やしてはいけないとの思いも新たにする。

そんな話と一緒にするのは、ややはばかれるけれど、そば好きがしばしば口にするワードに「○○在来」なるものがある。細かい定義はさておき、ざっくりいえば改良が施されていない、その土地で元々栽培されていたローカル品種のことだ。対馬在来、最上在来、丸岡在来など、全国各地に名が通るものが数々ある。一般的に在来種は実が小粒とされる。また往々にして風雨や病気に弱いという面も持ち合わせる。一方で味の個性は強く、当地の人々にとって「そばといえばこの味」という図式が定着している。

しかしながら、生産効率や経済効率を追求するメガトレンドの中で、在来種は影を潜めることとなった。農家にとっては、実が大きく、ばらつきが少なく、病害虫や自然災害に強く、そして何よりも成長力が旺盛な、改良品種の方が

秋の新そばまつり
川そば

手打ちそば 福伝

長野県松本市
奈川古宿 4233
0263-79-2003

営業時間 10:30 ～ 18:00
定休日　水曜日
そばがなくなり次第終了

何倍も魅力的に映るに違いない。そして栽培用の改良種が圧倒的シェアを占めることになるのだ。

「昔はもっとうまかったんだけどなぁ……」。全体最適が行き過ぎると、部分最適でやり繰りしていた頃を懐かしむ声が出てくるのはよくあることだ。そばの場合は単なるノスタルジーで済ませずに、その地でしか出ない味や香り、それを後世につながなければという思いを募らせた熱血漢が、在来種の保全や育成に奔走している。

そうはいっても、ひとたび絶滅に近い状態にまで陥ったケースでは難題が付きまとう。例えば、在来種と改良種それぞれの畑が近いと、交配によって後者に寄ってしまうらしい。豊作と凶作の差が激しい在来種だけに賭けるのは、栽培する立場からするとリスクが高い。

という事情で、在来種は一部の畑で細々と生産されるために流通量は限られる。この構図が「○○在来」が珍重されることにつながっているようだ。


長野県松本市の南西部に位置する奈川地区は、乗鞍岳を始めとする３０００ｍ級の山々に囲まれていて、冷涼な環境がこの土地をそばの名産地にした。しかし１９９８年、この地で代々継がれていたそばは台風で大打撃を被り、多くの生産者が改良種への鞍替えを進め、その結果、地付きのそばはその存続が危ぶまれる瀬戸際に追い込まれた。しかしながら地域の人々の特別な思いもあって、このところ復活しつつある。「奈川在来」と呼ばれているそばがそれだ。

奈川地区には何軒かのそば屋があるが、競合店というよりも、むしろ同志としての結束が固い。そばを一つの足がかりとして、奈川の名を轟かせることに力を注ぐ。それだけにこだわりも、思い入れも強い。雨風の逆境にさらされても、翌日には天を向くパワフルさを備えていることから、生産者はこの在来種を「天昇のそば」と呼んでいる。

その内の1軒、「福伝」に行ったのは10月の半ばだった。毎年、期間限定で在来種を提供するタイミングにはやや早過ぎたが、それでも「秋の新そばまつり」の最中だった。合掌造りをオマージュしたような独特な外観の店舗の前に車を止めてのれんをくぐる。品書きを見ると、ご当地名物「とうじそば」（後述）が推されていたが、ここはせっ

コシがしっかりとした「福伝」のもりそば。鼻先の香りも際立つ。乗鞍岳など3000 m級の山々に囲まれ冷涼な気候の奈川地区は、そばの名産地。近年は「奈川在来」も人気を誇る

秋の新そばまつりなど、当地に店を構えるそば屋は一丸となって奈川を盛り上げる。竹かごに取ったそばを鍋で湯がいて食べる「とうじそば」は古くから伝わる郷土料理だ

かくなので新そばの「もり」だろう。

間もなく、そばが運ばれてきた。自分が味わって心動いた様は、どう表現すればうまく読者に伝わるのだろうか。グルメ番組全盛の今、食レポに臨む達人の語彙がうらやましいが、ともかくやってみる。

——口に含んだ途端に鼻先に広がる香りもさることながら、食べ進むほどに味わいが折り重なって厚みを増す、いわば瞬発力と持久力が同居したうまさがある。

これが自分が今、アウトプットできる言語表現の限界か。そして加えるならば、そば湯が絶品！

数年前にタイミング良く奈川在来のそばを食べる機会があって、今回の非在来そばの印象と比較するために、旅メモを引っ張り出した。そこには「ベクトルが異なるうまさ！」と記されていた（苦笑）。ともかく独特の味わいだったのだろうが、我ながらよく分からない。

前出の「とうじそば」は、奈川に古くから伝わる郷土料理だ。小割にしたそばを、根曲がり竹で編んだ柄じゃく型のカゴに取り、地の野菜や鶏肉などが入った鍋に湯がいて食べる。そばを寒い時期でもおいしく食べようとの工夫だ。「とうじそば発祥の地」という立て札が奈川の町外れに立っている。

ふと、これを書いている最中に、あるシーンを思い出した。ＮＨＫの朝ドラ、「おひさま（２０１１年）」は安曇野から松本周辺を舞台とする昭和初期の物語だったが、主人公の女性が老舗そば屋へ嫁ぐ際の披露宴で振る舞われていたのが、とうじそばだったはずだ。「ハレ」の日のおめでたいメニューだったのだ。

奈川地区のそば屋の店主たちを筆頭に、奈川のそばを巡る歴史や文化に引かれる人が後を絶たず、近年では北海道で奈川在来を栽培している事例もある。いずれも、古来より伝わるものを絶やしてはならないという思いがそのベースにある。ＳＤＧｓ（サステナブル・デベロップメント・ゴールズ）なんていうバズワードが騒がれるずっと前から、実直に行動が起こされていたのだ。Ｓ（そばの郷）Ｄ（独自の味を）Ｇ（具現化する）、それが奈川流なのだ。

北アルプスの槍ヶ岳付近に発し、上高地を流れ、やがて松本郊外で奈良井川と合わさって犀川へと名を変える梓川。その途中に巨大なダム湖、梓湖がある。河川名としての「奈川」は、その梓湖に注ぐ支流という位置付けだ。「福伝」の裏手に流れるのもこの川。源頭を詰めると、野麦峠へ向かうことになる。

例えば県道１５８号線沿いの、湯の郷公園辺りから上流へと向かう梓川も、もちろん釣りの対象としては面白いのだが、上高地を目指す交通量が多くて、いつも人っ気の少なそうな奈川へと足が向く。しっかりした道が川に沿っているし、ひと気もあるので、ゆったりとした気分で釣りができるのがいい。管轄するのは安曇漁業協同組合だ。

金原の先辺りから入ると、しばらくは穏やかな流れが続き、フライロッドが振りやすい。なかなか侮れないのがこのエリアで、季節が良くなるとヤマメやイワナが水面に飛び出す。ダム湖から差してくるビッグサイズもいると聞くけれど、私はまだ心躍らせたことがない。かつてはニジマスやブラウンも見掛けたが、最近は見ない。

さらに上流域を目指せば、山岳渓流の景観となる。釣れる日と釣れない日の落差が激しいのは信州の川の特性なのか、いい思いをした場所に、仲間を誘って再訪したら総スカンで、「前回はキツネにつままれたのでは？」と、からかわれたのを思い出す。運悪く先行者があれば黒川などの支流に逃げることもできる。かつて黒川で、色白美形でハッとするイワナに巡り合ったことが忘れられない。

支流の黒川沿いをちょっと行くと、林道安曇奈川線、通称、上高地乗鞍スーパー林道で、その先に奈川温泉だ。鎌倉時代の開湯とされ、秘湯っぽい雰囲気が漂う。かつては「野麦荘」と「富喜の湯」という２軒の湯宿があったのだが、前者は火災で全焼し更地になってしまった。後者もコロナ禍の影響なのか、２０２１年の８月から休業が続いている。道路脇に「奈川温泉源泉」の立て札があり、「この湯用いし炊く粥は旨み溢れし絶品の極みなり」とあるのが寂しげだ。

やや下ると「鳥屋沢」と「川仙旅館」がある。「鳥屋沢」の主人は渓流釣りが好きで、黒川を始め、近辺の渓の隅々まで知り尽くしている名手だ。土地勘がなく、どこから入渓して、どこを攻めたらいいのか見当がつかないビジター

奈川の上流部には何本かの支流があってイワナが潜んでいる。かつて黒川で良い思いをしたことがあるが、久しぶりに訪れてみたら水量がかなり少なかった。雨後がチャンスかもしれない

上高地乗鞍スーパー林道の起点近くにある奈川温泉源泉の立て札。その歴史は古く、鎌倉時代の開湯と伝わる。湯はやや黄褐色がかっており、飲泉も可能だ。観光地とは対極にある雰囲気

にとっては「鳥屋沢」の主人が心強い存在だったのだけれど、これまた２０２１年の初頭から休業となっている。乗鞍高原の「白骨温泉」など、少し足を延ばせば湯も宿も事欠かないのだけれど、かつて釣りとセットで世話になっていた拠点が静まり返っているのは寂しい。営業再開してくれることを心待ちにしている。

土産物を探すついでに一息入れるなら、「ながわ山彩館」や「道の駅 風穴の里」がお薦めだ。いずれも山菜やキノコ、高原野菜、民芸品など、この地のものが並ぶ。いつも目に止まってしまうのが稲核菜《いねこきな》の加工品だ。野沢菜と同じくカブの一種で、全体的に細く小さい。道の駅から少し下った稲核地区の特産で、繊維が柔らかく浅漬けやお浸しなどで食べる。シソ風味やワサビ風味の刻み漬なんかは、ご飯のお供にも酒のつまみにも最高だ。毎度、「もう一つ買ってくればよかった」となる。

奈川の源頭近くにある野麦峠。その名を聞くと「女工哀史」や「あゝ野麦峠」がどうしても頭をよぎる。過酷な労働環境ばかりがクローズアップされがちだが、当時の産業界の前線や社会構造を偽りなしに記録したルポだ。峠の難所を越え、飛騨から諏訪や岡谷の製糸工場に遠路はるばる向かった働き手の支えがあって、日本は外貨を稼ぐことができた。製糸業や紡績業は基幹産業として経済発展の礎を築くも、世界恐慌を機に一気に斜陽化へ転じたのは周知のとおり。歴史は、何かを長く存続させることの難しさを物語っている。技術革新、国際情勢、自然環境……。重層的で不連続な変化によって、先々を見通すことはますます難しくなっている。この2年ほどのコロナ禍だって、誰も予想できなかったことだ。何かのバランスの上に成り立っていたものが突如として瓦解し、もしかすると元の姿に戻らないリスクすらも孕《はら》む。それは地付きのそばか、清冽な渓流か、はたまた趣ある湯宿なのか……。いやいや、そんなことがあってはならない。渓流シーズンが終わって秋風が漂ったせいか、ちょっとばかり感傷的になってしまった。

奈川の遊漁券は野麦街道沿いにあるセブン‐イレブン 波田赤松店などで購入可能（このセブンでは隣接する波田漁業協同組合の日釣り券も扱っている）。

奈川の夏アマゴ。8月に避暑を兼ねて高原の川へ向かった、ヤマメと思ったら、ドライフライに出てきたのはアマゴだった

トイレは川の向こうです

日向山茶屋

長野県大町市
市平 2114
0261-23-4456

営業時間 11:00 ～ 21:00
定休日　木曜日 (8 月は無休)
(営業は 4 月下旬～ 11 月上旬)

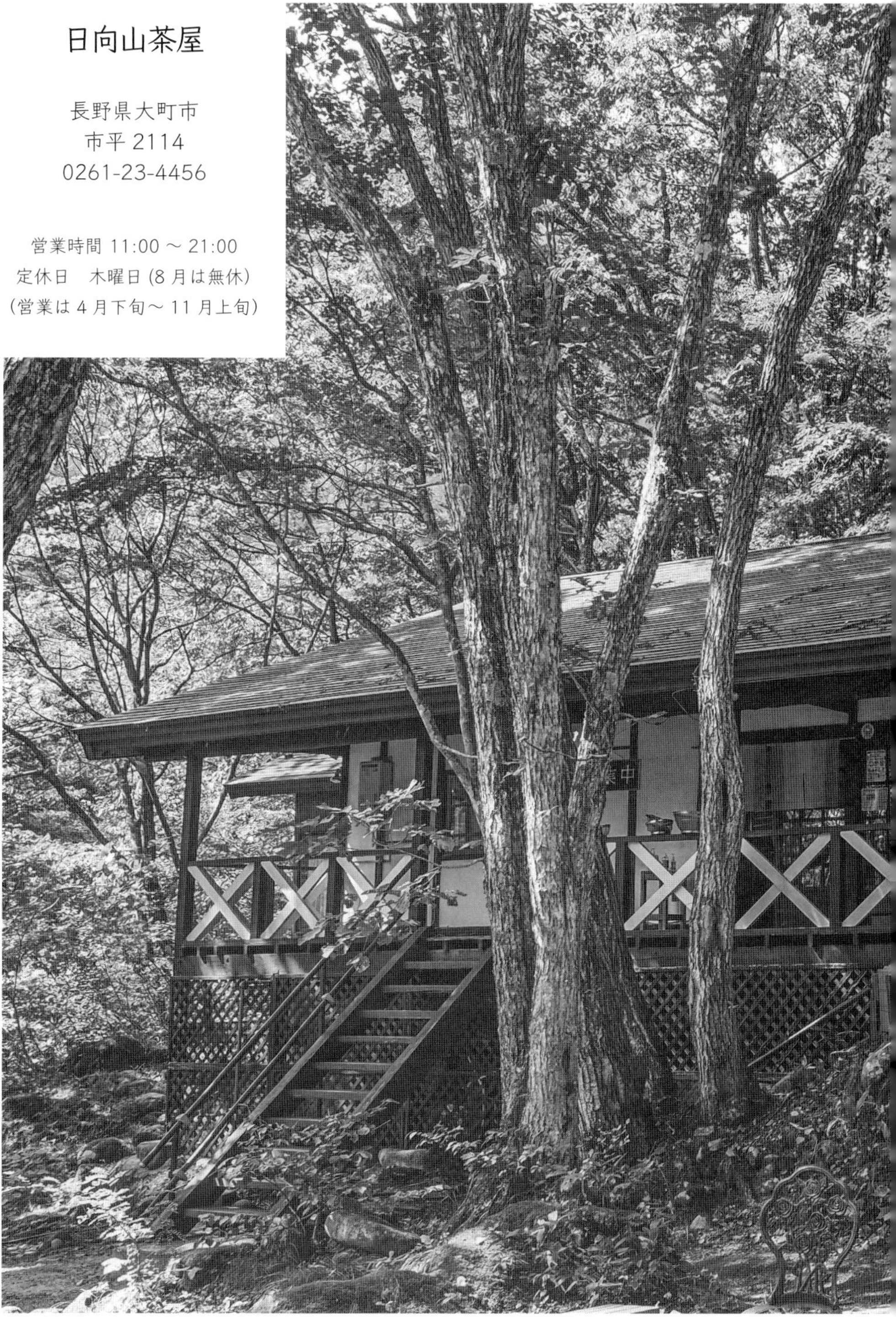

高瀬川と「日向山茶屋」

――川上潤司

小さな落ち込みの脇に魚影がある。大きめのフライを鼻先に落とすと、その不格好さが意表を突いたのか、反射的に食ってきた。早合わせは禁物だ。ワンテンポ置いてロッドをあおれば、ズシっという重みを感じるはずなのに、何の抵抗もなく宙を舞ってフライが手元に戻ってくる。間をおいて幾度やっても、すっぽ抜けるばかりだ。そうして、じれったさが限界になったところで目が覚めた。

同じような夢をよく見る。ディテールがあったはずなのに、何度も頭の中で再生されるうちに角が丸まってしまった。確か、どこかで見た渓相だが判然としない。ついさっきまでは現実だったはずのものが、ふと我に返るとつかみどころがなくなっている。まるでトトロがすむ大クスノキみたいだ。夢と現実、想像と実像、期待と失望……。根っからの方向音痴が関係しているのか、その界隈でさまようのが習い性となった。

長野県側から黒部ダムへ向かう際に、起点となるのが扇沢駅だ。駅といってもレールが敷かれているわけではなく、昭和の難工事が映画にもなった大町トンネル（現関電トンネル）を抜ける電気バスが発着している。

雨がそぼ降る9月下旬の日曜日、安曇野まで来たついでに、扇沢駅へとつながる大町アルペンライン（長野県道45号扇沢大町線）へとハンドルを切った。随分前に、たまたま立ち寄ったそば屋のことを思い出したのである。霧が濃くて肌寒い日に食べた温かいそばが、じんわりとおいしかったのが今でも忘れられない。

記憶を頼りに走る。温泉郷をやり過ごし、別荘地を抜け、瀟洒なホテルを左手に見ながらしばし進んだ先に、それらしい小さな建物があった。しかし、時間が遅過ぎたのか、折からのコロナ禍の影響なのか、もぬけの殻といっていい雰囲気で人影がない。本当にここだったかな……との思いも去来する。やむなくその日は諦めた。

しっくりこずに悶々《もんもん》とした2週間後、家族を誘って再訪してみた。朝からスカッと晴れていたが、高速を下りて国道１４７号線に入った辺りで急に天気雨が降ってきて驚いた。さらにアルペンラインまで行くとワイパーは不要になったものの、後ろにも前にも車が走っていないのが何だか不思議だった。一瞬、道を間違ったかと思ったぐらいだ。

やがて到着したくだんの場所には「日向山茶屋」という看板が掛かり、敷地内の大樹にはオレンジ色の長いロープを使った手作りブランコがしつらえてあった。エンジンを止めて外に降り立てば、一帯は深い森の香りに包まれており、誰だって深呼吸したくなる。前回は全く生命感のなかった建物の中に明かりがともっていた。

中に案内され、テーブルに座った。11時と早かったせいか、客は我々だけである。品書きに目を通し、天ざるを注文。妻はおやきとのセットを頼んだ。一息付いて店内を見渡したところで記憶が蘇った。そうだ、山あいのそば屋という、たたずまいには似つかわしくないアップライトピアノが片隅に置かれていたんだ。やっぱり、間違いなくここである。ＢＧＭにジャズが流れているのも、あの日と同じだ。

そばとは不思議なもので、様々な要素で味が変わる。そばの実そのものの出来や打ち手の技は当然として、店のロケーションや雰囲気、さらには天候だったり、同行者との会話だったり……その時の気分一つでおいしくなったり、そうでなくなったりする。そばに限ったことではないけれど、食べ物に絶対的指標などない。

天ざるがやって来た。なぜだか、食べる前から十分においしかった。朝から爽やかに晴れて心弾んでいたし、母親のケアに少し疲れていた妻も屈託なく笑っている。長野自動車道で覆面パトカーに気付いたのもラッキーだった。何よりも、記憶が曖昧だった店にやっとたどり着けた。細めの手打ちで舌触り良く、つけ汁とのバランスも絶妙で、といった、そんな後付けの解説がかえって白けてしまうくらい、私は大満足だった。

それにしてもピアノが気になった。会計の際、どこか芸術家っぽい雰囲気のマダムに尋ねたところ、「じゃあ、30

立山黒部アルペンルートを扇沢駅へ向かう途上にある「日向山茶屋」。標高 800m ほどの高原で栽培される地粉を手打ちしたそばは細めでつるっと滑らかだ

樹々に囲まれた地にある山小屋風の建物の店内は思った以上に広い。空間を贅沢に使った一角にアップライトピアノが置かれている。ジャズピアノの BGM が静かに流れていた

分は覚悟してくれる?」と茶目っ気たっぷりに返された。ふと見れば千客万来で、ここで引き止めるのは余りにも心苦しい。真相は改めて聞きに来ると伝えて店を後にした。

身辺が慌ただしく、気が付けば1カ月がたっていた。どんなエピソードが明かされるのだろうと期待しながらやって来たのだが……、そこはまたしても、もぬけの殻。看板もなければ、ブランコもない。何年間も人っ気がなかったような様子に、キツネにつままれたような面持ちで立ち尽くした。11月上旬~4月下旬はオフ期で長期休業らしい。森の中にたたずむ小さくて不思議な店。来シーズンは果たして再びたどり着けるだろうか。

信濃川水系の高瀬川は、安曇野市明科で犀川へと合流する一級河川だ。釣りに関しては北安中部漁業協同組合の管轄となる。観光拠点の大王わさび農場の近くにある出合い近くのエリアは、穂高川もつながることから、三川合流と呼ばれ、本流志向の釣り人に一級ポイントとして知られる。

しかしながら、いつも渓流域ばかり、というか藪沢に近い所ばかりに通っていると、広大な流れにはアウェイ感が付きまとってしまう。銀座のバーよりは場末の居酒屋の方がしっくりくるのだ。いや、そんな名店なんぞ行ったことがないので想像でしかないが、せめて経験則が生かせそうな渓に足が向く。

私と同じような釣り人には高瀬川の上流域や支流の篭川《かごがわ》がお薦めだ。「日向山茶屋」がある大町アルペンラインに沿うように流れているのが篭川で、ヤマメもいるが、上流に向かえばほとんどがイワナとなる。水量が多い時と少ない時の差が激しく、後者だとちょっと厳しい。ガンガン瀬よりは、巻き返しのような流れの緩やかな所を、できるだけ遠めから狙う。見過ごしそうな小さなポイントから泣き尺が出たことが何度かあるので、油断できない。

高瀬川の上流域は魅力的だ。ただし、七倉ダムから奥には一般の車は入ることができないので、タクシーあるいは徒歩で向かうこととなる。さぞかしプレッシャーは低いだろうと思いたいところだが、いざ行ってみると足跡が結構あって、釣り人のたくましさを再認識するエリアでもある。途上の葛温泉には、「高瀬館」や「かじか」などの宿があり、連泊する釣り旅の拠点としてお薦めだ。

高瀬川の支流に鹿島川がある。大町温泉に向かう県道45号線を走ると、温泉郷の手前で橋を渡ることになるが、その下を流れているのが鹿島川だ。河原に大きな白い石がゴロゴロとしており、この辺りは支流というよりも本流のたたずまいだ。人気河川だが、そこそこ長さがあるので、釣り人の姿があったなら思い切って移動すると良いだろう。爺ヶ岳スキー場の周辺から入渓するのが個人的には好きなコースだ。

さらに上流に行くと、もう随分と前からやっている管理釣り場「フィッシングランド鹿島槍ガーデン」がある。レインボー、ブラウン、ブルック、さらにはイトウと、何しろ魚が大きいのでハマる人も多い。渓流シーズンが終わって冷え込む季節になっても、いつも大勢の熱狂的アングラーでにぎわっている。

この辺りで湯でくつろぐとなれば、やはり大町温泉だ。実は源泉の大半は前出の葛温泉で、結構な距離を大町まで引湯している。いわゆる黒四ダムの建設工事の際、資材輸送の拠点がこの地となったことを一つの契機として、計画的に開発された。今なお10軒を超える宿があるが、ぎちぎち詰まることなく、いずれも空間をゆったり使ったロケーションなのは、こうした経緯があるからだろう。

宿泊なしの日帰り温泉に特化した「薬師の湯」は、三つの建物が廊下でつながる大規模な施設。かつては朝4時から営業していた記憶があるが、最近は繁忙期でも7時からとなった。それでも朝早くからやっているのは魅力的だ。風呂の数も多いし、和室大広間もラウンジもかなり広い。ラウンジはガラス張りになっており、山々の景色を眺めているだけでも飽きない。併設する「アルプス温泉博物館」には、開湯の歴史の他、温泉と人の関係にまつわる展示があって興味深い。

大町温泉郷のバス停の向かい辺りに「いろり」というそば屋がある。正面から見るとこぢんまりとしているかに思えるが、入ってみると奥に長い。午後に途中休みの時間帯があるものの、17時から夜の部も営業しているので、「鹿

高瀬渓谷の景観。大町ダム（龍神湖）～七倉ダムの間の高瀬川や、その支流などはアクセスしやすい。さらに上流にも釣り人の姿があるが七倉ダムから先に一般の車は入れないので要注意

高瀬川支流の鹿島川には、ルアー＆フライをメインとした管理釣り場「フィッシングランド鹿島槍ガーデン」がある。ビッグサイズの強い引きが味わえるとあってファンも多い

島槍ガーデン」で遊んだ帰りなどに立ち寄ることがある。手打ちのそばもいけるが、イワナの天ぷらがうまい。運転の必要がないならば、骨酒もお薦めだ。

近くに道の駅がないので、土産を買い求める場所に迷いがちだ。「いーずら大町特産館」、「高瀬川直売所（ライスファーム野口）」、ＪＡファーム大町あたりが候補となるだろうか。野沢菜漬けや山菜加工品、季節の野菜などがメインとなる。地酒を買って帰ると喜ばれる身としては、「いーずら大町特産館」に立ち寄ることが多い。

調布インターへのアクセスがいい我が家からだと、ぎりぎり日帰り圏内になる大町の北西部だが、そば、釣り、そして温泉と欲張ると、どれも中途半端となりがちだ。できれば泊まりで計画を組みたい。とはいいながら、なかなか事情が許さない。膨らむ願いが叶わない時は、もどかしく、来年こそはという思いも募りがちだ。恐らくは、そんな状況が続いているために、夢の中の渓流魚たちもつれないそぶりなのだろう。あの店でピアノの来歴に耳を傾け、小場所に潜む泣き尺イワナに再会し、アルプスを眺めながら肩までじっくり湯に漬かる。その3点セットが実現すれば、あの夢を繰り返し見ることもなくなるような気がする。

高瀬川の遊漁券は、ファミリーマート大北大町運動公園店など、主要なコンビニで購入可能。

三峰川と「高遠そばますや」

——川上潤司

適量の焼き味噌を器に入れ、出汁で溶き、さらには辛み大根を加えたつけ汁でそばを食べる。この地の代々が受け継いできた焼き味噌と大根の「からつゆ」食文化を真っ先に味わうのが王道なのだろうが、品書きを開いた瞬間に飛び込んできた「岩魚」の文字に心動くのは渓流アングラーの性《さが》だろうか。条件反射的に「岩魚三昧」を注文した。

この日は、日本三大桜の名所として知られる長野県伊那市の高遠町にやって来た。中央自動車道を諏訪インターで下り、杖突峠を越えて国道１５２号線を南下する。遠州から信州へ塩や海産物を運ぶのに使われた「塩の道」でもあり、火防《ひぶせ》の効験あらたかと信仰を集めた秋葉権現への参詣ルート「秋葉街道」でもあるらしい。ブラタモリ・ファンのために、巨大な断層「中央構造線」に沿った谷を抜ける、と書き添えておこう。

町の中心が近いし、そろそろかな？　と、ナビ画面を一瞥《いちべつ》して視線を戻すと、左の脇道にパトカーを見つけてヒヤリとした。だが、それはＤＩＹでやっつけたような板一枚のフェイク。驚かせるなよー、と苦笑いしたところで、道路の右側にそば屋らしき建物を見つけた。看板に「高遠そば　ますや」とあるのを確認して車を止める。

ちょっと変わった形をした建物だ。上から見るとコンビニのサンドイッチのような直角二等辺三角形に違いない。そのとがった角の付近に入り口があり、赤紫ののれんが掛かっている。何組かの先客が待っていた。消毒用アルコールの脇に品書きが置かれていたが、それは席に着いてのお楽しみ。一人で来ていた私は、やがてカウンター席に案内された。

高遠そば ますや

長野県伊那市
高遠町東高遠 1071
0265-94-5123

営業時間 11:00 ～ 14:30
不定休

さて、岩魚三昧だ。三峰川に泳ぐイワナを遠火で焼いてから天日干しして、半日ほどじっくり煮出したつゆで食べるそばである。「三昧」には、ざる3枚の意味もあって、その時々の選択肢の中から3種を指定できる。今回は玄、抜き、田舎をチョイスした。説明書きによると、「玄」は高遠産のそばの実を殻付きのまま挽き、芯に近い部分を使ったもので外二、「抜き」は殻を取った八ヶ岳産を極粗挽きした水こね十割、「田舎」は高遠産の玄そばの粗挽き甘皮を二割五分入れた十割、とある。イワナ出汁の特徴を吟味するために、比較用の江戸風つゆ（本枯鰹やみりんなどをベースとするやや甘口）も付く。

ざるは1枚ずつ、頃合いを見計らって運ばれてくる。つゆに漬けずに食べたり、2種のつゆにくぐらせたりして楽しむ。「抜き」には粗塩も添えられている。口当たりや香り、味といったものを隅々まで確かめていると、どことなくスノッブ然とした気分になってくる。自分で見ることはできないが、きっと表情もスノッブっぽいのだろう。似たような表情をしていたことがあったはずだ、と思い起こしてみたら、何のことはない、居酒屋で利き酒セットを楽しむシーンだ。演技しているつもりはないのだが、ちょっとばかり気恥ずかしい。繊細とは対局にある私の普段の食生活を知る友人が、今ここに居合わせたなら、思わず吹き出すに違いない。

一口にそばとくくられるが、産地のみならず挽き方や打ち方、つけ汁のバリエーション、さらには食べ方の創意工夫によって、こうも味が変わるんだと再認識させられる店だ。言葉にすれば、どれもおいしいとなるが、その方向性が一つひとつ異なる。個人的には、舌触りが粒立っていて、口の中でグラデーションのような味の微妙な変化を味わえる「田舎」がイワナつゆにマッチして最上だった。

時期にもよるが、「入野谷在来」、「寒ざらし」に出会える日もある。前者は、この地でかつて味がいいと評判ながらも、経済合理性などの理由で絶滅寸前になっていた品種を、関係者の努力でたった6粒から復活させたものだ。今なお希少品種である。後者は、秋に収穫した玄そばを小寒の頃の冷たい渓流に漬け、寒風にさらして乾燥させたものを使う。余分なアクや渋みが抜けて、甘みと風味が増し、サラリと舌触りも良くなるとされる。次に訪れた時は、伝統のからつゆと共にぜひ味わってみよう。

ところで、箸の代わりに、1本の長ネギですくいながら食べる名物そばを、テレビの旅番組などで見たことがあるだろうか。福島県の南会津に、日光から会津へと続く街道の宿場町として栄えた大内宿がある。そこに店を構える1軒が始めた比較的新しいユニークな食べ方なのだが、見た目のインパクトも手伝って耳目を集めるようになった。その食べ方は横に置くとして、その南会津のそばも「高遠そば」と呼ばれる。大根のおろし汁に、しょうゆや出汁を加えたつゆで食べるのが特徴だ。遠く離れた地で名が同じなのは、ある歴史上の人物が深く関係しているからだ。

高遠藩主を務めた保科正之は、３代将軍、徳川家光の異母弟に当たる。家光は、謙虚で聡明な正之に信頼と慈愛を寄せ、会津藩に転封させる。３万３０００石から23万石への大抜擢だ。多くの家来を連れていっただろうし、正之を慕って移動を共にした領民もいたことだろう。その際に、大根など、地で採れるものを生かして食す高遠流のスタイルが会津に渡ったというのが定説だ。それどころか、実は「高遠そば」との呼称は会津で先行し、後にルーツである高遠に里帰りしたものだという。

歴史絵巻をひも解くのが本書の趣旨ではないのだけれど、正之は玉川上水を完成に導いた尽力者でもある。我が家の近くに、太宰治が入水したとされる場所がある。今そこをのぞくとチョロチョロだが、江戸時代から昭和初期まで、流れは厚く重たかった。長い距離を開削する大規模事業の検討時には、上水が敵の侵入路となり、戦になった際に危険だ、という反対論も噴出した。これらを「万民の安泰こそ最優先」と一蹴したのが、幕閣の一人となっていた正之なのだ。

こうして私の頭の中では、高遠と会津と武蔵野がつながった。全国あちこちに釣りに出掛けていると、それまで全く無関係と思われた土地柄同士がひょんなことで結び付くことがある。それがまた遠征の楽しみとなる一方で、史跡の解説板を読んでも基礎知識不足でピンとこない時はもどかしい思いをする。「学生時代にもう少し真面目に日本史

「田舎そば」。説明書きによると、高遠産の玄そばの粗挽きに甘皮を二割五分入れた十割、とある。ざらっとした粗めの食感でナッツのような香りが漂う。他に比べて黒みが強い

を勉強しておくんだった」と反省する瞬間だ。

三峰川（管轄は天竜川漁業協同組合）は天竜川水系で最も大きな支流である。南アルプスの仙丈ヶ岳近くから流れ出し、いったんは南へ向かうも途中でぐるりと反転し、高遠方面へと北流する。グーグルマップで俯瞰《ふかん》すると、大きな「し」の字のようだ。水源から峰を越えて山梨県側に行けば、野呂川が流れる位置関係となる。上流域で川に沿って走る市道三峰川線は、かつては大曲のゲートまで行けたと記憶している。さらに、そこから源頭を目指す一帯にはイワナの楽園があったらしい。今はずっと手前の杉島のゲートで通行止めとなっており、奥を目指す気力は湧いてこない。かつて駒ヶ根インターから近い大田切川にC&R釣り場があった頃には何度か釣りをした。ご当地グルメのソースカツ丼には満足しても、釣りが消化不良に終わることもしばしばだった。そんな時は地図とにらめっこして伊那に転じ、黒川や山室川でロッドを振った。少ない経験ではあるが、高遠そばとセットに予定を組むなら、この辺りがお薦めだ。

　この日は山室川を目指した。美和ダムに近い交差点から県道２１１号（芝平高遠線）に入ると、少し行った先の左側に広がる田園風景が美しい。さらに行くと道と流れが近づき、瀬と落ち込みが交互に繰り返す山岳渓流の様相となる。所々に車が止められるスペースが目に止まり、そんな所からは決まって渓に降りる踏み跡が付く。アマゴの川で、奥に踏み分けるとイワナが多くなるのは他の支流も同様だ。

　地酒「仙醸」の看板を掲げる酒屋「万寿屋《ますや》」で日釣り券を購入。ここから先もかなり奥まで行けるが、時間の関係でほどほどの所から入渓した。それから2時間弱、小さなイワナをいじめたぐらいで心躍る引きは味わえなかったが、それでも清らかな流れを歩くのはやはり楽しい。

　ほとりにある弘妙寺《ぐみょうじ》はゴルフ寺とも呼ばれる。プロを筆頭に、「高く遠く」の縁起をかついで参拝した数々のプレーヤーが好成績を残したことが噂となって定着した。そうそうたる顔ぶれの優勝記念植樹もあるし、「３パット除」な

三峰川支流の山室川。県道211号線をしばし行くと山岳渓流の雰囲気となる。車が止められるスペースの近くには入渓するための踏み跡が必ずといっていいほど見つかるはずだ

西高遠にある「さくらの湯」。大浴場や露天風呂、休憩室などがあり、一般的な日帰り温泉施設の造りだ。高遠城址の桜が満開になる４月は、各地からの見物客で町中がにぎわう

どのユニークなお守りもある。時にロッドをクラブに持ち換えるという人には興味があるかもしれない。

美和ダムのすぐ近くには「道の駅 南アルプスむら長谷」がある。２０１７年に駐車場が広くなり普通車１００台を収容する規模となった。「南アルプス長谷ビジターセンター」も隣接していることから、登山や観光の拠点として常に多くの人が行き交う。敷地内には中庭のような芝生が広がり、ちょっと休憩するのに打って付けだ。中にあるパン屋さんが人気で、地元の人も足を運んでいるようだ。

農産物を始め、地元の名産品が並ぶ売店をいつものようにブラブラしていて、ある一角で思わず足が止まった。イナゴの田舎炊き、蜂の子の瓶詰、蚕のさなぎ、鯉のうま煮……なかなかのラインナップだ。ザザムシの田舎炊きの袋を手にとって、「おっ、ヒゲナガカワトビケラのラーバみっけ！」、なんていうフライフィッシャーは私だけではないだろうなぁ。

西高遠に「さくらの湯」がある。大浴場に露天風呂、休憩室、食事処と一般的な作りだ。運営するのは伊那市観光という第三セクターで、他に高遠さくらホテルや仙流荘などの宿泊施設や、北沢峠こもれび山荘や仙丈小屋など４軒の山小屋も手掛けており、泊り掛けのアクティビティでは何かと世話になる。

赤みが強い１５００本もの桜が城址に咲き乱れるのは４月上～中旬だ。高遠に限らず全国各地で桜が見頃を迎える時期は、渓流魚がいよいよ活発に動き始めるタイミングでもある。釣り人はそそくさと出かけ、飽きもせずに川面を凝視する。花よりアマゴ。かつて団子ばかりに手を伸ばした少年は、今はひたすらロッドを振り続けている。

三峰川の遊漁券は、伊那市内の主要なコンビニで取り扱っている。山室川については記事中の酒屋「万寿屋」で購入できる。

千曲川水系と「川上そば 善慶庵」

——川上潤司

日本一長い川は？　小学校高学年の社会科で「信濃川」と教わったけれど、長野県まで遡ると「千曲川」に名が変わると知ったのは、かなりの歳月がたってからだった。それまで千曲川といえば、父親のカセットテープの演歌全集にある1曲であり、流れているのは家や車の中だった。

やがて釣りにのめり込んで名川と知った。地図で眺めると確かにうねうねと蛇行しており、それが名の由来だと思い込んでいたのだが、実は諸説あるらしい。大昔、高天原《たかあまがはら》の神々がいさかいを起こして戦い、「血潮」が「くまなく」流れたというのもその一つで、そんな逸話が伝わるのが長野県の川上村だ。

真っすぐ伸びる一本道の左右に広大なレタス畑が続き、何台ものトラクターがひっきりなしに往来している。時には車道も走り、そんな1台の後ろに付く格好となった。普段はなかなか見かけない超大型だ。しかも後部には、野菜コンテナを大量に積載するバケットが付いているものだから、なおのこと大きく見える。追い抜きざまにメーカーを確認するとマッセイファーガソンなるロゴがあった。他にもフォードやジョンディア、フェントなど、この地では「外車」がやたらと多い。

高原野菜の栽培に力を入れる川上村。標高１２００ｍの高所にありながら平坦な土地に恵まれていること、昼と夜との気温差が大きいことなどが野菜の栽培に有利に働いている。中でもレタスは生産量日本一だ。畑から集荷場へ運び、朝採りの新鮮さを保ったまま全国に届ける一連の物流網が確立され、シャキシャキでみずみずしい川上村のレタスは既に有名ブランドである。

夏から秋に掛けては超繁忙期。村内ではほぼ一日中、膨大な数のトラクターが行きつ戻りつしている。1台1台は

川上そば 善慶庵

長野県南佐久郡
川上村原 836-8
0267-97-2660

営業時間 11:00 〜 18:00
定休日　木曜日 (祝日営業)

川上そば
善慶庵
川上そ
善慶庵

とびきり大きいのだが、全体の動きを遠目に見ると、まるで働きアリがせっせと餌を巣に運ぶ様子にも重なる。そんな折に、釣り道具一式を積み込んで呑気にやって来た自分はまるでキリギリスだ。欲望の赴くままに渓をさまよい、やがて秋の禁漁期を迎えると、心にポッカリと穴が開く。営々たる仕事ぶりを横目に、バイオリンをロッドに持ち換えて、日がな一日単調な旋律を刻む釣り人に付ける薬はない。

集落から離れた、村を見下ろす山沿いの道の傍に、「善慶庵」がひっそりとたたずんでいる。「手打そば」と白抜きされた紫色ののぼりがなびいていなければ、見過ごしてしまいそうだ。こぢんまりとした平屋の白壁がまぶしい。入り口の引き戸を開けて、店内へと歩を進めた。

客間は和風の畳敷きで、靴を脱いで上がる。座卓が四つあり、案内された位置の座布団に腰を落ち着けた。さて、何にしようか……。いつもなら品書きを開いてしばし悩むところだが、この店ではその必要がない。もりそばの並（８００円）と大（１０００円）のみという潔いラインナップなのである。「うちはおそば屋だから、よそ見しないのよ」と女将が笑う。実に分かりやすい。

朝イチで山梨県北杜市の親戚宅に用事があり、その足で清里や野辺山高原を抜けてやってきた。少しばかり慌ただしく、間食もしていなかったので「大」を注文。ほぼ同時に、カボチャの煮付けやレタスのサラダ、そば湯寒天などの付け合わせが運ばれてきた。隣卓にいた地元の常連が、そばはもちろん、時々のちょっとした「おかず」がおいしいんだ、と説明してくれた。

やがて主役が登場。地元産のそば粉で手打ちした十割そばだ。ぱっと見には滑らかで、あっさりな麺に思えたが、口に含んでみるとそうではなかった。甘皮が適度に挽き込まれているためなのか、思った以上に粘りがあるし、舌触り感もある。むしろ、あっさりしているのはつゆの方だ。最初は薄いかな？　とも思ったが、噛んだ後からジワっとやって来る、そばのほのかな甘みやうまみを感じるには、このぐらいのバランスがいいのかもしれない。不思議と、食べ

客間奥の厨房脇に手打ちのためのスペースが設けられており、水回し、練り、延ばし、切りといった女将の一連の作業を間近に見ることができる。主人はそばの栽培にも精を出す

品書きには、もりそばの並と大のみ。あっさりした見た目とは裏腹に、口に含むと粘りを感じる。朝方に霧に覆われる日が多いことから「霧下そば」とも呼ばれる地元産を手打ちする

始めより後半の方が味と香りが立つような気がした。どろっとしたそば湯がまた癖になる味わいだ。

看板にある「善慶」という文字は、どことなく歴史上の人物を想起させる。この地にゆかりがあるのだろうか。気になって尋ねてみると何のことはない、店主は善一さん、女将は慶子さんであり、一文字ずつ持ってきたそうだ。これまた、実に分かりやすい。そんなやり取りを機に少し話し込んだ。そばを打つのはもっぱら女将である。この地に嫁いできてから、姑の手技を見よう見まねで覚えた。その姑は若い頃からそば打ちをたしなみ、大切な村の行事では声が掛かるほどの名人だった。水回し、練り、延ばし、切り……、一連のルーティーンを近くでじっくりと観察して、再現することを繰り返した日々は貴重な経験だったという。一通りのそば打ちスキルを身に付け、さらには自分なりのアレンジを加えたことが今の味につながっている。客間からは、そばを打つ女将の姿を見ることができ、その無駄のない所作に思わず見入ってしまう。主人の方はレタス農家に軸足を置きつつ、そばの栽培にも精を出す。店ではかなりの量のそば粉を消費するが、半分は自らまかなっているという。残り半分も地元の知人の手によるもので、地産地消を貫く。一帯は高原ゆえに昼夜の気温差が大きく、朝方に霧に覆われる日も多い。こうした条件下で育つそばは、味や香り、栄養、粒型が良好とされ「霧下そば」と呼ばれる。そこに主人の丹精が込められるのだからおいしくないはずがない。娘たちが独立して子育てを卒業したのを機に、セカンドライフとして「善慶庵」を開いたのは２００５年のことだという。打ち粉も含めてすべて地元産というこだわりが評判を呼び、そば好きが県内外からひっきりなしにやって来る。看板どおりに、二人の丁寧な仕事が結実していることを実感できる店だ。

県道68号を東に向かって走り、廻り目平方面への分岐を示す標識を目印に右折する。やがて道に沿って近づいてくるのが千曲川支流の金峰山川だ。川上山荘の先で橋を渡ると、流れは左側へ移る。その名のとおり、金峰山の麓を北流する川であり、とことん澄んだ水はジンクリア・ウォーターなどと呼ばれる。他にいくつも候補がありながら、毎度この支流に踏み入ってしまうのはなぜだろう。一つには、シェリダン・アンダーソン氏と共に「フライフィッシング教書」を著した田渕義雄氏の影響があるからに違いない。まだフライフィッシングがマイナーだった頃、氏の著作や寄稿記事は貴重な情報源だった。80年代になると川端下《かわはけ》に居を構え、この地をコールドマウンテンと称しながら、釣りはもとよりアウトドア全般の楽しみ方を、真正面から（時に斜に構えながら）伝えてくれた先達である。残念ながら２０２０年に逝去した。

「これほど美しく、変化に富み、冷たく透明な水が流れる渓谷はそうざらにはない……（中略）……川上村の川へくるなら、金峰山川へいらっしゃい」。「日本の湖沼と渓谷」（ぎょうせい、１９８７年）の第６巻にあり、後に「川からの手紙」（小学館、１９９８年）にも収録された文章を読むにつれ、この川に愛着を抱くようになった。ちなみに、金峰山は何と読むのか。山梨県側では「きんぷさん」だが、長野県では「きんぽうさん」と呼ばれる。したがって、川上村を流れる川は「きんぽうさんがわ」だ。管轄は南佐久南部漁業協同組合である。

もっとも、同じようにこの支流に魅せられた釣り人が多々いることを忘れてはいけない。イワナがのんびりとプールに浮き、大きめのテレストリアルフライを投じれば一発……なんてことは絶対に起こらないと頭に叩き込んでから入渓すべきだ。水が澄んでいることも手伝って、怪しい気配を感じると魚はただちに岩陰に消える。イワナは鈍いなんて誰が言ったんだろう。ひとたび失敗すると、２度目、３度目はない。

魚影が薄くなったという声もあるが、ＤＮＡに刻まれる猜疑心《さいぎしん》と自制心に磨きがかかったと捉えることにしている。そんな気難しい相手と対峙して、ランディングまで持ち込めた時の「してやったり感」は格別だが、大概は「やられた感」が上回ることとなる。諦めの悪い釣り人は、今度こそ見てろ、とばかりにまた通ってしまうのだ。田渕氏が何かの作品に書いていた「パラシュートフライの先にトレーラーとして小さめのニンフを付けるリグ」はまだ試したことがない。「君には早い」と尾びれで引っ叩かれるのが少しばかり怖いからだ。

いつもは、廻り目平キャンプ場方面へ向かった突き当りゲート先にある有料駐車場を利用している。その奥にある金峰山荘で遊漁券も購入できるし、入渓ルートや近況なども教えてくれる。対象となるのは大きくは西股沢と東股沢の二つのエリア。どちらかというと前者の方が幸薄い気がしている。一帯は花崗岩質のため川底は白味が強く、晴れた日の流れは独特の碧色《へきしょく》を帯びる。そんな環境に同化するのか、時にハイキーな色白イワナが掛かってハッとすることがある。地図を見る限りは下流域も川にアクセスしやすく見えるが、シカなどの野生動物が畑に侵入することを防ぐフェンスが道沿いに延々と連なっていて面食らう。所々に出入り口が設けられているものの、他人の敷地に勝手に踏み入るようで気が引けてしまうのは自分だけだろうか。

南佐久南部漁協の遊漁証（年券、日釣り券）には、川上村の隣、南相木村「滝見の湯」の食事割引クーポンが付くが、金峰山川の辺りからだと相応の距離があって踏ん切りが付かない。汗を流すなら、公共施設「ヘルシーパークかわかみ」内に入浴施設があり、居住者でなくとも利用できる。泊まりで釣りをじっくり楽しむならば、前出の金峰山荘や川上山荘などアウトドア派が集う宿を勧める。もちろんキャンプ場にテントを張り、降り注ぐような星を眺めるのもすてきだ。採り立ての高原野菜を土産にしたいなら、村役場の近く「森の駅マルシェかわかみ」に農産物直売所がある。「レタ助くん」というご当地キャラの存在はここで初めて知った。隣接する林業総合センター「森の交流館」は地元のカラマツ材を生かした建物で、県の天然記念物「川上犬」の犬舎も併設されている。今や希少となった小型の日本犬は、耳がピンと立ち端正な顔立ちをしている。好奇心旺盛で、かつては狩猟犬として飼われたと聞くが、目が合った1匹は旧知の友のようにとても穏やかだった。

イソップ寓話は、冬になってキリギリスがアリに食べ物を乞い、拒絶されるというのがオリジナルだが、慈愛の心を持って、アリがキリギリスを助けるというバージョンが今やポピュラーだ。川上村もまた、食欲や釣欲にくらむ我々をいつも寛大に迎えてくれる。

金峰山川の遊漁券は、記事中にある川上山荘や金峰山荘で購入できる。

千曲川支流の金峰山川の澄んだ流れはジンクリア・ウォーターとも呼ばれる。花崗岩質のため川底は白みが強く、その環境に同化しようとするイワナの体色もまた、なまめかしく白い

川上村内を流れる千曲川の最上流部。かつてより魚影が薄くなったとの声もあるが、それでも釣り人の姿が絶えないのは、狡猾さを増した難敵と対峙する楽しみがあるからだろう

番外編　そば打ち職人、金澤仁

――大野敏男

今から5年ほど前のこと、犀川へ釣りに出掛けた時のことだ。初日の状況はあまり良くなかった。そして二日目、昼前から冷たい雨が降り始めた。魚の反応がなくなって、さすがに気持ちが萎えてきた。早めに納竿して温泉に入って帰ろう。そう思った突端に、気持ちが明るくなった。釣りは最後まで諦めないことが重要だが、だからといって温泉が重要でないはずもない。

大岡温泉の食堂で、昼どきにそばのランチをやっていることは知っていたが、当時はそば屋でしか、そばを食べないことにしていた。しかし「つつじ亭」で、自分の考えが間違っていたことを認めて以降は、食堂でも、道の駅でも、場所や環境にこだわることはなくなった。そばがおいしければ、それでいいのだ。とはいうものの、やはりハズレも多く、過度の期待は禁物と自分を戒めているのだが、その日の大岡温泉では予想を大きく外した。おいしかったのである。それもかなり。こういううれしい誤算があるから、そば探訪はやめられないのである。

以来、犀川への釣行では、大岡温泉の十割そばが楽しみの一つになった。魚が釣れていたら決断も早いが、魚が釣れていなくても、気分転換にかこつけて、ウェーダーを脱いでまで、そばを食べに行っていたほどだ。温泉の主に「風呂は夕方に来るから、今はそばだけ食べさせてください」と頼みさえした。

その大岡温泉で十割そばを打っていたのが、そば打ち職人、金澤仁だった。

私は釣り旅の際に、おいしいそばに出会うと、それをＳＮＳにアップしている。大岡温泉の十割そばの件も、ＳＮＳに上げた。それを偶然見つけた金澤から「トシ坊（山小屋番時代の私の愛称）の食べたそばは、オレが打った」という短いメッセージが届いた。どれほど驚いたことか。

味菜
営業時間のご案内
11:00~14:00
18:00~18:30
9:00~19:00
14:00 閉店
テイクアウト
OK
注意
お持ち帰りできます!
テイクアウト
OK
小川村商工会
JCB
DISCOVER

私は中学の頃から奥多摩や丹沢の山々を歩き回り、高校生の時には表銀座から槍、穂高をソロで縦走した。山小屋に憧れて、18歳の時には浪人の身でありながら、北穂高小屋で働いた。そこで出会ったのが仁さんだ。私より二つ年上で、大学へ行くようになってからも4、5年間、同じ山小屋で働いた兄貴分的な存在だったのである。

その仁さんからの突然のメッセージである。それも自分がおいしいと太鼓判を押したそのそばを打っているのが仁さんだなんて！　こんな偶然がこの世にあるのか？　やっぱり縁ってあるんだ！

金澤仁は２００1年に妻の優子さん、当時6歳と4歳だった子供2人を連れて、大阪から旧大岡村（現長野市）の標高８５０ｍの地へと移住した。中華料理人の経験を生かし、できたばかりの聖山パノラマホテルの料理人として働き始めたのだ。大阪にいた頃から独学でそばを打ち始めていたが、長野に移住してから本腰が入り、3年後にそば打ち職人として独立した。

そば打ち職人というと、それらしい伝統があるように響くが、実は、元々信州にはそば打ち職人という職業はなかった。信州では郷土食としてそばを食べてきた文化があるので、家庭でそばを打つことが当たり前だったのだ。しかしながら日本経済の高度成長と共に若者が郷里を去って戻ってこないようになると、家庭でのそば打ちの伝統が途絶え始めた。そして今や自家製そばは絶滅状態で、残っている多くの打ち手も高齢者というのが現状だ。

だからといって信州でのそばの需要が減ったかというと、そんなこともなく、観光地での需要は逆に増している。そこで誕生したのが、そば打ちを専門にする職人である。結婚式やイベントなどに出張して、そば打ちの実演をしてそばを供したり、契約している公共施設や旅館へ行き、毎日、あるいは数日おきに出向いてそばを打つ。一日に数カ所回ることもある。連休前ともなると、数百人分のそばを打つという。その一つが金澤が打ち、大岡温泉で提供されていた十割そばだった。

北穂高小屋以降、関東と関西に分かれ、仁さんとは疎遠になっていた。大阪でラーメン屋をやっているとばかり思っていたら、いつの間にかそば打ち職人となって、長野に移住していたのだ。しかも秋には何度も通う大岡温泉で、私がウマイ、ウマイと食べていたそばが、仁さんが打ったものだったとは。

　台風19号が長野新幹線の車両センターを水没させた年の秋、私は金澤仁と30年ぶりの再会をした。会った途端に昔話に花が咲いた。当時、山小屋の従業員は、登山者の多い7月から8月に掛けては無休で働いていたが、秋風が吹く頃になると休憩時間ができる。待ちに待った小屋番たちは、わずかな空時間を使って交代で滝谷へロッククライミングに出かけた。私は仁さんと、ドーム西壁やＰ２フランケ、そして最難ルートの一つＣ沢右俣奥壁などを登った。右俣奥壁は、北穂高岳と涸沢岳の中間付近に位置している滝谷Ｃ沢のどん詰まりにあり、傾斜角の大きい２００ｍほどの壁である。所々にオーバーハングがあり、縦走路から降ってくる落石が背中越しに飛んで落ちて行く。縦走路を歩く登山者のほとんどが、まさか自分が歩く直下の壁にしがみついているクライマーがいるなんて思っていない。そんな彼らが意図せずして落としてしまう石は、ゴルフボールくらいなら「ヒュー」とか「シュー」という鋭い音と共に飛んでくるが、時には辞書サイズの石が落ちてくることがある。辞書サイズの落石となると「ブンブンブン……」とか「バタバタバタ……」と、重厚な回転音でうなるように落下してくる。そんな仁さんとの恐ろしくも鮮烈な経験も、今や懐かしい青春の思い出となった。北穂高小屋は３１００ｍの稜線上にありながらも、食器にこだわるなど、食事に関しては登山者からは別格の評価を得ていた。当時から仁さんは小屋番たちのまかないに腕を振るっていて、それをきっかけに、大阪の中華料理店で修行し始め、中華料理店「仁」を開店した。料理は評判になり店は繁盛したが、一方でストレスはたまっていった。そんな仁さんにとって、大阪でのそば屋巡りは最大の息抜きであり、楽しみだったが、身辺を含めた種々のストレスにより体を壊してしまった。その後、新天地を求め、得意のスキーと料理を仕事にできる場所はないかと探しているうちに、見えない糸に導かれるように長野県の大岡村に行き着き、聖山パノラマホテルの料理人の職を得た。ストレスフルな生活から脱け出すことによって、心と体のバランスを取り戻した仁さんは、やがてホテルでやっていたそば打ちの魅力に引き付けられ、そば打ちを専業にしたいと思い始めた。移住先がそばのメッカである長野だったからこその人生展開であった。

再会以降、金澤邸は私の「犀川ベース」となった。寒い晩秋に車中泊することなく、楽しくラクチンな夜を過ごしている。いつもそばの話ばかりしているのだが、今回の本の企画を話すと、さらに私の知らないことを教えてくれた。

そばという食べ物は「そば」と「つゆ」という、たった二つの要素で成り立っている。その潔さが日本人の国民性に合っているのか、世にそば好きは多い。しかしながら、好みは十人十色だ。シンプルなだけに好みがはっきりと分かれる。つるつるで、のど越しのよい細打ちが好きな人もいれば、私のように穀物的なつぶつぶ感のある太めなそばが好きな人もいる。

――そもそも「そばのうまさ」はどこからやって来るのか？

以前から私の頭の中にあったこの問いに、仁さんは迷いなく、明確に回答してくれた。

「粉だよ」

そばのシンプルさにふさわしい、シンプルな回答だった。

細打ちとか田舎風とか、そばの仕上げ方とはほとんど関係なく、そばのうまさの核心は、そば粉にあるという。つまり挽き方が重要なのだ。同じそばの実を挽いても、時に別物としか思えない味のそばになってしまうこともあるという。

そば粉は熱に弱い。製粉時に熱が発生すると、水分が失なわれ、同時にそばの風味が失われてしまう。店先で見せる石臼挽きはパフォーマンスではなく、真剣勝負なのだ。多くのそば屋が自家製粉に行き着くのは、この最も重要な過程を他人に任せるわけにはいかないからである。

我々、そばを食べる側は、そばのうまさを舌や鼻などで感じ取るが、仁さんは手のひらで感じるらしい。そば打ちをしたことがない私には理解不能だが、水回し前の乾いたそば粉を握った時に、そばの味を予感するというのだ。特に挽き立てのそば粉を使う時のそば打ちは、おいしいそばへの期待でいまだにワクワクするらしい。また、練った生地の出来も手のひらで感じる。そば打ち職人は、舌より先に手のひらでそばの個性を味わっているのだ。昼食には必ず、自分の打ったそばを食べ、味の確認をしている。

仁さんの打つそばは、基本十割そばで、個人的にはそば粉十割のそばにこだわり、完璧を目指しているが、請負先の注文によっては、二八でも外一でも打つ。十割でも二八でもそば打ちの基本は変わらないという。

今回、仁さんがそばを打つ姿を写真に収めるため、仕事に同行させてもらった。ガラス越しにそば打ち部屋をのぞくと、そば粉をはかりに載せて、電卓で何かを計算していている。職人だから、経験や勘に頼るところが多いのかと、勝手に想像していたのだが、聞けばそば粉は、季節や気温や湿度で毎日重みが変わるから、自分の感覚よりも、はかりを信用しているということだ。

仁さんと30年来の再会のきっかけになった大岡温泉は、市の契約事業者が代わってからは、そばが食べられなくなってしまった。金澤仁の打ったそばが食べたければ、犀川沿いの信州不動温泉「さぎり荘」、あるいは小川村の「道の駅 おがわ」にある食事処「味菜」で食べることができる。

私の「犀川ベース」は聖山の中腹にある。寝泊りさせてもらっている部屋の窓からは白馬岳から鹿島槍、さらには南の蓮華岳までが、屏風を広げたように一望できる。今は晩秋の明け方、峰々は新雪を冠してオレンジ色に輝き、私の眠気を一気に吹き飛ばす。かつての山仲間が、そば打ち職人となって北アルプスを望む山里で暮らしている。移住して20年がたち、二人の子供たちも独立し、ようやく夫婦の時間ができたようで、夏はゴルフ、冬はスキーを一緒に楽しんでいる。仁さん夫婦の苦労がどれほどだったのかは分からない。私に分かっているのは、山か、釣りか、そばか、温泉のいずれかの神様に導かれた私が仁さんと再会し、今、ここで北アルプスを眺めていることだけだ。

釣り場ガイドブックの正しい読み方

——阪東幸成（編者）

「善の研究」で知られる日本の哲学者、西田幾多郎に「絶対矛盾的自己同一」という概念がある。西田哲学の根幹をなす難解な概念で知られるが、もし「一言で絶対矛盾的自己同一を説明せよ」と言われたら、私なら「釣り場ガイドブック」と答える。

私は渓流で餌釣りを始めたおよそ40年前から、一貫して、釣り場ガイドブックが発売されると、迷わずに購入してきた。出版社側としては、釣り場ガイドブックとうたうからには、最大公約数的に釣り場情報を網羅するのが通例だ。一方、釣り人側はといえば、知られざる釣り場が知りたくて、最小公倍数的にガイドブックを買う。釣り場ガイドブックとは、製作サイドの意図と購入サイドの目的が合致しない、同床異夢的な書物なのだ。

初めの頃は、私も素直にガイドブックに記されたポイントを釣っていた。「ここで筆者は尺上を3本上げた」、「大物の実績があるポイントだ」、「増水時の逃げ場としてお薦めしたい」、「秋口の荒食いが期待できる」、「渓相は今一つだが、イワナの魚影は濃い」「釣り人は多いが魚も多く、コンスタントに釣れる区間だ」などといった文章を真に受けていた。釣り場ガイドは、どこかしらスポーツ新聞の見出しのように、大げさだと分かっちゃいるけど、ついつい引き込まれてしまう類いの文体で書かれたものが多いから、その気になりやすいのである。

釣り場ガイドブックの宿命的な問題点は執筆者が釣り人であることだ。釣り人は古今東西、民族の違い、宗教の違い、イデオロギーの違いにかかわらず「ホラ吹きである」という世界共通認識がある。じゃあ、そんなホラ吹きが書いた文章を、誰が読むかといえば、不思議なことに、それも釣り人なのである。読む側の釣り人には、その「ホラ吹き」の書く文章を信じたいという奇妙な心理が働いているのだ。自分がホラ吹きであることを知っていながら、なぜ他人のホラを信じようとするのか？　まるで自分がついたウソの償いをするかのように、他人のウソを受け入れるのか？

それは釣り人が「希望の依存症者」だからである。「次の一投に、次のポイントで、次の一瞬に、明日こそは、来週末こそは、北海道に行けば、来月こそは、イエローストーンに行きさえすれば、来年こそは」といった楽観の元に、先へ先へと希望を先延ばしにするうちに、釣りをやめられなくなってしまう。次の釣行に目がくらんでいる依存症者には情報の真偽の区別など付かず、それどころかウソをつく相手に、同じ依存症患者として共感しているフシさえある。「次もダメだろう、明日もダメだろう、きっと来月も、来年も、モンタナやアラスカに行ったって、何も変わりやしないだろう」という悲観的な釣り人は、原理的に存在し得ないのである。

まさしく私も、そんな依存症者の一人ではあるけれども、長い間、釣り場ガイドブックを参考に釣りをし続けているうちに、ある一瞬だけ正気に戻ったことがあって、その際に、依存症のもやもやとした霞の中から一つの事実が姿を現したのだ。

――紹介されていない所では釣れる。

紹介されている区間やポイントでは、ほぼ１００％釣れない。ところが、なぜか紹介されている川の近くの川、書かれなかった区間で釣れるのである。やがて私は理解した。釣り場ガイドの執筆者も人の子で、執筆を依頼されて原稿料を受け取る責任上、大ウソは書けない。だから有名ポイントや誰もが行く場所を無難に紹介することになるわけだが、一方で自分が釣っている場所は秘匿するものなのだ。それは自分が執筆者になったと想像すれば簡単に分かる。自分だけの秘密情報を、知らない相手に垂れ流す釣り人はいない。ただし犯罪者が偽名を使う時に、ついつい友人知人の名を挙げるように、ガイドブックの執筆者にとっても１００％のウソを付くのは難しく、書いた文章のどこかに、隠した痕跡を残してしまうものなのだ。取調室で「いや、オレはやってないよ」と言う容疑者の言葉を鵜呑みにする刑事がいるだろうか。一つだけ紹介が漏れている支流は「釣れない」からではなく、「釣れる」から載せていないのである。この本の4人の執筆者も犯罪者の例に漏れず、誰一人として、どこに、あり金を隠したかを明らかにしていない。取り調べ責任者の私に対してさえである（原稿料の減額をチラつかせて、脅しを掛けるつもりだ）。

本書もこれまでの釣り場ガイドの例に漏れず、秘された裏側にこそ真実がある。本書の冒頭で、爆釣の場所は紹介されていないから、そういった情報を期待する人は買わない方がいい、と書いたのは私の本心だ。情報漏洩、盗み、ウソが横行するこの釣りの世界に、突然、まばゆい真実が姿を現すはずがない。裏読みこそが、釣り場ガイドブックの唯一にして、正しい読み方なのである。

そもそも釣り場ガイドブックは、「人に知られると釣れなくなる」という、釣りにおける決定的な真実の真逆を、白昼に正々堂々とやってのける、良くいえば西田哲学的、悪くいえば詐欺的な書籍だというのに、悲しいかな、釣りに行きたい釣り人は、不思議なくらいあっけなくそのウソを信じてしまう。孫の声を聞きたいおばあちゃんが、オレオレ詐欺に引っ掛かるように。

というようなことが分かるようになって、私が釣り場ガイドを買わなくなったかというと、それは逆で、今では絶版になった昔のガイドブックを探し出しては購入している。というのもガイドブックには最後のロマンがあるからだ。陳腐な男女のロマンスを奇妙に性的に書いただけの純文学や、史実が面白おかしく改変された歴史小説、あるいはただ本当にあったことを、そのまま書いただけのノンフィクションなどとは違い、釣り場ガイドのページを開くと、たちどころに「次こそは爆釣かもしれない！」と思えるロマンの香りが揺らめき上がるのである。ページを繰るごとに、いまだ見たことのない美しい川が白昼夢のごとく眼前に現出し、生まれてから一度も手にしたことのない大魚がページの右から左へと泳ぎ始める。『チャタレイ夫人の恋人』や『四畳半襖《ふすま》の下張り』のような、読み手の想像を刺激する発禁書がなくなった現在、手っ取り早く、めくるめく気分になれるのは、釣り場ガイドだけなのである。

自然や生物相手の釣りという遊びには、いつも同じ場所でやり続けることでしか見えてこない定点観測的な楽しみがある。一方で釣りは、明らかに冒険の一形態でもあり、見えない一瞬先の光景や体験を求めてするものでもある。どちらのタイプの釣りが好きかは人によって異なるだろうし、私のように、どちらも好き、という欲張りもたくさんいるだろう。

いつも釣っている川には、気の合う女将を相手に飲む、行き慣れた居酒屋のような安心感がある。女将に、憎からず思っている客が他にいると分かっていても、新しい店を開拓しようとしないのは、別な店の扉の向こうにどんな世界が広がっているかが不安だからだ。居心地が悪かったらどうしよう、常連ばかりでイチゲンさんは相手にされないかもしれない、ボラれたらどうしよう、などと思って、ついつい、いつもの店に足を向けてしまう。新しい釣り場に興味がありながらも、なかなか新規開拓をする気にならない釣り人は少なくない。

言うまでもなく、この本に書かれたそば屋と釣り場の情報は共に限定的である。秋田においしいそば屋が1軒だけ、青森に至っては絶無なんてことはあり得ない。長野と新潟の西も気になる。広く浅くではなく、狭く深くを目指した本書において、「ページ数の関係で今回は多くを掲載できなかった」というありがちな決まり文句は、半分は真実であるが、現実的に未開拓の土地がまだまだたくさん残っていることも事実だ。そばふらい人の探索行はこれからも続くので、またいつか発表する機会があるかもしれない。

本書がそば屋のみならず、未だ見ぬ新天地への誘い水としての役割を果たしてくれるといいな、と思っている。拙著「ウルトラライト・イエローストーン」のあとがきの繰り返しになってしまうけれども、ガイドブックの使命とは釣り人に旅のロマンを与えるきっかけ作りと、初めての釣り場へ向かう際のちょっとした安心感なんじゃないかと思う。結局のところ、いい釣り場は自分の足で歩いて探す他に方法はないのだから。

そばふらい人プロフィール

大野敏男

おおの としお　１９６５年生まれ、埼玉在住、自営業。中学から登山を始め、海外の山に登るまでになる。アラスカのデナリ峰登山後にキング・サーモンを釣り、フライフィッシャーへと変身し、そばと温泉の釣り旅を実践中

川上潤司

かわかみ じゅんじ　１９６５年北海道生まれ。日高山脈の麓で過ごした幼少期に昆虫採集や渓流釣りに明け暮れる。その頃の野遊び癖が伏流していたのか、後年フライフィッシングにのめり込み、今なお山釣りに夢中

関根信太郎

せきね しんたろう　１９５９年、埼玉県生まれ。結婚後に再開したフライフィッシングにどっぷりハマり、転勤先の希望は渓流が近い土地。新潟市に単身赴任した際に、釣りに加えて、そば屋と温泉巡りを始めた

次山嘉一

つぎやま よしかず　１９７６年、横浜市生まれ。高校卒業後に携帯電話、光回線の代理店、飲食店、ウェブサービス等を創業、売却。現在（株）シンクメディア取締役。プロの引きこもり。本書唯一の40代

山釣りの旅案内　そばとふらいふぃっしんぐ　東北、北関東、信越編

著者　大野敏男、川上潤司、関根信太郎、
次山嘉一、阪東幸成

写真　同右
表紙デザイン、イラスト　吉原奈桜
校正　舟串彰文
発行日　2022年5月27日　第1版
発行者　ふらい人書房
印刷所　株式会社　藤プリント
発行所　ふらい人書房
東京都町田市三輪緑山2-25-21
HP　www.flybito.net
e-mail　flybito@me.com

ISBN978-4-909174-10-9